ARNAUD DESJARDINS

Autrefois grand voyageur, réalisateur pour la télévision, Arnaud Desjardins fit connaître aux Occidentaux les spiritualités vivantes de l'Orient par les films qu'il tourna sur la vie des maîtres en Inde et en Asie. Il étudiera auprès de son maître Swâmi Prajnanpad pendant des années. Il fonde un ashram en 1974, installé aujourd'hui à Saint-Laurent-du-Pape en Ardèche, où il transmet l'enseignement qu'il a reçu. Très engagé dans le dialogue interreligieux, il est internationalement reconnu, et ses livres sont traduits dans plusieurs pays.

ARNAUD DESJARDINS

Autrefois grand voyageur, réalisateur pour la télévision, Arnaud Desjardins fit connaître aux Occidentaux les spiritualités vivantes de l'Orient par les films qu'il tourna sur la vie des maîtres en Inde et en Asie. Il étudiera auprès de son maître Swami Prajnanpad pendant des années. Il fonde un ashram, en 1974, installé aujourd'hui à Saint-Laurent-du-Pape en Ardèche, où il transmet l'enseignement qu'il a reçu. Très engagé dans le dialogue interreligieux, il est internationalement reconnu, et ses livres sont traduits dans plusieurs pays.

POUR UNE VIE RÉUSSIE UN AMOUR RÉUSSI

DU MÊME AUTEUR
CHEZ POCKET

L'AUDACE DE VIVRE
POUR UNE MORT SANS PEUR
LES CHEMINS DE LA SAGESSE

ARNAUD DESJARDINS

POUR UNE VIE RÉUSSIE UN AMOUR RÉUSSI

LA TABLE RONDE

Le Code de la propriété intellectuelle n'autorisant, aux termes de l'article L. 122-5, (2° et 3° a), d'une part, que les « copies ou reproductions strictement réservées à l'usage privé du copiste et non destinées à une utilisation collective » et, d'autre part, que les analyses et les courtes citations dans un but d'exemple et d'illustration, « toute représentation ou reproduction intégrale ou partielle faite sans le consentement de l'auteur ou de ses ayants droit ou ayants cause est illicite » (art. L. 122-4).
Cette représentation ou reproduction, par quelque procédé que ce soit, constituerait donc une contrefaçon sanctionnée par les articles L. 335-2 et suivants du Code de la propriété intellectuelle.

© Éditions de La Table Ronde, Paris, 1985
ISBN 978-2-266-16622-5

« Dieu créa l'homme à Son image, à l'image de Dieu Il le créa, mâle et femelle Il le créa. »

(Genèse I, 27)

INTRODUCTION

Il y a une quinzaine d'années, alors que mes émissions de télévision m'attiraient un abondant courrier, j'ai reçu chez moi une dame qui voulait en savoir plus long sur les maîtres tibétains.

Agée d'environ cinquante ans, elle était fort élégamment vêtue. Je remarquai vite qu'elle évitait de me regarder dans les yeux, croisait et décroisait trop souvent ses jambes, ponctuait ses phrases de « n'est-ce pas » et « si vous voulez ». D'où provenait ce malaise ?

Au cours de notre entretien, j'appris qu'elle avait lu de nombreux livres sur les diverses spiritualités et approché la plupart des « maîtres » connus en France. Aucun enseignement ne l'avait satisfaite et elle avait été particulièrement déçue par l'entourage de ces gourous, notamment les femmes qui paraissaient les plus proches d'eux.

« Pourtant, insistait-elle, il n'y a que cette recherche de Dieu qui compte pour moi. » Le ton montait, comme pour mieux me convaincre. Tout à coup, l'émotion la submergea et elle

s'écria : « Il faut me croire, je n'ai jamais cherché que la connaissance, pas n'importe quelle connaissance, non, la vraie connaissance, la connaissance avec un grand A. » Et brusquement elle s'arrêta.

Freud lui-même n'eût pas rêvé d'un lapsus aussi révélateur — et aussi douloureux.

Je lui demandai de répéter ce qu'elle venait de dire. Elle ne put pas s'en souvenir.

Quand je lui signalai qu'elle avait parlé d'une « connaissance avec un grand A », le déni, bien entendu, fut d'abord catégorique. Il fallut la confiance qu'elle prétendait avoir en moi pour qu'elle admît l'avoir dit. Mais lorsque je lui proposai de chercher le mot commençant par un A que l'on écrit volontiers avec une majuscule, elle ne le trouva point. Devant son désarroi, je fis alors, si je puis dire, machine arrière : « Madame, ce n'est certainement pas le même pour tous. Un jeune rêve de l'Aventure, un vieux militant de l'Anarchie. Si vous découvrez le mot qui vous concerne, revenez me voir, je vous accueillerai volontiers. »

Je n'ai jamais plus reçu de ses nouvelles.

Plus tard, j'ai raconté ce souvenir à une femme qui s'était jointe au petit groupe de personnes que je guidais sur le « chemin de la sagesse », voulant l'aider à voir la vérité de ses aspirations. Elle m'écouta certes attentivement. Quand j'arrêtai mon récit, elle s'enquit : « Et alors, quel est ce mot ? »

C'est en me rappelant tant de souffrance peu à peu découverte au fil des jours, au fil des ans, que j'ai réuni, revu, corrigé les dactylographies des causeries qui composent le présent livre. Celles-ci ont été prononcées devant de petits auditoires, dans un contexte d'intimité, pour des hommes et des femmes que je connaissais personnellement et qui avaient tous en commun un intérêt déjà éveillé à l'égard de ce qu'il est convenu d'appeler la « spiritualité » ou les « enseignements traditionnels ». J'en ai conservé le style familier.

Après dix ans de « travail sur soi » dans les Groupes Gurdjieff, quinze années de voyages en Asie m'ont permis d'étudier avec des maîtres hindous, tibétains, zen, soufis sans que j'aie jamais pour cela à renier mon baptême de chrétien. Mais le sage qui a guidé de plus près mes pas sur le « Chemin », celui dont les paroles inspirent le plus directement les miennes a été un Indien, Sri Swâmi Prajnanpad de Channa Ashram, non loin de Burdwan au Bengale (« Swâmiji » dans le texte). Le lecteur non familier avec la doctrine védantique ne doit pas s'étonner de rencontrer ici et là dans les pages qui suivent quelques termes sanscrits que je donne souvent comme référence pour ceux — notamment les praticiens du yoga — qui ont déjà une connaissance personnelle de l'ascèse (sadhana) *hindoue.*

Dans l'introduction à Pour une mort sans peur *(La Table Ronde), j'ai annoncé que cet ouvrage serait suivi d'un autre volume,* Pour une vie réussie, *et précisé : « Nous sommes d'autant plus prêts à abandonner cette terre que nous avons mieux su profiter consciemment des "nourritures terrestres". » Une mort réussie est le couronnement d'une vie réussie. Et une vie réussie ne doit que peu à la « réussite », que celle-ci soit professionnelle, mondaine, financière.*

Une vie réussie est une vie heureuse, comblée. Cette plénitude tient beaucoup plus à ce que nous sommes qu'à ce que nous avons.

Pourtant, ce que l'existence nous donne, nous refuse, nous enlève contribue aussi — et il est mensonger de le nier même au nom de la religion — à notre épanouissement. L'argent ne fait pas le bonheur mais seuls les riches le savent. La « Libération » (au sens oriental, métaphysique du terme) ne sera jamais le fruit de la frustration.

Or mon expérience personnelle, celle d'un homme qui est entré dans les secrets de plusieurs centaines de cœurs humains, m'a montré, année après année, que la frustration profonde, latente ou manifeste, de mon prochain, naissait avant tout des échecs amoureux et sexuels. Du vide de la solitude aux rancœurs des couples désunis ou mal assortis, j'ai entendu presque chaque jour le langage des espérances brisées. Plus même, des hommes et des femmes dont la vie sexuelle paraissait normale et qui la considéraient telle m'ont avoué peu à peu qu'elle n'avait pas répondu à leur attente.

A cet égard, si le « mental » des humains est complexe — compliqué même —, la vérité est simple. L'attirance sexuelle est la loi fondamentale, la loi universelle. Personne n'y échappe, pas même un moine ou une nonne. Cette force toute-puissante mène le monde mais elle peut être affinée et transmutée. Seulement cette transmutation est rare. Et tout le reste n'est que rationalisation des erreurs. Le choix lui aussi est simple : ou une vie amoureuse normale, naturelle, aisée, ou l'ascèse vivifiante et elle aussi épanouissante, ou la névrose, légère peut-être, mais suffisante pour que nous ne puissions plus parler d'une vie réussie — fût-ce celle de notre contemporain qui a le mieux « réussi » dans d'autres secteurs de son existence.

Beaucoup d'hommes et de femmes intéressés ou convaincus par les doctrines dites ésotériques aspirent à la réalisation d'une conscience supranormale, en oubliant combien la toute simple normalité leur fait défaut. Mieux aimer, mieux faire l'amour, chacun est d'accord. Mais, qui *aime ?* Qui *fait l'amour ? L'union d'un homme et d'une femme pourrait être une fête permanente. Mais qui peut redevenir pareil à un petit enfant sans être pour cela infantile ? Considérer la vie comme une fête permanente de nouveauté, d'imprévu, d'émerveillement, demande un cœur d'enfant joint à la maturité d'un adulte capable de comprendre et d'agir.*

C'est la simplicité d'une vie de couple réussie qui, plus que tout, fait une vie réussie. Cette réussite se gagne. Les causeries réunies dans ce livre peuvent aider celui qui veut être heureux et qui comprend qu'il attire le destin — et n'attire que le destin — correspondant à son être réel, à son être profond. Toutes ont un lien, plus ou moins apparent, avec l'épanouissement sexuel.

Le « sexe » implique les organes génitaux et les zones érogènes mais il concerne surtout un être humain total, corps, tête et cœur, un être humain appelé à recevoir, à donner et à transcender toutes les dualités.

Un point encore. Le respect de la vérité m'amène à dire que ce livre sur le couple idéal ne décrit pas ma relation avec Denise Desjardins. Tel qu'il est, il représente pour moi un hommage à Swâmi Prajnanpad, né et éduqué dans l'Inde traditionnelle et qui savait si admirablement témoigner pour une conception du mariage de plus en plus méconnue en Occident.

1

BE HAPPY

Vous avez tous entendu parler de commandements divers : « Tu ne tueras point », « Tu ne convoiteras pas le bien de ton prochain ». Outre les Dix Commandements de l'Ancien Testament, il y en a bien d'autres dans les différentes religions. Mais j'ai entendu un jour un commandement tout à fait étonnant de la bouche de Swâmi Prajnanpad. C'était à la fin de mon premier séjour auprès de lui, en mars 1965. J'avais découvert l'Inde en 1959 et le monde tibétain en novembre 1964. Je venais donc de passer quelque temps auprès de rimpochés notoires puis, à la suite de divers signes, notamment quelques jours auprès de Mâ Anandamayî, j'ai senti que le moment était venu de rejoindre ce Swâmi dont j'avais déjà donné l'adresse à deux personnes mais auprès de qui je m'étais prudemment gardé d'aller moi-même. Cela faisait seize ans que je pratiquais diverses formes de yoga, de méditation, de vigilance. Ce séjour avait été assez court, deux semaines, mais, comme Swâmiji était seul à l'ashram, il me recevait trois quarts d'heure le matin et trois quarts d'heure l'après-midi.

Je m'étais mis en tête que, quand on avait rencontré son gourou (et pas seulement reçu la bénédiction d'un sage), celui-ci devait donner une initiation en bonne et due forme, comme c'est écrit dans les ouvrages de René Guénon, et notamment un *mantram*. J'avais cette idée : je dois être reconnu comme disciple par Swâmiji. Inutile de vous dire que c'était avant tout l'infantilisme de l'ego qui voulait avoir un gourou avec la fierté de se considérer comme un « disciple ».

Mais Swâmiji avait éludé mes tentatives dans ce sens. Je m'y suis alors pris autrement et je lui ai demandé : « Je voudrais que Swâmiji, à défaut d'un *mantram*, me donne une formule qui résume tout son enseignement en quelques mots. » Il m'a répondu : « Oui, au moment de votre départ, Swâmiji vous donnera la formule. » Ah ! J'étais content. Le jour de ce départ approche et un matin, après le petit déjeuner, je vais dire au revoir à Swâmiji, assez impressionné d'avoir connu un sage qui parlait anglais, qui répondait à mes questions et qui me donnait un enseignement détaillé et méthodique. Et Swâmiji m'annonce : « *Now Swâmiji will give you the formula.* » « Maintenant Swâmiji va vous donner la formule. » Au moment où j'allais le quitter, il me regarde et il me dit assez solennellement mais en souriant : « *Be happy, Arnaud* », ce qui signifie : « Soyez heureux. » C'est tout. *Be happy, Arnaud.*

Je n'étais pas spécialement malheureux à ce

moment-là, ma vie professionnelle s'était considérablement améliorée après des années assez dures à vivre, j'étais passionné par mes longs voyages en Asie, par les tournages de films, j'aimais beaucoup mon existence aventureuse et libre de cinéaste-explorateur, mais ce « *Be happy, Arnaud* », « Soyez heureux, Arnaud », m'a fait éclater en sanglots. C'était si simple, si fort, si terrible que je l'ai senti comme un commandement solennel, tels ceux que le Christ pouvait donner à ses disciples ou que Dieu avait donnés à Moïse pour le peuple hébreu. Et j'ai été accablé en voyant à quel point, fondamentalement, j'étais incapable d'être heureux.

Je n'avais pas envisagé, je dois bien le dire, la vie spirituelle d'une manière aussi directe et aussi simple. J'avais envisagé les états supérieurs de conscience, les *samadhis*. Il m'était même arrivé quelquefois, à travers ma relation avec Mâ Anandamayî, d'accéder à des expériences dites extraordinaires mais non durables. J'avais comme but depuis seize ans d'être présent à moi-même, vigilant, conscient, unifié, mais ces mots « *Be happy, Arnaud* », « Soyez heureux, Arnaud », étaient totalement inattendus pour moi. J'ai pris brusquement conscience que je n'étais pas heureux, alors que je ne me sentais plus du tout malheureux après l'avoir été tant et plus à différentes époques de ma vie, que je n'étais pas heureux et que j'étais bien incapable de l'être vraiment. Le but de la spiritualité était aussi simple que cela. Je ne pouvais ni fuir ce but ni tricher avec lui. Si je prenais Swâmiji au sérieux — et je prenais Swâmiji au sérieux — je ne pouvais plus oublier ces mots.

Je ne sais pas si vous l'entendez et le ressentez comme moi mais lorsqu'un gourou que vous respectez vous demande « Soyez heureux », c'est le plus terrible de tous les commandements. Eh bien je vous le dis à mon tour et ne l'éludez pas, ne vous illusionnez pas, ne vous mentez pas. Dans *Un grain de sagesse,* j'affirme que le but de l'éducation n'est pas de faire un enfant bien élevé, ni un enfant instruit qui connaisse les usages du monde, mais de faire un enfant heureux. C'est tout. Et tout le reste en dépend. Vous n'aurez jamais de problème avec un enfant heureux. Toutes les difficultés que peuvent avoir les parents avec les enfants viennent simplement de ce que les enfants ne sont pas heureux. Et une éducation qui ne fait pas des enfants heureux est une éducation manquée, même si ces enfants entrent à Polytechnique à dix-huit ans.

Mais ce bonheur n'est pas seulement le but de l'éducation, c'est aussi le but du « Chemin ». Voilà une manière si simple, si accessible d'envisager ce que vous appelez la vie spirituelle. Voilà la fonction d'un ashram.

Be happy, Arnaud. Je n'y avais pas pensé tout seul. Je croyais même qu'être heureux c'était très profane, que seuls les égoïstes et les jouisseurs cherchaient à être heureux mais qu'un homme porté sur la spiritualité devait chercher à être vigilant, à méditer, à unifier ses diverses tendances, à éveiller en lui des énergies latentes.

***

Et maintenant je comprends aussi une expression de Swâmiji qui ne m'a pas été tout de suite évidente. C'étaient les mots, en anglais, « *so miserable, so miserable* », si misérable, si pitoyable. « *When Swâmiji saw that you were so miserable*[1]... ». « Quand Swâmiji a vu que vous étiez si misérable, si malheureux... » Effectivement, ce qui me tenait lieu de bonheur à cette époque était toujours des joies ou des satisfactions dépendantes, dépendant du succès de mes films, dépendant de mes ressources financières du moment, dépendant des conditions et des circonstances que je rencontrais.

Il s'agissait d'un accomplissement fragile et vulnérable et je savais bien, au fond de moi-même, qu'il était chaque jour menacé par des événements imprévisibles mais non pas impossibles et que je ne pouvais être en paix et en sécurité qu'en fonction de ces conditions dépendantes. Ce n'est pas cela qu'on peut vraiment appeler être heureux, mais tout au plus rassuré, emporté par une joie, survolté dans le feu de l'action.

Soyez heureux. Me souvenant des Évangiles : « Tu aimeras le Seigneur ton Dieu de tout ton cœur, de toute ton âme et de toute ta pensée », « le premier et le grand commandement », et « le second qui lui est semblable » : « Tu aimeras ton prochain comme toi-même », ces mots :

1. Comme beaucoup de sages hindous, Swâmi Prajnanpad parlait de lui à la troisième personne.

« Voici le grand commandement », sont souvent montés à mon esprit associés à cette parole : « *Be happy* ». Voici le Grand Commandement : « Soyez heureux ». Il a fallu la force de conviction et le rayonnement de Swâmiji pour m'en convaincre et que j'en fasse en effet le but de mon existence après avoir rencontré en moi une grande résistance et toutes sortes d'arguments insidieusement mensongers pour essayer de fuir ce commandement, comme si ce n'était pas un but assez élevé : le premier venu peut être heureux et nous avons en français l'expression « un imbécile heureux ».

Il est dérisoire de poursuivre une vie spirituelle en éludant cette simple question du bonheur. Dérisoire et mensonger. Vous pouvez utiliser des mots plus étonnants tels que béatitude, félicité, *ananda,* ou des termes plus philosophiques comme sérénité, c'est simplement jouer avec les mots. Nous vivons dans une civilisation où cette notion de bonheur est déformée et trahie. Le mot est certes utilisé, mis à toutes les sauces, mais toujours dans le sens d'un bonheur dépendant et, quand *France Dimanche* titre : « Je défendrai mon nouveau bonheur, nous dit Sheila » — ou Caroline —, cela n'a évidemment rien à voir avec le « *Be happy* » dont parlait Swâmiji. J'ai même souvent entendu dire qu'il n'est pas possible d'être à la fois intelligent et heureux. On a l'impression que plus quelqu'un est intelligent, Jean-Paul Sartre ou Simone de Beauvoir, plus cette personne doit être torturée. C'est aussi tourner le dos à tous les enseignements spirituels.

La vérité, c'est que l'ego est bien incapable d'être heureux. Le bonheur non dépendant grandit dans la mesure où diminue l'égoïsme. Ne prenez pas le mot ego seulement dans le sens technique du *ahamkara* sanscrit, la conscience de l'individualité séparée, comme s'il s'agissait d'une science hautement ésotérique. *The ego* en anglais, *ahamkara* en sanscrit, signifie moi et représente tout simplement l'égocentrisme. Mais le mot bonheur n'est pas suffisamment flatteur pour l'ego. L'ego veut être sage, l'ego veut méditer, l'ego veut avoir des expériences transcendantes, l'ego veut réussir quelque chose dans un domaine ou dans un autre et pourquoi pas dans le domaine de la spiritualité plutôt que celui des études, du sport ou de la carrière. Si on lui propose simplement « *be happy* », « soyez heureux », l'ego ne peut pas l'entendre.

Malheureusement pour l'ego, je n'ai pas pu ne pas l'entendre ce jour-là et j'ai éclaté en sanglots. J'ai mesuré combien j'étais encore mal dans ma peau, en le ressentant non comme une occasion de me plaindre et de me rendre intéressant mais comme une occasion de honte. Voilà ma nullité après seize ans de recherches diverses. Après avoir même écrit et publié deux livres sur Mâ Anandamayî, Ramdas et les ashrams hindous, je ne suis toujours pas définitivement heureux. Je porte en moi un fond douloureux latent, réprimé, anesthésié momentanément par l'enthousiasme et l'excitation de la réussite professionnelle. Mes grandes expéditions, la vie dans les ashrams, la découverte des maîtres tibétains, les succès féminins, tout me faisait oublier que je n'étais pas heureux. L'existence de tant d'êtres humains consiste à masquer la frustration par le travail, l'aventure, la réussite dans un domaine ou dans un autre, mais ça n'est pas se libérer vraiment de cette souffrance qu'on traîne au fond de soi.

Il me semblait même que souffrir était quelque chose de grand, de noble. Tant de motifs inconscients, abondamment étudiés par les psychologues, nous poussent à souffrir. C'est une idée infantile enracinée en nous que, si je souffre suffisamment, je vais attirer l'attention de papa et maman qui ne m'aiment pas assez, qui ne me considèrent pas assez ou, pire, qui admirent plus que moi mon petit frère ou ma petite sœur. Ce cri du cœur : « et moi, et moi, moi aussi, moi aussi » est associé à cette conviction que la souffrance nous vaudra quelque chose. C'est un thème que je ne veux pas développer spécialement parce qu'on n'a pas besoin de séjourner auprès de Swâmiji pour l'approfondir et pour étudier la contradiction entre le désir fondamental inhérent à tout être vivant d'être à l'aise, content, heureux, et le désir inconscient de souffrir comme si cela allait nous rapporter quelque avantage.

Mais j'ai ressenti aussi ce jour-là que cette parole dite avec tant d'amour était une espérance, la grande espérance offerte par Swâmiji comme dernière parole de départ bien que je n'en aie pas parlé de moi-même. Je lui avais posé des questions sur l'*atman*, la méditation, la vigilance, la présence à soi-même, la concentration, le mental, les associations d'idées, mais pas cette question-là. Et Swâmiji m'a donné ces derniers mots : « *Be happy, Arnaud* », comme si c'était le plus important et que je l'avais oublié. C'est cela que Swâmiji vous offre, Arnaud. C'était un sublime cadeau. C'était à cela que devaient me conduire tous ses efforts et tous les miens. Et en même temps c'était une demande de sa part, un commandement sacré et solennel.

Je me suis beaucoup mesuré à cette parole de Swâmiji parce qu'il m'a fallu dix ans pour être heureux, librement heureux. Combien de fois, même après avoir rencontré Swâmiji, la conviction que j'étais malheureux ou que je souffrais est revenue, m'a envahi de nouveau. Mais je ne pouvais plus ne pas la sentir comme un échec — et un échec que les réussites dans différents domaines ne pouvaient plus compenser. Entre 1965 et 1973, j'ai connu le succès dans les domaines profanes, ceux que vous promettent les diseuses de bonne aventure, mais le véritable échec était celui-là. Ramdas était heureux, sans aucun doute. Swamiji est heureux sans aucun doute. Et moi je ne le suis pas.

Vous avez tous besoin d'entendre aussi cette parole et de considérer que cela ne vous glorifie en rien d'être malheureux, cela ne vous grandit en rien, ne vous anoblit en rien. C'est seulement un échec. Voilà le meilleur critère pour mesurer vos progrès sur le Chemin. Est-ce que je me rapproche du moment où je pourrai dire : « Oui, je suis heureux ? » Oui ou non ? Tout le reste, ce sont des tricheries de l'ego. J'ai une plus grande concentration, une plus grande capacité à maintenir mon attention sur la présence à moi-même, une plus grande vigilance, je descends dans mon inconscient. Tout ce que vous pourrez dire ne pourra jamais masquer la simple vérité : est-ce que je suis heureux ? Et même : est-ce que j'ai tout simplement envie d'être heureux ou est-ce qu'il y a encore une part de moi qui trouve une grandeur quelconque dans le fait de souffrir, qui croit que ça me rend intéressant et que ça fait ma valeur ?

Gurdjieff dit quelque part, dans les *Fragments d'un enseignement inconnu :* « Essayez de comprendre ce paradoxe apparent : rien ne pourra être acquis sans la souffrance et en même temps vous avez à sacrifier votre souffrance. Et c'est ce que les gens sont le moins disposés à sacrifier. » Cette parole des *Fragments*, je la connaissais depuis 1950 et elle aussi m'avait fait beaucoup réfléchir avant même que j'aille en Inde. Je mesurais combien j'étais peu prêt à lâcher la souffrance à laquelle je me cramponnais. Et deux vers étaient bien souvent revenus à ma mémoire. Dans *Le Mariage de Figaro* de Beaumarchais, Chérubin chante : « Je veux souffrir ma peine mais non m'en consoler. » Je veux souffrir ma peine mais non m'en consoler. Tout est là. Je ne veux pas sacrifier ma souffrance, Gurdjieff a raison.

Puis les années avaient passé, j'avais quitté l'enseignement Gurdjieff, j'avais connu des joies extraordinaires auprès de Mâ Anandamayî, les plus hautes que j'aie jamais connues et, à la suite de mon premier séjour auprès d'elle (1959), beaucoup de satisfactions que l'existence m'avait jusque-là refusées, notamment professionnelles. Cette idée de Gurdjieff — ce que nous sommes le moins prêts à sacrifier c'est notre souffrance — était passée au second plan. Mais, comme dans ces moments très intenses de l'existence où l'on vit tant de données différentes en une seconde, dans ce *Be happy* de Swâmiji tout est revenu. Non, Swâmiji, non. Ne me demandez pas ça. Ce que vous me demandez est terrible.

Regardez bien au fond de votre cœur, vous verrez quelque part en vous ce qui refuse purement et simplement l'idée d'être enfin heureux, bien que vous prétendiez tous sincèrement en avoir assez de souffrir. Mais, si vous en aviez vraiment assez, je peux vous assurer que vous ne souffririez plus. Si vous continuez à souffrir c'est qu'il y a des aspects de vous bien enracinés dans *chitta,* le psychisme, qui, à votre insu, au mépris de votre désir superficiel de bonheur, veulent continuer à gémir. C'est pour cela que cette parole est à la fois une promesse, un cadeau fantastique que me faisait Swâjimi — et une demande, une demande que nous ne pouvons pas fuir.

Si vous avez un autre but sur le Chemin, je vous assure que vous trichez. Vous êtes très excusables et vous êtes tout à fait excusés mais vous trichez. Vous êtes marqués par des *samskaras* d'existences antérieures ou en tout cas de cette existence-ci, par des blessures, des erreurs de vos parents, des drames et vous avez construit votre équilibre de vie, votre monde intérieur, sur la souffrance. Vous êtes adaptés à la souffrance, installés dans la souffrance et l'idée de renoncer à la souffrance, profondément, vous est incompréhensible.

Une illusion de plus s'effondrait. Je ne possédais même pas ces réelles qualités de disciple que, selon les exigences anciennes, l'on appelait les qualifications initiatiques. J'avais bien trop d'intérêts tout à fait humains pour mériter d'être considéré comme un disciple. Certes j'étais persuadé du contraire depuis mon entrée dans les groupes Gurdjieff à l'âge de vingt-quatre ans et il m'a fallu trois ou quatre années auprès de Swâmiji pour que je le voie, tout simplement parce que c'était vrai. Un disciple, c'est un homme totalement et profondément engagé dans la poursuite du But suprême, non quelqu'un qui a tant de désirs annexes comme j'en avais moi. Swâmiji disait d'ailleurs qu'il n'avait pas de disciple mais seulement des apprentis disciples. J'ai un jour demandé à Swâmiji : « Mais finalement pourquoi est-ce que Swâmiji m'a accepté ? » Parce que, si moi je n'étais pas un disciple, lui était un gourou. Il m'a d'abord répondu : « *Because you came*. Parce que vous êtes venu. » C'est vrai, j'avais au moins eu ce mérite : je suis allé à lui et des centaines ou des milliers d'autres qui sillonnent l'Inde ne l'ont pas fait. Notre être attire les événements de notre vie et ils n'ont pas attiré d'entendre parler de Swâmi Prajnanpad.

Because you came. Je suis venu, oui. J'étais seul à l'ashram, très seul, regardant l'horizon, immobile la plus grande partie de la journée, « en contemplation », comme disaient en anglais certains Hindous. Et puis Swâmiji m'a répondu aussi : « *When Swâmiji saw that you were so miserable...* » Quoi ? Cela m'a presque vexé. Comment ? J'ai des films qui passent en première partie de soirée à la télévision, j'ai des doubles pages dans *Télé 7 Jours,* je gagne enfin de l'argent, mes expéditions en Asie m'intéressent beaucoup, j'aime mes deux enfants... « Quand Swâmiji a vu que vous étiez si pitoyable. » Plus tard ces mots m'ont beaucoup touché. Swâmi Prajnanpad avait soixante-quatorze ans quand je l'ai rencontré et, dans les dernières années de sa vie, il a pris sur ses épaules le fardeau de neuf Occidentaux, hommes et femmes. « Quand il a vu que vous étiez si misérable, si pitoyable, ce vieil homme a ressenti de la compassion. Il n'a pas pu refuser de vous aider. »

Maintenant je sais bien que le vernis superficiel, le brillant de quelques succès, une certaine ferveur pour mon travail, n'empêchaient pas que, derrière cette surface, il y avait un être conflictuel, blessé, prêt à se décourager et qu'au fond je n'étais apparemment plus heureux, nettement plus heureux, que parce que tout allait bien. Si, de nouveau, les événements avaient mal tourné pour moi, je me serais retrouvé de nouveau pitoyable. Swâmiji l'a vu tout de suite. Ce dynamisme qui m'habitait alors, cette foi aussi, ne pouvait pas masquer à ses yeux cette frustration et cette peur refoulées. Voilà bien les « sépulcres blanchis » dont parlait le Christ.

Ce que vous propose la « Voie » ou le « Chemin », c'est de sortir de cette souffrance, tout simplement, vraiment, complètement et d'être enfin heureux. Mais pas heureux seulement parce que vous réussissez professionnellement, parce que vous avez rencontré le grand amour, parce que l'argent vous tombe du ciel ou parce que vous vous sentez entourés de sécurités diverses. C'est un bonheur si dépendant qu'il ne peut pas étouffer la crainte fondamentale de le perdre. Cette crainte est seulement plus ou moins anesthésiée. Swâmiji disait *stupefied,* stupéfiée, comme une morphine quelconque, ou une fumée destinée à endormir les abeilles pour voler leur miel. Non. Extirper complètement cette souffrance et la possibilité même de souffrir.

Vous pouvez l'entendre à tous les niveaux, depuis celui de *ananda* béatitude ou *amrit,* qu'on traduit parfois par immortalité mais aussi par béatitude suprême, jusqu'à ce mot si simple et si fort lui aussi de Swâmiji, *ateaseness,* le fait d'être vraiment à l'aise, complètement détendu, bien dans sa peau. C'est ce qui vous est proposé. Sinon vous tentez de tricher. Vous refusez le véritable but et l'ego essaie de venir voler à l'ashram quelque chose qui l'intéresse et qu'il puisse récupérer pour sa propre glorification.

Je dois vous dire aussi que, pendant des années, j'ai été suffisamment occupé par mes souffrances ou ma souffrance pour ne guère être conscient des souffrances des autres. Quand on est malheureux, on a l'impression que les autres sont heureux. Je pensais que tous ceux qui faisaient des émissions intéressantes à la télévision étaient heureux, que tous ceux qui gagnaient à peu près leur vie étaient heureux et ainsi de suite. Puis j'ai été emporté par mes succès, mes accomplissements, mes entreprises variées et cela m'a encore aveuglé à la souffrance de mon prochain. Il y a eu de nouveau des tempêtes et des tourmentes mais, avec l'aide de Swâmiji, je les ai vécues d'une façon nouvelle, avec la compréhension et la capacité à progresser grâce aux épreuves. Mais le champ de bataille de l'existence, pour parler comme la Gita, le terrain sur lequel je me battais contre le « mental », sur lequel je mettais en pratique l'expérience acquise, m'occupait entièrement. Oh je mesurais bien, et de mieux en mieux, et de plus en plus douloureusement, mon égoïsme et mon égocentrisme mais je n'étais pas vraiment conscient de ceux qui m'entouraient. Moi, moi, moi, vous savez que c'est le leitmotiv de l'ego.

A mesure que je progressais auprès de Swâmiji, ce simple *Be happy* du premier séjour prenait de plus en plus d'importance. Voilà ce que je peux atteindre, voilà ce que je suis appelé à atteindre. Ce n'est pas de l'égoïsme, c'est même la seule chose qui vous libérera enfin de l'égoïsme. Vous serez vraiment délivrés de vous-même quand vous serez enfin heureux. Inversement, vous ne pouvez être heureux qu'à mesure que votre égocentrisme diminue un peu. Ce *be happy* deviendra le centre de votre *sadhana*. Puis de nouveau vous serez malheureux, de nouveau vous trouverez que la vie est douloureuse et difficile. C'est votre erreur. Ce n'est pas votre grandeur ou ce qui vous rend digne de pitié, c'est ce qui vous montre votre faiblesse et rabat toutes vos prétentions à être un grand disciple. Vous ne pouvez plus vous illusionner.

Et je continuais à voyager avec cette question primordiale à l'arrière-plan : « Est-ce qu'il est heureux ? » C'était devenu ma pierre de touche. Khalifa-Saheb-e-Sharikar, oh, c'est un grand maître soufi, il a un regard très profond. Est-ce qu'il est heureux ? Oui. Kangyur Rimpoché, est-il heureux ? Oui. Kalou Rimpoché, est-il heureux ? Certainement. Karmapa, il sourit tellement qu'on ne se pose pas longtemps la question, du matin au soir il sourit. Lui doit l'être. Khentsey Rimpoché, il est heureux ? Bien sûr. Soufi Sahib de Maïmana ? Certes oui. Ramdas l'était, cela ne faisait aucun doute. De même pour les disciples. Ce qui était impressionnant pour celui qui, comme moi, avait un peu l'habitude de sillonner les milieux spirituels, c'était de voir combien, dans un pays pauvre et rude comme l'Afghanistan, non seulement les maîtres soufis mais les disciples pouvaient être joyeux, souriants, rayonnants.

Quand Swâmiji est mort, il avait tenu sa promesse, en tout cas celle qu'il m'avait faite à moi. Il m'avait donné le secret pour être heureux et la maîtrise de ce secret. Il m'avait appris à m'en servir. Il m'a libéré de ma propre souffrance et de ce qui avait ensuite anesthésié mes souffrances latentes et les souvenirs douloureux refoulés dans l'inconscient.

Il s'est alors produit ce à quoi je n'avais pas tellement pensé, c'est que j'ai commencé à ressentir la souffrance des autres, à recevoir en partage la souffrance de centaines de personnes. Je peux dire aujourd'hui à mon tour ce que Swâmiji avait dit : *so miserable.* Vous ne pouvez pas imaginer, parce que vous êtes trop pris par vos propres « problèmes », la souffrance de plusieurs qui m'écoutent aujourd'hui. Mais qui est vraiment décidé à en sortir et à en sortir le plus vite possible ? On dirait que c'est un fait établi, que vous êtes destinés à souffrir et qu'il n'y a aucune raison pour échapper à cette souffrance. Quoi que vous puissiez prétendre, vos actions, votre comportement, trahissent votre peu de foi. Vous voulez souffrir ou vous voulez être heureux ? Pouvez-vous entendre cette parole : « *Be happy* », ou vous est-elle presque insupportable ? Je suis passé par là et je peux comprendre ce qui se lève en vous. Les années s'écoulent et je vois certains toujours aussi malheureux, n'ayant pas d'autres sujets de conversation avec moi que leurs souffrances. Ça va durer combien de temps ? Quinze ans ? Vingt ans ?

Pourquoi venez-vous ici ? Pour cesser de souffrir et pour vous décider enfin à être heureux. C'est parfaitement égoïste de souffrir. Je vous souhaite à tous de découvrir le plus vite possible, d'une manière qui vous soit intolérable, « ma souffrance est un égoïsme monstrueux ». Moi, moi, moi, moi, moi, moi. C'est ce moi qui est Satan, c'est ce moi qui est le Malin, c'est ce moi qui est l'enfer, et c'est ce moi qui est la prison. La souffrance ne peut pas répéter autre chose que « moi ». Et sur ce fond de souffrance, tout bonheur crie encore plus fort « moi, moi, moi ». « Moi, ma réussite ; moi, mes amours ; moi, enfin heureux. » Même égoïsme, même aveuglement. Un jour j'ai vraiment senti qu'il y avait quelque chose d'inadmissible, « au-dessous de ma dignité » comme disent les Hindous, à être malheureux. Je ne peux pas continuer comme ça. Quand cette décision se lève vraiment de la profondeur de vous-même, l'espérance se lève aussi. N'en avez-vous pas assez de patauger dans votre souffrance, de passer d'une souffrance à une autre ou de suffoquer huit ans de suite dans la même souffrance, exactement la même ?

Et un point doit être bien clair pour vous, vraiment clair. C'est ce paradoxe si bien mentionné par Gurdjieff à Ouspensky. Rien ne peut être acquis sans la souffrance. Et en même temps, vous avez à sacrifier votre souffrance et c'est ce que les gens sont le moins disposés à sacrifier. Les deux sont vrais. C'est vrai que le Chemin implique un certain type de souffrances, des souffrances conscientes, des souffrances qui prennent toujours un sens. La ménagère qui va faire son marché et qui a mal au bras parce qu'elle porte des sacs trop lourds ressent une souffrance purement négative. Le culturiste qui fait des haltères ressent la même souffrance musculaire dans les bras mais, pour lui, elle a un sens positif. C'est cette souffrance que nous pouvons appeler délibérée, assumée, consciente, intentionnelle, c'est cette souffrance qui a un but. La Voie n'est pas pour le lâche, le douillet, celui qui veut toujours rechercher la facilité, qui veut éviter tout ce qui lui coûte un peu. Mais vous devez aussi entendre l'autre versant de cette vérité : la souffrance négative, la souffrance douloureuse, la souffrance qui ne fait progresser personne, jetez-la par-dessus bord le plus vite possible. Décidez que ça suffit. « Assez, vraiment assez pour être lassé de tout cela », comme dit une célèbre citation bouddhiste.

Ne confondez pas les deux, ne vous y trompez pas. Le Christ a dit, c'est une parole combien célèbre : « Heureux ceux qui pleurent, car ils seront consolés. » Mais si vous regardez autour de vous, il vous semblera d'abord que c'est une des paroles les plus mensongères qu'un démagogue ou un imposteur ait jamais osé prononcer. Des milliers de chrétiens souffrent, pleurent et ne sont pas consolés. Alors pourquoi le Christ a-t-il dit cette parole et que signifie-t-elle ? Mais, précisément, c'est qu'il y a deux manières de pleurer. La manière juste, unifiée, réelle : j'ose reconnaître que je souffre, je ne me débats pas, je ne nie pas, et j'ose même pleurer si les conditions me le permettent. Pleurez, ne pleurnichez pas. Pleurnicher, ce ne sont pas des pleurs de disciple, mais des larmoiements d'ego qui veut se délecter de sa souffrance et ces pleurs-là ne seront jamais consolés. Si vous vous méprenez sur son sens, la parole du Christ est totalement mensongère. Heureux ceux qui pleurent, ceux qui pleurent réellement, ceux qui vivent de manière juste et unifiée leur souffrance d'aujourd'hui, qui la reconnaissent, qui l'assument. C'est une souffrance de disciple sachant qu'il y a un prix à payer pour être un jour libre, qu'il faut même ramener à la surface certains conflits réprimés. Les possibilités de souffrances que nous portons en nous doivent être vécues et dissipées. Et quand toutes ces vulnérabilités profondes sont dissoutes, c'est fini. Vous êtes enfin heureux.

Certains ont l'impression, en s'appuyant sur telle ou telle parole de moi, que l'ashram n'a d'autre justification que d'être un lieu de souffrances. Je n'ai pas dit ça. Swâmiji non plus. N'oubliez jamais le message bref et sacré que m'a donné Swâmiji quand je lui avais demandé un mantram. Que veut dire être libre ? Libre de la possibilité même de souffrir.

C'est chacun pour soi qui doit regarder honnêtement dans son propre cœur. Qu'êtes-vous ? Que voulez-vous ? Et, même si j'ai dit et écrit : « Vous aurez à payer le prix complet de la liberté », comprenez bien qu'il ne peut s'agir que de cette souffrance intelligente, illuminée par la compréhension, cette souffrance dont vous savez qu'elle a sa place sur le Chemin et qu'elle vous conduit directement à la liberté et au bonheur.

Je ne peux pas le nier, je n'ai jamais promis que le Chemin serait uniquement un parterre de pétales de roses. Je ne l'ai vu nulle part. L'ascèse n'est pas une plaisanterie ni un passe-temps pour les amateurs. L'un de vous m'a récemment dit quelque chose d'important pour moi. Car à ce que j'affirme : « je ne l'ai vu nulle part », il y avait une exception. C'était l'ashram de Swâmi Ramdas.

J'ai souffert beaucoup à l'ashram de Mâ Anandamayi, j'ai vécu des moments très durs auprès des Tibétains, j'ai connu des moments encore plus difficiles auprès de Swâmiji. Mais, durant les deux séjours assez longs que j'avais faits à l'ashram de Swâmi Ramdas, j'avais eu l'impression que c'était le paradis sur terre du matin au soir. Eh bien, récemment quelqu'un qui revient d'Anandashram m'a dit : « J'y ai été envahi de souffrance. » Il n'y a pas de véritable ashram ou monastère qui ne vous conduise pas à traverser certaines épreuves. Il ne peut pas en être autrement.

Mais ceci, qui est réel et que je maintiendrai toujours parce que je ne suis pas là pour vous mentir ou pour bercer vos rêves, ne doit en aucun cas vous aveugler à la vérité primordiale. Le but de l'éducation c'est de produire des enfants heureux, un point c'est tout. Si cette éducation a été défaillante, si à seize ans, dix-huit ans, vous n'êtes pas heureux, vous courez ensuite, dans un déséquilibre perpétuel, après ce bonheur qui devrait être l'expression même de votre être et qui vous échappe. Mais au moins, vous venez ici pour recevoir et pour vous donner à vous-même l'éducation qui a été manquée pour vous si vous n'êtes pas normalement et spontanément heureux. Ce n'est pas en condamnant vos parents que vous résoudrez quoi que ce soit, mais le fait est là. Bien. Il faut refaire le travail qui n'a pas été accompli, une dé-éducation va être nécessaire, puis une nouvelle éducation. Et cette nouvelle éducation, que j'ai moi-même reçue de Swâmiji, n'a pas d'autre but que de vous permettre de vivre ce grand commandement : « Soyez heureux ».

Je vous présente à tous un défi. Que voulez-vous? Être heureux ou continuer à souffrir? Voulez-vous faire de l'ashram un lieu de martyre où chacun compare ses souffrances : quel est celui qui aura les remontées de l'inconscient les plus horribles, celui qui aura le plus souffert entre deux séjours et celui qui sera « encore plus malheureux depuis qu'il vient ici »? Un ashram n'est pas un lieu où l'on ne parle que de souffrance, où l'on s'installe dans sa souffrance. Apportez-moi autre chose que votre révolte, vos doutes, vos déchirements, votre désarroi ou de petites compensations insignifiantes. Regardez ceux et celles — il y en a — qui ont atteint une paix stable du cœur et de l'esprit et ne vous inspirez que de leur accomplissement.

Happiness ne signifie certainement pas ce bonheur stupide qui tient lieu de bonheur aujourd'hui : excitation, émotions, emportement. Ce n'est que de la drogue, c'est le sourire figé de l'homme ou de la femme idéale des publicités dont le « bonheur » vient d'un nouvel amour ou d'une nouvelle machine à laver, comme si les deux étaient pratiquement interchangeables. Le bonheur profond est un sentiment et non une émotion, né de l'acceptation réelle et juste de la souffrance traversée, vaincue. C'est un bonheur qui n'est pas léger ni superficiel, qui a une certaine gravité. C'est un bonheur stable. Mais c'est aussi un bonheur simple.

La plupart d'entre vous en sont incapables. D'abord parce qu'il est gravé dans votre inconscient que vous avez quelque chose à gagner dans la souffrance, que vous allez intéresser papa, maman ou la Sainte Vierge, que c'est mal ou égoïste d'être heureux et que chaque fois que vous avez imaginé quelque chose pour être heureux dans votre enfance, ça a mal tourné. Il faut dire que certains des bonheurs que nous voulions avoir comme enfant étaient effectivement incompatibles avec les nécessités de la famille, comme de mettre toutes les chaussures de la maison dans une baignoire pleine pour en faire des bateaux. Je vous cite là un souvenir personnel. Ça c'était le bonheur. Et ça a tourné à la catastrophe. Mes parents ont gâché mon bonheur au lieu de s'y associer, de participer à ma joie émerveillée et ensuite de me montrer qu'il fallait sécher les chaussures... Une vie d'adulte, un cœur d'adulte sont parfois faits de quelques accidents comme ceux-là, surtout s'il y en a eu trop. Une autre fois, je ne sais plus à quel âge, j'avais imaginé de me maquiller. Ma mère avait de la poudre et du rouge à lèvres et je m'étais soigneusement fardé. Et mon père l'a mal pris, très mal pris. Nouveau bonheur gâché. Bien sûr, vous souriez de petites histoires comme celles-ci, mais il s'est gravé en vous que même les joies simples sont coupables. Et souvenez-vous des discours moralisateurs sur l'égoïsme du bonheur : « Comment peux-tu être heureux quand il y a des enfants orphelins, des enfants lépreux, des enfants aveugles... »

Swâmiji m'a fait un autre don qui n'a pas de prix. Il fallait un gourou de l'envergure de Swâmiji pour me faire ce don et pourtant cela va vous paraître insignifiant : il m'a appris que j'avais droit à toutes sortes de petits bonheurs quotidiens. Il avait utilisé un mot que j'ai partagé souvent avec vous, le mot *recréation*. La re-création recrée nos forces vives, notre capacité à faire face à l'existence, notre ferveur pour mener à bien notre propre *sadhana* tant que nous avons besoin de faire des efforts conscients pour progresser et que la spontanéité ne s'est pas encore établie. Swâmiji avait donné à ce mot toute sa noblesse et j'ai accepté d'en faire une part du Chemin aussi précieuse que la méditation, le jeûne, la prière, le contrôle des associations d'idées, la division de l'attention pour garder une présence à soi-même, la discrimination du Réel et de l'irréel.

Osez vous faire plaisir. Que de petites joies simples vous devriez être capables de vous offrir par amour pour vous-mêmes, sans la moindre gêne ni le moindre malaise. Mais un fond d'incompréhension, une conception fausse de ce qui est bien et de ce qui est mal, de ce qui se fait et de ce qui ne se fait pas, vous a rendus incapables, en attendant le Bonheur au singulier, de ces petits bonheurs familiers. Un « disciple » doit savoir être heureux. C'est un privilège, une opportunité qui nous est donnée à nous, êtres humains, de progresser sur le Chemin.

Je vais vous proposer un exemple. Peut-être vous paraîtra-t-il dérisoire. Et peut-être aura-t-il quelque écho en vous.

Ayant reçu de Swâmiji ce mot re-création, j'ai osé un jour, osé après vingt ans de recherche spirituelle, d'ashrams et de monastères, me faire plaisir. J'avais pris mon petit déjeuner normalement et je me trouvais dans les rues de Paris car j'exerçais alors un métier où je me déplaçais beaucoup. J'ai eu envie, une heure après ce petit déjeuner, d'entrer dans un café et de commander un grand crème et deux croissants. C'est moins dangereux que de demander le dixième pastis de l'après-midi mais j'avais déjà absorbé mon petit déjeuner et ça ne se fait pas. La voix de Swâmiji a résonné en moi : « *Father says it is bad; Swâmiji says it is not bad.* » « Le père dit c'est mal ; Swâmiji dit ce n'est pas mal. » Et il fallait vraiment le poids de sa force de conviction pour que j'arrive à croire des paroles pareilles tant la voix du père, « c'est bien, c'est mal », était forte en moi.

Ce n'est pas mal. Je ne vais pas compromettre ma santé à tout jamais parce que je prends un second petit déjeuner ni déséquilibrer le budget familial et priver mes enfants parce que je vais dépenser un peu d'argent. Je suis entré dans le café. J'ai osé me faire plaisir. J'ai osé être heureux. Et j'ai prononcé : « Un grand crème et deux croissants. » Je m'en souviens encore. Le garçon a demandé : « au beurre ? » et il y a eu une seconde de doute. Ça coûte plus cher au beurre, est-ce que j'ai le droit ? Au beurre. Deux fois quarante centimes de plus. Quelle audace ! Mais quelle fête ! Un grand crème et deux croissants. Attendez, l'histoire n'est pas finie. Une heure et demie plus tard, j'ai eu envie de retourner dans un café et de redemander : « Un grand crème et deux croissants. » Est-ce que je déséquilibre le budget familial ? Non. Est-ce que je vais détruire ma santé ? Non. Pourtant ce n'est pas possible, je ne peux pas faire ça, ce n'est pas digne d'un candidat disciple. Si, re-création. Et j'ai absorbé un grand crème et deux croissants. Trois petits déjeuners dans une matinée. En toute bonne conscience. Il avait fallu Swâmiji et ce mot de re-création pour que je sois capable d'un geste aussi simple. Vous souriez mais je me demande combien d'entre vous savent, avec un cœur d'enfant unifié et heureux, se faire plaisir.

Vous n'êtes pas sûrs d'avoir la permission. Un vers de Musset me rongeait intérieurement, qui dit du Ciel : « (...) Il m'a puni comme d'un crime d'avoir essayé d'être heureux. » Si je suis heureux, Dieu va me punir. Dieu n'admet pas que je puisse avoir d'autre bonheur que la sainteté absolue. Tout bonheur humain est coupable parce qu'il me détourne de Dieu. C'est faux. Et c'est même contraire à ce qui est enseigné dans les Évangiles. J'ai osé croire que je n'étais pas coupable et que je pouvais, comme un enfant, me faire plaisir sans que Papa et Maman en fassent un drame. Quoi, tu as mangé six croissants dans la matinée ?

Re-création. Apprenez donc à être heureux

tout simplement. Oubliez que ça a si mal tourné le jour où vous avez mis toutes les chaussures de l'appartement dans la baignoire et le jour où vous étiez barbouillé de rouge à lèvres et de bleu aux yeux. Décidez d'être heureux. Si vous souffrez, souffrez consciemment, avec l'espoir au cœur, sentez que c'est un défi qui vous est lancé, que patauger dans vos souffrances, en remettre et en rajouter n'est pas digne de vous, que ça ne vous grandit pas, que ça ne fait pas de vous un disciple. L'ashram n'est pas un lieu où l'on vient pour étaler ses souffrances et partager ses souffrances avec les autres mais pour être fidèle à ces terribles et magnifiques paroles de Swâmiji : « *Be happy, Arnaud.* » Terribles pour l'ego, parce que si nous sommes vraiment heureux, l'ego a disparu. Et n'oubliez pas ce mot recréation. Sachez le considérer comme une activité sacrée, autant qu'entrer dans une église, autant que méditer. Cherchez ce qui vous fait plaisir. Et sentez que les moments de joie ne sont pas des moments où vous trahissez le Chemin.

Mais allez dans la vie en disciples. Le bonheur qu'on nous propose en France aujourd'hui est frelaté : l'excitation, l'intensité des sensations qui vous détruisent nerveusement. Ce qu'on offre aux jeunes est pitoyable. Vous, au moins, essayez d'échapper à cette folie de plus en plus généralisée. N'allez pas chercher des bonheurs malsains, des bonheurs mensongers, des bonheurs traîtres qui sont en effet les tentations par lesquelles Satan vous attire pour mieux vous détruire. Mais ce n'est pas Satan qui vous attire pour mieux vous détruire quand vous vous offrez six croissants au beurre.

***

Il n'y a plus de fête. C'est fini. Aujourd'hui encore, nous disons « la période des fêtes », mais ça représente quoi ? Un mois de surmenage pour les commerçants, une semaine de dépenses abusives pour la plupart des gens, deux cuites le 24 et le 31 décembre. C'est triste. Des festivals, des fêtes, il y en a tout le temps en Inde. Et les gens rient. Où ai-je passé des soirées vraiment heureuses, avec une « ambiance » comme on dit ? Ce n'est sûrement pas le jour où je me suis trouvé coincé dans un réveillon avec des confettis et des serpentins — souvenir sinistre. J'ai des souvenirs de fêtes en Afghanistan, au milieu des pauvres, les chants la nuit, les feux dans le désert. Et puis, au cœur de la fête, c'est l'heure de la prière. Avec les Tibétains où on buvait même un coup, il faut bien le dire, comme dans les monastères zen avec le saké. Des fêtes où l'on ose vraiment redevenir pareils à des enfants. Vous croyez que s'amuser est indigne d'un disciple ? Mais ce qu'on appelle aujourd'hui faire la fête signifie se laisser emporter par l'excitation. C'est triste que nous ne puissions même plus employer cette expression. Voilà une donnée essentielle de toute civilisation juste et même ça nous l'avons perdu.

Et pour terminer, pour vous choquer encore plus après vous avoir parlé de faire la fête et de manger des croissants, je vais évoquer une image tout à fait profane mais dont j'ai reçu le message. C'est la fin d'un film que beaucoup d'entre vous ont peut-être vu mais qui n'est ni *La Vie de saint François d'Assise* ni *Le Message des Tibétains* d'Arnaud Desjardins, un film qui a eu sa célébrité, *Never on Sunday, Jamais le dimanche,* la vie des prostituées du port du Pirée, mise en scène par un très grand réalisateur, Jules Dassin, avec la petite-fille de l'ancien maire d'Athènes, la comédienne Melina Mercouri. Ce film raconte l'histoire d'un philosophe amateur qui est allé vivre sur la terre de Socrate et de Pythagore (joué par Dassin lui-même) et qui s'est mis en tête de sauver une de ces dames. Vous reconnaissez le thème de Pygmalion : faire de cette ignorante une femme éduquée et raffinée. Et elle, elle y a cru un moment. Elle a pensé que c'était mal d'être prostituée et bien de connaître la littérature et d'étudier Shakespeare.

Elle se laisse donc enseigner les « vraies valeurs » de la philosophie. Mais peu à peu la situation s'inverse. Elle commence à étouffer dans cette culture livresque et, au cours d'une scène suggestive, elle chante en regardant la photographie d'une équipe de football : onze hommes athlétiques, ça vaut toutes les philosophies ! Mais ce même philosophe amateur continue à faire des siennes et désespère un chanteur local en lui affirmant : « Si vous ne savez pas lire vos notes, vous n'êtes pas un vrai musicien. » Celui-ci s'enferme aussitôt dans les W.-C. du petit cabaret où il chantait et refuse d'en sortir, déclarant qu'il préfère mourir. La prostituée a soudain une idée de génie : « Les oiseaux non plus ne savent pas lire leurs notes, lui dit-elle, et pourtant tout le monde s'émerveille de leur chant. » Il revient alors à la vie. Et pour finir, le philosophe se trouve au milieu des marins, des pêcheurs, des filles, accepte les verres d'alcool, les place en équilibre sur sa tête et il danse, danse, se baisse, se relève, vide son verre, le lance à travers le café. C'est lui en fin de compte qui apprend à se détendre, à être simple, à vivre, à oser éprouver quelque chose avec ses sensations, avec son cœur, à participer, dans une atmosphère de joie qui n'est pas celle d'un ashram ou d'une communauté monastique mais celle d'hommes et de femmes encore capables d'être un peu vrais et un peu heureux. Ce n'est pas lui qui a sauvé cette femme mais elle qui l'a sauvé.

Et je sentais que j'avais, moi, une grande leçon à recevoir de ce film. Suis-je capable d'être simplement à l'aise, comme ça, détendu, heureux, unifié, ou suis-je toujours en retrait : « Je suis un disciple, je suis sur le Chemin, qu'est-ce que ce plaisir mondain, superficiel ? Sorti de l'austérité des monastères, il n'y a rien. » Oh quelle folie ! *Be happy, be happy.* Sortez tous de cette souffrance dans laquelle je vous vois vous débattre. SOYEZ HEUREUX. Si vous continuez à prôner la souffrance sous prétexte — ce qui est vrai — qu'une certaine souffrance consciemment vécue est le prix à payer, votre ashram n'est plus qu'une trahison de la vérité, un endroit où je vous conseille de ne plus revenir. On est assez malheureux partout pour ne pas chercher à l'être encore plus ici. Venez ici pour être heureux.

2

ACTION, EXPÉRIENCE, CONNAISSANCE

Il se trouve que j'ai abordé Swâmi Prajnanpad après avoir déjà séjourné plusieurs fois en Inde pendant six ans et en ayant eu beaucoup d'entretiens avec des sages, des *swâmis*, des pandits, experts dans la connaissance traditionnelle. Et il arrivait souvent que Swâmiji affirme certaines vérités qui me paraissaient d'abord contredire totalement ce que j'entendais répéter depuis six ans. Par exemple, c'est surprenant pour un Chrétien d'entendre dire : « le principal c'est de s'aimer soi-même ». Et il y a notamment trois mots qui jouaient un rôle très important dans mes entretiens avec Swâmiji.

D'abord le mot *bhoga* que vous trouverez dans la plupart des livres sur l'hindouisme. On le traduit généralement en anglais par *enjoyment* et en français par « Jouissance », terme qui n'a pas très bonne presse dans le langage de la spiritualité. J'avais toujours entendu utiliser *bhoga* sévèrement, avec critique, comme désignant une faute ou, en tout cas, un niveau de fonctionnement caractéristique de l'homme ordinaire vivant dans l'erreur, le péché, et auquel renonçait celui qui s'engage sur le chemin spirituel. La littérature hindoue habituelle, semble-t-il, est unanime dans cette approche. On reconnaît que, malheureusement, l'homme est attiré par *bhoga* mais celui qui veut s'engager sur le Chemin se détourne de ces jouissances sensibles ou sensuelles ou même intellectuelles pour ne plus rechercher que Dieu ou l'Absolu.

Et voilà que Swâmiji employait avec moi ce mot *bhoga* en lui donnant au contraire un sens important et précieux, aussi précieux que le mot yoga. Nous sommes là au cœur de son enseignement. Il m'a souvent cité une formule sanscrite extraite du *Yoga Vasishtha* : *Maha karta maha bhokta maha jnani bhavanagha* », sans être un *mahabhokta* on ne peut pas être un mahajnani et sans être un *mahakarta* on ne peut pas être un *mahabhokta. Maha karta* signifie mot pour mot « le grand agissant », *maha bhokta* serait peut-être traduit par « le grand jouisseur » mais, après avoir réfléchi à la traduction de ce mot au cours des années, j'ai préféré le traduire par « le grand appréciateur », et *maha jnani* signifie « le grand sage ».

Désignant une étape préalable, Swâmiji utilisait trois autres termes : *karta*, qui a la même origine que le célèbre mot karma, action, veut dire en anglais *the doer*, en français « l'auteur des actions », « l'acteur », « l'agissant », « celui qui agit » ; *bhokta* : « celui qui a l'expérience des choses », « l'appréciateur » ; *Jnani*, « celui qui connaît ». Il arrive qu'on emploie le mot *jnani* pour désigner celui qui a atteint la Connaissance suprême mais dans le langage du *Yoga Vashishtha*, *jnani* signifie celui qui a le droit de parler des choses parce qu'il les connaît elles-mêmes, telles qu'elles sont et non pas à travers ses idiosyncrasies, sa vision subjective, ses préjugés.

Ce qui avait longtemps rendu cette question assez confuse pour moi, c'est que j'ai abordé l'Inde en 1959 avec dix ans d'expérience de l'Enseignement Gurdjieff à mon actif. Si vous lisez le livre *Fragments d'un Enseignement inconnu* d'Ouspensky, les chapitres psychologiques sont très proches des affirmations de Swâmiji. Gurdjieff insistait — cela avait été une révélation pour moi à l'âge de vingt-quatre ans — sur quelques formules telles que : « On ne fait rien, tout arrive », « L'homme moderne n'agit pas, quelque chose agit en lui ». C'est ce que Gurdjieff appelait « l'homme machine ». Au lieu du mot « agir », cet ouvrage emploie le mot « faire », le même *to do* en anglais : Il n'y a qu'une chose qui soit miraculeuse c'est la capacité à "faire", à agir librement au lieu de "fonctionner", de réagir comme une marionnette selon des chaînes de causes et d'effets. »

Par un commencement de vigilance, de présence à soi-même, d'attention, je m'étais pendant des années efforcé de « faire », donc, bien que je n'eusse pas employé le mot à cette époque, de devenir un agissant et non plus une machine. Quand on n'est pas vigilant, on ne fait pas, lorsqu'on est vigilant, conscient que l'on « est », on peut être aussi conscient de ce qui se passe en nous, de ce qu'on dit, des actions qu'on accomplit, et c'est le chemin pour être capable de « faire ». A défaut de ne pas m'avoir permis de ne plus être une machine, l'Enseignement Gurdjieff m'avait au moins convaincu que j'en étais une. Nous pratiquions un certain nombre d'exercices qui nous montraient clairement comment nous fonctionnions, que nous ne pouvions pas agir librement, que des mécanismes sur lesquels nous n'avions pratiquement aucun pouvoir réagissaient en nous aux circonstances, aux situations et aux stimuli extérieurs.

Or, dès mon premier voyage en Inde, en 1959, j'ai entendu répéter ici et là, dans un ashram ou dans un autre, par un maître ou par un disciple, une expression qui m'a désorienté : « *Free from the I am the doer illusion* », « Libre de l'illusion : c'est moi qui agis ».

Ah ! Qu'est-ce que c'est que ça maintenant ? Voici dix ans que je m'efforce d'être vraiment l'auteur de mes actions et on me demande maintenant d'être libre de cette illusion. En essayant de comprendre un peu mieux de quoi il s'agissait, j'ai saisi que l'illusion d'être l'auteur des actions correspond à cet « ego » dont on me parlait chaque jour en m'enseignant que cette limitation doit s'effacer. Je dois réaliser que, en tant qu'ego, je n'existe pas, que le sens du moi individualisé est une illusion et que c'est uniquement l'Énergie divine, la Shakti, qui agit, qui s'exprime. Comment réconcilier l'effort qu'on me demandait dans l'Enseignement Gurdjieff et auquel je m'étais appliqué assidûment et cet enseignement ultime de l'état-sans-ego et de la découverte que ce n'est pas moi qui agis et qu'il y a un orgueil pathologique à se croire l'auteur des actions alors que nous ne sommes que des cellules du corps universel de la Nature ?

L'agissant, cette illusion dont il faut se débarrasser, ce *doer*, se disait en sanscrit *karta*. J'avais commencé à entendre ce mot de temps à autre. Et voilà que Swâmiji donne à ces mots *karta* et *bhoga* non plus un sens péjoratif mais un sens nouveau et fondamental dans son enseignement. *Karta*, « l'agissant », *bhokta* que je préfère traduire par « appréciateur » et *jnani*, « le Sage » : sur ces trois mots il y aurait un livre entier à écrire.

Par contre Swâmiji faisait une distinction que je n'avais pas entendu faire jusque-là entre *bhoga* et *upa-bhoga* (prononcer : *oupa*). Rassurez-vous, il n'y aura plus de mots sanscrits dans la réunion de cet après-midi, ne vous inquiétez pas. Ce mot *upa* signifie quelque chose comme « qui n'est pas le vrai ». Par exemple, on a un gourou et on peut avoir des *upa-gurus*, mais l'*upa-guru* n'est pas notre vrai gourou. *Patni* signifie épouse et *upa-patni* la maîtresse. Et *upa bhoga* désigne une jouissance qui n'est pas la véritable appréciation. Swâmiji m'a montré que, au lieu de chercher à être libre de *bhoga*, dans un rêve de Libération qui ne m'avait conduit nulle part et qui, il faut bien le dire, ne conduisait nulle part la quasi-totalité des Indiens ou des Européens que je rencontrais ici ou là dans des ashrams, je ferais mieux de comprendre d'abord la différence entre *upa bhoga* et *bhoga*.

⁂

Bhoga implique l'expérience réelle de la vie totale, résultat d'une série de *bhogas* particuliers qui sont l'expérience d'une situation quelle qu'elle soit. Et *upa bhoga* désigne l'expérience qui ne permet pas de progresser. Swâmiji m'a montré, à travers bien des échantillons concrets d'existence que je lui apportais, qu'on employait généralement le mot *bhoga* pour ce qui n'était en fait que *upa bhoga*, une expérience faussée, doublement faussée.

L'homme qui n'est pas encore un sage, qui demeure soumis au sens de l'ego, mû par ses demandes, ses désirs, ses peurs, éprouve le besoin de se tourner vers l'extérieur. Il ne se sent pas complet en lui-même et cherche au-dehors ce qui lui manque, alors que s'il découvrait le Soi, il verrait qu'en fait rien ne lui manque, qu'il porte déjà en lui la plénitude, qu'il est dans la même situation que l'homme qui aurait tout reçu, à qui la vie aurait tout donné. Mais, faute d'avoir découvert sa nature essentielle, l'homme fonctionne selon le mode dualiste de l'attraction et de la répulsion, dans une impression d'incomplétude et d'insatisfaction. Il recherche des expériences, que ce soit conduire une voiture à 200 km à l'heure, conquérir une femme nouvelle par semaine, la griserie de la victoire ou du pouvoir en politique ou que ce soit jouer une partie de cartes avec les copains au bistrot.

A tous les niveaux, le principe est le même : je ne peux pas me contenter de ce que je suis et je cherche à combler cette pauvreté d'être par une forme ou une autre d'avoir. Très bien, c'est la loi générale, admettons-le. Mais si nous pensons qu'on peut transcender cette condition que normalement nous ne songerions même pas à mettre en doute, commençons par reconnaître que c'est notre condition d'aujourd'hui. Et si *bhoga* peut conduire à la Libération, *upa bhoga* jamais. Tant que vous répéterez comme un perroquet les belles paroles des *swâmis* sur *bhoga* et yoga, vous n'arriverez à rien qu'à vous mentir et à vous illusionner. Pour l'instant, votre prétendu *bhoga* n'est que *upa bhoga,* la fausse appréciation des choses. Vous pouvez vivre, vous pouvez multiplier les aventures, les conquêtes, les exploits, vous n'en avez pas d'expérience réelle, donc vous n'avez pas la connaissance qui peut libérer.

Dans la condition habituelle, vous vivez « identifiés »[1]. Il n'y a pas un sujet conscient de lui-même, conscient qu'il est en train de vivre et de « faire ». Je n'ai pas le droit de dire que j'accomplis mon désir mais seulement qu'un désir s'accomplit. A moins que je sois complètement distrait ou complètement dans la lune, je suis conscient que je mange mais je ne suis pas conscient que « je suis » et que je mange. Seule la vigilance, *awareness*, la présence à soi-même, peut faire grandir cette capacité d'apprécier consciemment les situations, les expé-

1. Swâmi Prajnanpad utilisait ce mot exactement dans le sens que lui donnait Gurdjieff.

riences ou, disons-le tout simplement, l'accomplissement du désir au moment où vous l'accomplissez.

Swâmiji avait une formule très efficace : « Soyez là pour accomplir consciemment vos désirs et non pas que vos désirs s'accomplissent à vos dépens. » N'entendez pas le mot désir comme un mot coupable, même si on dit que le sage est libre du désir. Ce désir est là. *Qui* ressent le désir ? *Qui* décide de l'accomplir ? Après avoir examiné tous les tenants et aboutissants, tous les paramètres de la situation, qui est en train de l'accomplir ? *Upa bhoga* est l'accomplissement non conscient dans lequel le sujet est absorbé par l'objet. Swâmiji disait : « *There is no I* », « Il n'y a plus de Je », « *You are nowhere* », « Vous n'êtes nulle part ». Cela vous paraît évident quand vous êtes totalement emportés, quand vous vous ruez sur le téléphone sans même prendre cinq minutes de réflexion pour appeler quelqu'un, l'engueuler ou le supplier, dans les grandes colères, les grands désespoirs, les grandes passions amoureuses. Mais c'est vrai aussi dans les circonstances ordinaires de l'existence où les événements se produisent mécaniquement sans qu'on les apprécie consciemment. Efforcez-vous d'être toujours là, présents à vous-même, présents en vous-même, pour tout apprécier, même une chose simple comme de manger une tartine de pain beurré au petit déjeuner.

A côté de cette nécessité fondamentale de présence à soi-même, une autre vérité a été pour moi une découverte. Ce mot *bhoga* traduit par jouissance signifie l'appréciation totale de son destin, de son karma, non seulement des situations heureuses, de la satisfaction du désir au moment où nous accomplissons celui-ci, mais appréciation de ce que normalement nous considérons comme désagréable et dont nous nous passerions volontiers. C'est à cet égard que, selon moi, la traduction de *bhoga* par *enjoyment* en anglais ou *jouissance* en français n'est pas satisfaisante parce qu'elle élimine cet aspect capital de la compréhension.

Si vous lisez « jouissance », vous comprenez qu'il s'agit de bien manger, de faire l'amour, de se ruiner pour être l'homme le plus élégant de Paris, qu'il s'agit peut-être même de jouissances plus simples et plus naturelles telles que d'être en famille, jouant avec les enfants. Mais comprendre que ce mot *bhoga* puisse s'appliquer à une colique néphrétique ne vous viendra pas de soi-même à l'esprit. C'est cela qui dégrade l'approche de cette immense connaissance que l'Inde a transmise jusqu'à nous et en ramène la richesse à quelques bondieuseries banales ou à des yogas techniques qui ne sont pas véritablement à notre portée tels que le véritable Hatha-yoga décrit dans le *Hatha-Yoga-pradipika*. *Bhoga* signifie expérience ou appréciation. Certains experts sont capables d'apprécier un grand cru millésimé de vin de Bordeaux, mais sont-ils capables d'apprécier de la même manière une grande colique néphrétique ? C'est une situation physiquement très douloureuse que j'ai connue autrefois.

L'existence, tant que vous la vivez dans l'état de conscience ordinaire, comprend tout ce qui nous est agréable et que nous qualifions d'heureux et tout ce qui nous est désagréable et que nous qualifions de fâcheux, de douloureux ou même de désastreux ou de tragique. Pour être véritablement un homme sur cette planète, pour évoluer et ne pas se réincarner mécaniquement, animé par des *vasanas* enfouies dans l'inconscient, il faut devenir *bhokta,* l'appréciateur conscient des deux aspects de la réalité, l'aspect bonheur et l'aspect malheur. Cela vous est difficile parce que refuser sur le moment même tout ce qui ne vous convient pas est inscrit dans chacune de vos cellules. Vous vous laissez emporter par l'émotion négative et ensuite vous refusez cette émotion. Ou bien vous vous identifiez à vos désirs, vos impulsions, vous faites les choses mais vous en profitez mal parce que vous n'en profitez pas consciemment, en état de vigilance ou de présence à soi-même.

La plupart des moments heureux sont mal vécus parce qu'ils sont vécus sur un fond plus ou moins inconscient de culpabilité, comme si vous n'aviez pas le droit d'être heureux. « Quel égoïsme de se réjouir alors que tant de gens souffrent ici ou là. » Nous ne soulageons pas la souffrance des autres en nous refusant de vivre pleinement, ici et maintenant, une situation heureuse. D'autre part, nous savons tous que les instants de joie ne dureront pas éternellement, que les circonstances fâcheuses reviendront. Au moment même où vous vivez une situation heureuse, même si vous l'avez voulue, vous la vivez donc avec avidité pour en profiter au maximum et étouffer le plus possible la certitude gravée en vous que de nouveau les déceptions reviendront et que de toute façon cette minute merveilleuse ne va pas durer.

L'Enseignement de Swâmiji se développait année après année autour des obstacles personnels, des difficultés inhérentes à nous-mêmes, dont une grande part relève de la psychologie pure et simple. Il tournait concrètement pour chacun, pour moi Arnaud en particulier, autour de ce qui m'empêchait d'être véritablement *bhokta,* l'appréciateur, et de vivre pleinement *bhoga.* Qu'est-ce qui m'en empêche ? Pourquoi est-ce que je me laisse encore emporter par des situations, des émotions ? Et pourquoi suis-je incapable d'apprécier vraiment les situations douloureuses ? Il est fondamental d'entendre ce mot *bhoga* dans un sens nouveau, non plus celui de chercher le plaisir partout où vous le pouvez mais comme la véritable expérience qui peut vous donner la Connaissance.

Si *bhoga,* l'appréciation réelle des minutes heureuses et des minutes douloureuses, peut conduire peu à peu à la Libération, *upa bhoga,* la manière avide, impulsive, de vivre, de chercher les moments heureux et de fuir les situations douloureuses, ne conduit nulle part. C'est rajouter de l'huile sur le feu. Et tout ce qui est dit de si critique dans la littérature hindoue ou dans les propos de certains maîtres à propos de *bhoga* concerne en vérité *upa bhoga,* la fausse expérience. La vérité tient en ces deux mots à partir desquels il arrive si souvent que nous nous demandions l'impossible : faire tout de suite comme si nous étions libres des peurs et des désirs alors que nous ne le sommes pas. Il n'y a plus de Chemin, il n'y a plus qu'une illusion, un rêve désespéré, la fascination de la sagesse que nous voyons incarnée chez Ramdas ou chez Mâ Anandamayi. Les années passent, cinq ans, dix ans, quinze ans, nous avons l'impression de piétiner et tôt ou tard nous nous trouvons de nouveau submergés par une crise intérieure.

On ne peut pas jouer avec son inconscient, ses pulsions, ses peurs, ses désirs. Et on ne peut pas jouer avec le Chemin. « *It is not a joke* », disait Swâmiji : « ce n'est pas une plaisanterie ». Il faut se montrer réaliste et tenir habilement compte de tout ce que vous êtes aujourd'hui. Si je me contente de mépriser ce qui me prouve que je ne suis pas encore un Sage et de rêver de Sagesse, je n'irai nulle part. Je dois être vrai, fidèle à moi-même tel que je suis aujourd'hui, faire de ma vie un chemin réel, une progression, et remplacer *upa bhoga* qui est la manière habituelle de vivre par *bhoga,* l'expérience consciente.

Pour cela, il y a deux conditions. L'une n'est pas facile à accomplir : faire croître l'action délibérée. Je regarde, je réfléchis. Ce désir, je l'accomplis ou non ? Pourquoi est-ce que je désire l'accomplir ? Qu'est-ce que j'en attends ? Quelles en seront les conséquences éventuelles ? Même si les conséquences ne sont pas celles que j'ai souhaitées, au moins j'apprends quelque chose, c'est un enseignement. Et ce qui est saisissant, quand on le voit avec des yeux ouverts, c'est à quel point nous autres, êtres humains, nous n'apprenons pratiquement rien dans l'existence. On n'en connaît pas plus long à soixante ans qu'à vingt. On peut « savoir » mais je ne parle pas du savoir. A force de lire des livres et de passer des diplômes, vous pouvez acquérir un immense savoir mais la Connaissance au vrai sens du mot est une fonction de l'être. On connaît une chose parce qu'on l'incarne, parce qu'on l'a dans le sang.

A quel point la vie ne nous apprend rien ! Nous sommes amoureux à vingt-cinq ans et à cinquante-cinq nous sommes une fois de plus amoureux selon le même modèle, Swâmiji disait « *pattern* », le même mécanisme, comme si tant d'expériences ne nous avaient rien appris. L'homme piétine sur place et, tout en vieillissant, fonctionne toujours selon les anciens schémas, les anciens stéréotypes. La faute en est à *upa bhoga.* L'appréciation réelle constitue en elle-même un chemin. C'est ce qu'à cause d'une éducation protestante austère, à cause d'une imprégnation d'hindouisme mal compris, j'ai eu du mal à entendre. Et pourtant c'est ce qu'il faut entendre si vous ne voulez pas nier la vérité.

Et, deuxième point, vous ne pouvez apprécier les moments heureux de l'existence que si vous savez au fond de vous-même que vous serez capable d'apprécier aussi, au lieu de les refuser de tout votre être, les moments douloureux. Alors vous avez l'esprit libre pour profiter complètement, ici et maintenant, de ce qui vous est donné. Sinon les moments heureux ne sont qu'une compensation à la peur générale dans laquelle vous vivez, la peur de souffrir. Apprécier les situations douloureuses, c'est être un avec la situation, un avec la souffrance. De cette manière seulement nous pouvons apprendre quelque chose.

Il suffit d'une existence humaine pour atteindre la Sagesse à condition que cette existence ait été bien employée. Si vous laissez échapper toutes les occasions de mettre cet enseignement en pratique, d'être un véritable appréciateur, vous ne progresserez pas et vous ne découvrirez jamais le Soi. Appréciez tout, le soleil et la pluie, la santé et la maladie, les petits événements auxquels vous ne prêteriez même pas attention, l'aspect cruel de l'existence.

Si je ne peux pas apprécier la situation douloureuse, j'apprécie au moins l'émotion de souffrance que je suis en train de ressentir. C'est une approche nouvelle, révolutionnaire du visage douloureux de l'existence. Ne dites plus jamais : « c'est affreux », dites toujours : « c'est très intéressant ». Il faudra y arriver. Il faudra arriver concrètement, tôt ou tard, à ce que ça ne soit pas seulement une parole prononcée par Arnaud un dimanche après-midi. Si vous le voulez, si vous le décidez, vous réussirez. Vous pouvez opérer une conversion complète de votre attitude, cette attitude invétérée inscrite en vous. Rayez « c'est affreux » de votre vocabulaire. « C'est très intéressant et très précieux pour me permettre de progresser et de faire de mon existence la plénitude de la vie humaine qui me conduira naturellement à la Sagesse. »

Ce retournement se prépare lentement mais il s'accomplit en un instant. Je me souviens précisément du jour où l'existence a basculé pour moi, non pas où je n'ai plus eu d'émotions mais où j'ai regardé tout l'avenir avec un œil radicalement nouveau. Vite qu'une situation douloureuse se présente pour que je puisse mettre en pratique ce que je viens de comprendre et que je ne la laisse plus échapper ! Cela fait quarante et quelques années que je souffre inutilement parce que je n'ai jamais su être un vrai appréciateur, un vrai *bhokta* de cet aspect de l'existence que nous appelons souffrance. On écoute cette vérité cent fois et un beau jour on l'entend pour la première fois.

Il y avait aussi le mot *karta*, l'agissant. Bien que Swâmiji n'ait jamais employé devant moi le mot *upa karta* qui n'existe peut-être pas en sanscrit, il était impliqué dans tout son enseignement. Il y a une manière d'agir mécanique, non consciente, et une manière d'agir consciente. Il y a ce que nous appelons des réactions et ce que nous appelons des actions. Je pourrais dire aussi : « Soyez là pour agir et non pas que vos actions s'accomplissent à vos dépens. »

Mais ce qui est intéressant à comprendre, c'est la relation entre ces deux mots, l'appréciateur et l'agissant. Pour pouvoir apprécier, il faut qu'il y ait un appréciateur et non pas uniquement des mécanismes, il faut cette présence à soi-même que Gurdjieff appelait *self-remembering,* rappel de soi, et que Swâmiji dénommait *awareness.* Apprécier une souffrance ou apprécier une joie, c'est aussi une action. Le mot karma est très général, même une pensée est une action, une action mentale, une action psychique. Il faut qu'il y ait un *karta,* un agissant qui soit là pour accomplir l'action particulière d'apprécier une situation afin d'en avoir l'expérience réelle, non faussée par le mental et l'ego. Mais inversement, vous ne pouvez, d'une manière générale, être un agissant que si vous avez l'expérience que donne l'appréciation juste de tous les aspects de l'existence, l'aspect heureux et l'aspect douloureux. Peu à peu vous serez moins prisonniers de l'opposition entre ce que vous aimez et que vous voulez à tout prix et ce qui vous fait peur et que vous refusez à tout prix également. Tant que vous êtes menés par cette dualité, vous ne pouvez pas être des agissants parce que vous n'avez pas accepté de vivre dans le monde réel et vous voulez coûte que coûte surimposer votre monde, le monde tel qu'il devrait être, sur le monde tel qu'il est.

C'est pour cela que la plupart des hommes, même ceux qui ont réussi en affaires, en politique ou en amour, demeurent, comme le disait si cruellement Gurdjieff, des machines. Leurs actions ne sont pas objectives. Elles ne répondent pas à la réalité objectivement perçue, à la nécessité des situations. Elles expriment ce mécanisme viscéral : je veux ce que j'aime, je ne veux pas ce que je n'aime pas. Seul le *bhokta,* celui qui a la connaissance réelle de l'existence totale, peut agir vraiment et non plus réagir parce que ce ne sont plus seulement ses mécanismes émotionnels et son ego qui sont à l'œuvre.

Le *karta* devient l'appréciateur parce qu'il y a quelqu'un pour apprécier. Et l'appréciateur devient l'agissant parce qu'il y a quelqu'un pour faire face à la vie telle qu'elle est et non à une vie telle que nous voudrions qu'elle soit, vécue à travers notre mental et nos projections. Et l'essentiel de l'existence que vous vivez n'est pas l'existence réelle mais l'existence fabriquée par votre mental.

Permettez-moi ici de prendre un exemple qui vous paraîtra d'abord répugnant mais qui nous montre d'une manière brutale et saisissante la puissance du mental. Un jour que Swâmiji me rappelait combien nous sommes prisonniers de nos désirs limités et de nos refus, prisonniers notamment dans le domaine alimentaire de nos goûts et de nos dégoûts, et que c'est uniquement le mental qui fait déclarer à l'un qu'il ne peut pas manger de fromage, à un autre qu'il ne peut pas manger la peau du lait, j'ai été amené à lui donner comme exemple le fait que, petit enfant, j'avais un jour mangé mes propres excréments, ce qui avait beaucoup surpris ma mère. « Mais, me dit Swâmiji, beaucoup de petits enfants en font autant sans le moindre dégoût. » Comme je savais que je l'avais fait, je reste neutre, et il poursuit : « Par conséquent vous pouvez très bien aujourd'hui, si vous êtes libre du mental, manger un peu de vos propres selles. » J'ai opéré un retrait intérieur immédiat et j'ai senti à quel point je refusais cette proposition, et pourtant, et pourtant... Puisque moi Arnaud à l'âge d'un an et demi, dans mon parc, ma mère m'a surpris la bouche pleine, que je trouvais ça très bien à cette époque et que je n'en suis pas mort, pourquoi est-ce qu'au même Arnaud, à quarante-cinq ans, il est impossible de se mettre ses propres excréments dans la bouche ? C'est bien la toute-puissance du mental, plus forte que la décision que je pourrais prendre. Même un refus comme celui-là pourrait être dépassé à condition de l'insérer dans une vaste compréhension d'ensemble. Et nous savons que certains Tibétains se livrent à des actes aussi répugnants, au moins une fois, pour dépasser les qualifications du mental.

Et Swâmiji a conclu : « Toute votre existence est de la même manière menée par le mental. Vous vivez dans un monde tout-puissant que le mental a fabriqué. » Et après cela, parlons de Libération ! Et même de destruction du mental ! Sans avoir la moindre idée de ce qu'impliquent ces mots « destruction du mental ».

Si nous apprenons à apprécier tout ce que notre existence, qui est exactement le destin qui nous correspond, nous amène, jour après jour, nous devenons capables d'agir. La meilleure manière de détruire le mental c'est d'expérimenter les deux aspects de la réalité. *Upa bhoga* ne détruira jamais le mental, au contraire. *Bhoga,* la vraie appréciation, vous éveillera peu à peu au monde réel, au monde objectif. Ça n'est pas une petite affaire. Il faudra longtemps pour apprendre à apprécier les situations douloureuses et il faudra longtemps pour apprendre à savourer sans division, sans malaise, sans arrière-plan inconscient, les situations heureuses. Alors vous devenez un agissant et non plus une machine à réagir, vous vous éveillez, vous échappez à votre monde pour vivre dans le monde.

Quant à *jnani, jnana* signifie la Connaissance et suivant le préfixe qu'on ajoute à ce mot, une forme ou une autre de connaissance. *Jnana* signifie la Connaissance qui est une fonction de l'être. En français, on distingue connaître et savoir, en anglais *to know* et *to know about*. Si je sais nager, je connais la natation. Si j'ai lu douze livres consacrés à la natation sous toutes ses formes, je connais beaucoup « au sujet » de la natation, *about swimming*, mais je ne connais pas la natation. Le théologien *knows about God* et le mystique *knows God,* le théologien connaît toutes sortes de choses à propos de Dieu mais le mystique, lui, connaît Dieu. Et malheureusement nous confondons la vraie connaissance, qui est l'expérience réelle, et le savoir. Nous savons beaucoup de choses à propos de beaucoup de choses mais nous ne les connaissons pas vraiment.

Vous pouvez accumuler des informations au sujet de la sagesse et du yoga mais n'être ni un sage ni un yogi. J'ai écrit un livre, *Ashrams,* dont aujourd'hui encore je suis prêt à vous conseiller la lecture, mais 95 % de ce livre parlait de ce que je ne connaissais pas. J'en savais long à propos de la sagesse car cela faisait douze ans que je m'y intéressais et que j'interrogeais des *swâmis* et des gourous, mais je ne connaissais pas vraiment ce que j'écrivais dans ce livre.

Tous, nous sommes menacés par cette confusion entre la vraie connaissance qui fait partie de notre être et l'érudition sur un sujet. Vous pouvez écrire un livre sur la natation sans être capable de traverser la piscine à la brasse. Seul *karta,* l'agissant, *bhokta,* l'appréciateur des deux faces, agréable et désagréable, de l'existence, peut devenir *jnani,* celui qui a la connaissance réelle. On peut avoir été un Don Juan et mourir sans connaître le secret de la sexualité faute d'une expérience complète, profonde, consciente, *totale, de la totalité* de l'existence.

Avec *maha karta, maha bhokta* et *maha jnani,* nous changeons de plan et entrons de plain-pied au niveau de ce qu'on a nommé Éveil, Sagesse, Libération. Seul celui qui est devenu *karta,* et non celui qui n'est même pas un agissant, peut dépasser ce stade et découvrir, par la croissance de la conscience d'être, qu'en vérité ce n'est pas lui l'auteur des actions. Il a atteint *egoless state,* l'état-sans-ego. La formulation chrétienne la plus célèbre est celle de saint Paul : « Ce n'est plus moi qui vis, c'est le Christ qui vit en moi. » Ce n'est plus moi qui agis, c'est le Christ qui agit en moi, ce n'est plus moi qui apprécie une souffrance ou une joie, c'est le Christ qui apprécie en moi. Ce n'est plus moi qui connais, c'est le Christ qui connaît en moi.

Lorsque nous ne sommes plus un amas de tendances anarchiques, comme un parlement où tout le monde se dispute, mais un royaume hiérarchisé autour du souverain, un agissant réel, un appréciateur réel et un connaissant réel, le petit moi individualisé peut transcender le sens de la séparation et découvrir « ce n'est plus moi qui vis ». Moi, avec mes qualifications, mes limitations, mes goûts, mes dégoûts, mon mode particulier d'aimer ce que j'aime et de ne pas aimer ce que je n'aime pas, a disparu. Vous êtes devenu le Grand Appréciateur, *maha karta.* Il y a appréciation pleine et entière de toutes les situations, depuis les plus « affreuses » jusqu'aux plus « merveilleuses ». Vous êtes devenu le Grand Agissant, ce qu'on appelle parfois aussi non-agissant, et *maha jnani,* le Connaisseur suprême dont la Connaissance non plus relative mais absolue transcende le temps, la séparation, la division, la multiplicité, l'attraction et la répulsion. C'est le but de tous les enseignements spirituels. Par l'effacement du sens de l'ego, ce n'est plus moi qui vis, c'est *Atma Shakti* qui vit en moi.

Comment atteindre cet état ? Quel est le chemin pour vous ? En attendant la Sagesse suprême, centrez votre existence sur les trois mots *karta, bhokta, jnani.* Et le tort que m'avait fait un certain Hindouisme, c'est de me présenter tout de suite le mot *karta* comme une notion à dépasser, de m'avoir présenté *bhoga* comme le monde de l'attachement aux formes sensibles auquel il faut renoncer pour découvrir l'Absolu. *Upa bhoga,* la fausse appréciation impulsive, mécanique, vous maintiendra toujours dans l'ignorance. Vous ne serez jamais *jnani,* celui qui connaît, vous serez toujours *ajnani,* l'ignorant. A quatre-vingt-dix ans, la vie ne vous aura pratiquement rien enseigné. Seule la connaissance intégrale change votre être.

Centrez votre vie sur ces trois mots et ne vous laissez jamais troubler par ce que vous pourrez lire dans les livres sur l'Hindouisme. A qui s'adressait la parole qu'on a traduite ? A qui parlait le Sage ? Dans quel contexte ? Ce n'est pas à vous qu'il a dit cette parole. Dans la traduction de Jean Herbert de *L'Enseignement de Mâ Anandamayî,* il y a un certain nombre de condamnations du mot *bhoga.* Remplacez-le chaque fois par *upa bhoga.* Et souvenez-vous que *bhoga* ne signifie pas simplement les jouissances profanes mais l'expérience réelle de chaque minute de l'existence. C'est possible pour vous. Vous ne deviendrez le grand Agissant, le grand Appréciateur, le grand Sage que si vous devenez d'abord pleinement l'agissant, l'appréciateur et le connaisseur.

To know is to be, « Connaître c'est être ». Vous voyez, c'est un programme concret. Par cette seule sentence du *Yoga Vashishtha*, Swâmiji m'a montré la totalité du Chemin qu'il me proposait. Je l'ai plus ou moins bien comprise d'abord parce que le mental, les vieilles habitudes, les erreurs incrustées étaient trop puissantes, mais la même phrase a pris peu à peu son sens. Et je me suis aperçu combien je m'étais d'abord illusionné en me demandant tout de suite l'impossible après avoir lu des textes hindous trop beaux pour moi, combien je n'étais pas un agissant parce que je n'avais jamais été un appréciateur.

Je fais souvent allusion à l'Enseignement Gurdjieff et je ne nie pas que cet enseignement m'a sauvé quand j'étais complètement perdu à l'âge de vingt-quatre ans parce que j'avais quelque chose à quoi me raccrocher, ni que j'y ai appris beaucoup. Mais je pourrais adresser aujourd'hui un reproche à cet Enseignement tel que je l'ai reçu moi. Je ne parle pas de Gurdjieff lui-même que je n'ai pas connu de son vivant. Je me suis beaucoup efforcé de devenir *karta*, un agissant. Si je suis en état de rappel de soi, je peux « faire ». Si je suis identifié sans « rappel de soi », mes actions sont des réactions mécaniques. Je me suis exercé à ce rappel de soi, à sentir comme il est écrit dans les manuels bouddhistes hinayanistes : « Quand le disciple inspire, il sait j'inspire longuement, quand le disciple expire, il sait j'expire longuement », au point même que je manquais de naturel, j'ouvrais les portes lentement, consciemment, je tournais la tête lentement, je parlais d'un ton mesuré, pour être bien conscient et ne pas me laisser réidentifier au flot de la conversation. Mais je n'avais pas compris le secret que j'ai partagé avec vous, c'est que vous ne pouvez vraiment être un agissant que si vous êtes un appréciateur du « mal » comme du « bien ». En fait, si on lit entre les lignes, c'est suggéré dans le livre *Fragments d'un Enseignement inconnu* mais, dans la pratique, cela m'avait échappé. Et la compréhension du sens que Swâmiji donnait à ce mot *bhoga,* « appréciation », et à ce mot *bhokta,* « l'appréciateur », échappe à la plupart des hommes et des femmes que j'ai connus autrefois, qui ont été des compagnons de route et qui visitaient les ashrams de l'Inde en quête de la Réalisation. Souvenez-vous que *bhoga* signifie la complète appréciation du désagréable aussi bien que de l'agréable et que seule cette expérience non duelle vous donne la connaissance. Sinon vous ne connaîtrez jamais ce qu'il y a à connaître et vous mourrez aussi aveugles et ignorants que vous êtes nés, quels que soient vos efforts pour agir plus consciemment.

Le Bouddha a dit, dans une parole combien célèbre mais si simple : « Être uni à ce que l'on n'aime pas est souffrance, être séparé de ce que l'on aime est souffrance. » En deux phrases, le Bouddha a décrit la condition humaine. Et il a affirmé qu'il était possible de se libérer de la souffrance. Les différentes écoles hinayanistes et mahayanistes ont rivalisé de disputes philosophiques mais le Bouddha écartait au contraire les considérations métaphysiques dans lesquelles l'Hindouisme de son époque s'enlisait. La totalité du Bouddhisme tient dans ce qu'on appelle en français « les quatre nobles vérités ». Premièrement, il y a la souffrance. Et en quoi consiste la souffrance ? Être séparé de ce que l'on aime est souffrance, être uni à ce que l'on n'aime pas est souffrance. Deuxièmement, il est possible d'échapper à la souffrance. Troisièmement, il y a une cause à la souffrance, c'est l'esclavage à ce mécanisme. Quatrièmement, il y a un chemin pour échapper à ce mécanisme.

Suivre la voie montrée par le Bouddha fera qu'être uni à ce que nous n'aimons pas ne sera plus souffrance et être séparé de ce que nous aimons ne sera plus souffrance. Cela paraît impossible et pourtant, s'il y a une issue, elle ne peut être que là. Tout Chemin fondé sur cette opposition fondamentale de ce que nous aimons et de ce que nous n'aimons pas et sur la tentative de faire triompher dans nos vies ce que nous aimons sur ce que nous n'aimons pas est un chemin faux, mensonger, inefficace, qui ne conduira nulle part.

Il n'y a de Chemin réel que dans le dépassement de l'expérience que « ce qui est heureux est heureux et ce qui est malheureux est malheureux » sur laquelle est fondée la vie de tous les hommes. Chacun fonctionne selon son inconscient, sa nature, ses tendances profondes. Tant que vous n'admettrez pas que c'est cela même qui doit être dépassé, vous pouvez pratiquer *zazen* une heure tous les matins, ce qui représente déjà beaucoup de courage et de décision, et aller en Inde chaque année, vous n'échapperez pas à l'ego et vous ne trouverez jamais ce qui vous a été promis : la paix des profondeurs et la liberté intérieure.

Ce Chemin est toujours ouvert devant vous, à chaque instant. Apprécier ou ne pas apprécier consciemment la minute que vous vivez, « voilà la question ». Quand vous jouissez « identifié », c'est ce qu'on appelle avidité, convoitise, *lust* en anglais, un mot souvent traduit par luxure. Vous n'êtes pas consciemment présents à vous-mêmes pour satisfaire vos désirs, ce sont vos désirs qui se satisfont à vos dépens. Et c'est un point qui doit être bien clair pour vous. Luxure, avidité ou convoitise ne désignent pas l'action mais la manière de l'accomplir. Il y a une manière avide, égoïste qui est en effet la luxure, même pour faire l'amour avec sa propre épouse. Et il y a une manière consciente et libre de goûter la vie parce que vous acceptez les deux aspects de l'existence. Ce qu'on a appelé luxure est simplement l'expression de l'attitude ordinaire : « Je veux l'aspect heureux, je refuse l'aspect malheureux. » Mais celui qui, vivant une minute heureuse, est prêt, au fond de lui-même, à accepter également toute souffrance, celui-là peut vivre cette minute heureuse sans convoitise.

N'entendez pas les mots « sacrifice », « renoncement » comme le fait de rejeter quoi que ce soit mais seulement de ne plus vous cramponner, ne plus vous attacher, ne plus vous crisper. Si je tiens un objet précieux dans ma main, ce qui m'est demandé c'est de ne pas le tenir avec le poing serré, c'est d'ouvrir la main. Comme disent les êtres vraiment religieux, Chrétiens ou Musulmans : « Dieu donne, Dieu reprend. » Mais ce que Dieu n'a pas repris, personne ne vous demande de le rejeter. Vous risquez de vous mutiler au nom de je ne sais quel idéal spirituel et d'augmenter un peu plus votre confusion intérieure. Prenez, recevez. Prenez, recevez, sans convoitise. J'accepte de tout mon cœur ce qui est heureux, j'accepte de tout mon cœur ce qui est malheureux. Ensuite libre à moi d'agir.

Béni sera le jour où vous entendrez pour la première fois cette décision vibrer en vous : « Je ne peux plus supporter d'être un ignorant à qui la vie n'enseigne rien, c'est indigne de moi, je veux devenir celui qui a la connaissance et pour cela il faut que j'apprécie aussi le pôle négatif de l'existence. Vite une souffrance pour que je puisse enfin la vivre consciemment, la goûter pleinement, en connaître la saveur et en être libre. Je suis uni à ce que je n'aime pas, je suis séparé de ce que j'aime, voilà l'aspect souffrance de l'existence totale et je vais en avoir l'expérience réelle, *bhoga.* »

La souffrance change de sens, elle devient notre meilleure chance d'atteindre la Libération dans cette vie. C'est pourquoi les Chrétiens ont dit que Dieu envoie des épreuves à ceux qu'Il aime pour les rapprocher de Lui, parole qui paraît morbide à ceux qui n'ont rien compris à la spiritualité. La souffrance est un point d'appui. Vous vous appuyez sur le sol pour marcher, vous prenez appui sur l'eau pour nager, et vous prenez appui sur l'expérience de la réalité pour progresser. La souffrance est une grande opportunité, ne la laissez plus échapper. Après, si vous le souhaitez, vous agissez pour en faire disparaître la cause. D'un côté vous dites « Oui » de tout votre être, de l'autre vous prenez des mesures, des décisions, autant que vous le pouvez.

Qu'est-ce qui vous maintient dans l'illusion, l'erreur, l'aveuglement ? Le fait que vous ne voulez pas apprécier comme il se doit l'aspect douloureux de l'existence. C'est fondamental, c'est enraciné en vous, mais vous éliminez la moitié de l'existence. Donc vous laissez échapper votre chance de progresser. Et vous pensez toujours que la spiritualité va faire disparaître l'aspect douloureux et va faire grandir l'aspect heureux, que par quelque miracle tout va vous réussir. Non. Tout n'a pas réussi à Socrate qui a été condamné à boire la ciguë, tout n'a pas réussi à Jésus-Christ qui a été crucifié, tout n'a pas réussi à Ramana Maharshi qui est mort d'un cancer, et tout n'a pas réussi à Mâ Anandamayi qui a été bien malgré elle mêlée à un scandale financier à propos de la construction d'un « Mâ Anandamayi Hospital » à côté de son ashram de Bénarès. Même Mâ Anandamayi est soumise à ce qui serait pour vous des causes de soucis et de nuits sans sommeil. Mais elle fut la plus sublime manifestation que j'ai eue sous les yeux non seulement de *maha jnani,* « le grand Sage », de *maha karta,* « le grand Agissant », mais de *maha bhokta,* « le grand Appréciateur ». Il n'y avait qu'à la voir vivre.

C'est une idée tout à fait fausse que le Sage, mort à lui-même et mort au monde, entièrement tourné vers le Centre, est devenu insensible au monde manifesté. Le Sage est vraiment devenu le Grand Appréciateur. Mais vous ne pouvez avoir aucune idée de cette appréciation totale, impersonnelle, au-delà de l'ego, tant qu'à la source l'opposition viscérale entre le « bien » et le « mal » n'a pas été dépassée. Tout concourt au bien de ceux qui aiment Dieu. Ne dites plus jamais : c'est affreux. Plus jamais. Quoi qu'il arrive, dites toujours : c'est très intéressant. Voilà qui va me permettre de comprendre, de connaître et de progresser. Et ne laissez plus échapper une seule occasion.

3

LES TROIS CERVEAUX DE L'HOMME

Si vous voulez vous connaître et comprendre comment vous fonctionnez, vous avez besoin de certains cadres valables pour tout être humain, homme ou femme, car c'est à l'intérieur de ces cadres que se situent vos manifestations personnelles. Vous connaissez par exemple la distinction hindoue des trois corps : corps physique, corps subtil et corps causal, ou la distinction des cinq *koshas,* cinq niveaux de fonctionnements de plus en plus subtils : physique, physiologique, psychique, logique et mystique[1]. Si on ne se laisse pas dérouter par des noms qui apparaissent d'abord imprononçables tels que *manomayakosha* ou *vijnanamayakosha,* cette classification est simple, complète, riche, alors que les descriptions données dans des ouvrages modernes de psychologie sont souvent fort compliquées.

Swâmiji employait aussi trois mots bien compréhensibles : *physical, emotional and men-*

1. Cf. *A la recherche du Soi* (La Table Ronde).

tal : physique, émotionnel et mental. C'est une distinction qui m'a tout de suite été familière parce qu'elle rejoignait celle que j'avais lue dès l'âge de vingt-quatre ans dans le livre, que je cite souvent, *Fragments d'un Enseignement inconnu* d'Ouspensky à propos de l'Enseignement de Gurdjieff. Les années passent. Gurdjieff a donné cet Enseignement à Ouspensky en 1917-18. Le livre est paru en 1949 mais ces vérités-là, elles, ne se démodent jamais.

La classification des fonctionnements humains en trois catégories : physique, émotionnel et mental (ou intellectuel), est pratiquement universelle dans les enseignements traditionnels. Simplement il arrive que nous soyons plongés dans la confusion par le choix du vocabulaire, notamment lorsqu'il s'agit de traductions du grec ancien, du latin, ou plus encore de l'arabe, de l'hébreu, du sanscrit, et que d'autres mots interviennent qu'on ne situe pas toujours très clairement : âme, esprit, volitions, aperceptions, pulsions, affects. Un schéma simple est nécessaire et, en fait, il n'y a pas d'activité humaine ordinaire, autre que la méditation ou les états de conscience supérieurs, qui ne rentre pas dans l'une de ces fonctions. Gurdjieff utilisait le mot « centre », du moins dans la traduction française des *Fragments d'un Enseignement inconnu.*

Il est intéressant de remarquer que, dans son livre difficile et ardu, *Récits de Belzébuth à son petit-fils,* que beaucoup de gens ont acheté et que très peu ont lu, Gurdjieff emploie, au lieu du mot « centre », le mot « cerveau » et décrit l'être humain comme un « être tricérébral ».

C'est une expression propre à Gurdjieff qui revient fréquemment au cours de ce livre. Le vieux Belzébuth, longtemps exilé dans le système solaire, une des parties les moins agréables de tout l'univers, répond aux questions de son petit-fils et lui raconte « les étranges fonctionnements des êtres tricérébraux qui peuplent la planète Terre ». Cette expression « êtres tricérébraux » a été la source de quelques ricanements de la part de lecteurs superficiels ou d'auditeurs peu informés. Et pourtant c'est important d'y réfléchir. Je dois dire que, même quand je m'escrimais à lire les *Récits de Belzébuth à son petit-fils* et que ma « recherche » était centrée dans les groupes Gurdjieff, je n'avais pas saisi pleinement la valeur de cette expression. C'est peu à peu, auprès de Swâmiji, quand j'ai pu mettre en pratique de manière concrète l'enseignement de la vérité, que la richesse de cette étrange appellation m'est apparue.

Que signifie le mot « centre » ou le mot « cerveau », puisqu'il ne s'agit pas du seul cerveau qui se trouve dans notre boîte crânienne ? Oublions à cet égard la science moderne. Ce que nous pouvons appeler « cerveau », en donnant à ce mot un sens bien particulier, c'est une fonction qui, d'une part, reçoit des informations et, d'autre part, décide d'une réponse, par un double mouvement de l'extérieur vers l'intérieur et de l'intérieur vers l'extérieur. En ce sens on peut utiliser le mot « cerveau » à propos de tout autre chose que la matière grise. N'importe quel appareil un peu élaboré qui peut recevoir des informations, les traiter et y répondre, robot ou ordinateur, devient un « cerveau ».

Je dis bien un double mouvement qui va de l'extérieur vers l'intérieur et de l'intérieur vers l'extérieur. C'est très clair en ce qui concerne notre centre intellectuel, *manas* (mental) ou *buddhi* (vision juste). Nous recueillons un certain nombre de données. Nous y réfléchissons et soit nous *réagissons* mécaniquement soit nous *répondons* consciemment. Si nous écrivons, la réponse passe par notre corps, notre main. Si nous la prononçons, elle passe aussi par notre corps, notre larynx, nos cordes vocales, notre bouche, mais nous pourrions la garder pour nous auquel cas elle ne sortirait pas de notre cerveau. « Voyons, il y a tant d'argent disponible, telle dépense à prévoir au mètre carré, tant de mètres carrés, par conséquent telle dépense totale. Peut-on emprunter, à quel taux, sur quel remboursement ?... »

Les données nous viennent de l'extérieur, nous les recevons, les assimilons, les apprécions, les comparons, nous réfléchissons, nous raisonnons, nous utilisons la formation, l'instruction que nous avons reçues, une méthode, notre habileté à résoudre des problèmes d'un ordre ou d'un autre et nous trouvons une réponse peut-être excellente, peut-être déplorable, c'est une autre question ! En ce sens on peut dire d'un homme très intelligent que c'est « un grand cerveau » ou « un cerveau exceptionnel ». Partout, en politique, dans les affaires, pas seulement en sciences, on a besoin de « cerveaux » d'envergure. Mais cette fonction intellectuelle ou ce niveau mental n'est pas la totalité de l'être humain.

Je vais envisager d'abord, mais je ne veux pas m'étendre aujourd'hui sur ce thème, le centre sexuel qui a lui aussi son intelligence et peut fonctionner comme un quatrième cerveau. Du point de vue de la dualité, dès qu'on se sent incomplet et qu'on cherche son complément en dehors de soi, il y a sexualité. C'est très souvent dans ce sens que parlent les textes anciens du *Yoga* ou des *Upanishads*. Toute tentative de relation avec un autre que soi est alors considérée comme sexualité. On peut admettre la sexualité comme Freud la décrivait, c'est-à-dire se manifestant dès l'enfance. Mais la fonction sexuelle normale apparaît à la puberté lorsque le mâle, consciemment, cherche à s'accoupler avec la femelle et que la femelle, consciemment, cherche à s'accoupler avec le mâle. Dans ce sens restreint, le centre sexuel peut être aussi envisagé comme un « cerveau ». L'information qui vient c'est : « cette femme est belle, attirante et désirable » et la réponse c'est, à l'état brut : « je cherche à m'accoupler avec elle », soit sans autre forme de procès, soit après une parade nuptiale. Nous avons tout d'abord un fonctionnement animal en nous, plus ou moins éduqué ou, le plus souvent, dressé par les circonstances de la vie humaine en société.

En ce qui concerne l'aspect purement physiologique, cette réponse est l'érection pour l'homme ou, pour la femme, la sécrétion des glandes qui humectent le vagin. Mais j'en reste là pour aujourd'hui du fait que cette fonction, prise dans ce sens limité, n'apparaît pas dès le début de la vie. Étant apparue après les autres, elle disparaît avant les autres. Généralement, à partir d'un certain âge de l'existence, cette fonction d'accouplement ne se manifeste plus, du moins dans une humanité normale. Par contre, nous allons aujourd'hui étudier en tant que « cerveaux » deux autres centres, le centre physique et le centre émotionnel.

Le livre *Fragments d'un Enseignement inconnu* subdivise en deux le centre physique. C'est une distinction très simple. Ce centre est parfois considéré en lui-même, parfois considéré dans ses deux subdivisions : instinctif et moteur. « Instinctif » recouvre tout ce qui n'a pas besoin d'être appris, « moteur » ce qui a besoin d'être enseigné et appris. Le bébé n'apprend pas à téter. Imaginez un bébé qui resterait les lèvres molles sur le sein et n'aspirerait pas le lait maternel. On serait obligé de le nourrir avec une sonde ou un autre moyen artificiel. Dès la première tétée, le bébé *sait*. Voilà un fonctionnement manifestement instinctif. Fonctionnements instinctifs aussi tous ceux de la physiologie sur lesquels nous n'avons ordinairement pas de pouvoir. On enseigne des exercices respiratoires de hatha yoga mais on n'enseigne pas au bébé à respirer. On peut montrer à un enfant les mouvements des doigts sur un piano ou une guitare, on ne lui enseigne pas les mouvements du cœur qui se contracte pour chasser le sang dans les artères, ni la sécrétion des glandes endocrines. Il y a là un « cerveau », la sagesse du corps, l'homéostasie, la façon très complexe dont les données extérieures sont traitées par ce centre instinctif qui donne les réponses par la contraction ou la dilatation de certains vaisseaux, la sécrétion d'adrénaline ou d'endorphines, etc. Même si vous ne vous êtes jamais intéressés aux sciences naturelles, vous voyez à l'œuvre une « intelligence » consistant à prendre les mesures appropriées. C'est ainsi que nous résistons aux maladies, que nous sécrétons des anticorps. Une grande part des études médicales sont consacrées à cet aspect du niveau physique instinctif, qui n'a pas besoin d'être enseigné d'une part et appris de l'autre.

Le centre « moteur », lui, doit être éduqué. Si on n'apprenait pas à marcher aux enfants, ils resteraient à quatre pattes. J'ai lu que les petits oiseaux ne sauraient pas voler par eux-mêmes si les parents ne le leur enseignaient pas. Notre centre moteur peut être plus ou moins éduqué, plus ou moins perfectionné. Nous avons aussi une petite possibilité d'éduquer notre centre instinctif en ce sens qu'au moins une de ses fonctions, qui normalement échappe à notre contrôle, peut être maîtrisée, vous le savez tous, c'est la respiration. Je ne veux pas aujourd'hui m'étendre sur cette possibilité très intéressante en elle-même d'intervenir sur les fonctions instinctives en commençant par l'intervention volontaire, délibérée, sur le fonctionnement respiratoire. J'en dirai simplement quelques mots au passage tout à l'heure.

Sous son aspect moteur, le centre physique doit être entièrement éduqué. Nous avons tout appris sinon nous ne serions capables que de quelques gestes extrêmement gauches, consistant uniquement à saisir ou à détruire. Très vite le corps, ce cerveau particulier, traite directement les données sans passer par le cerveau intellectuel, même si une part de ce qui est logé dans la boîte crânienne intervient, car je ne parle pas des organes mais de la fonction. La tradition situe ce centre non dans la tête mais dans le bas ventre, là où se trouve le *hara,* et dans la colonne vertébrale. En fait, c'est tout le corps qui est concerné, qui traite des données et qui répond. Si, dans une partie de ping-pong où le temps de réaction doit être extrêmement bref, c'est avec la tête qu'on devait réfléchir de quelle manière on va renvoyer la balle de notre adversaire, imaginez le résultat ! Quand il s'agit de renvoyer une balle de tennis de table, il y a perception d'une donnée, « comment et où arrive la balle », et décision d'une réponse, « comment est-ce que moi je vais renvoyer la balle, en coup droit, en revers, le poignet orienté d'une certaine manière, avec une certaine force et une certaine intention pour placer cette balle là où je le désire », ce qui fait le véritable joueur, celui qui veut marquer des points sur son adversaire. Il faut pour cela une éducation et chaque champion a, un jour, joué pour la première fois.

Ce centre moteur étant éduqué, c'est son intelligence qui est éduquée. Le corps n'est pas seulement un ensemble de muscles plus ou moins gonflés nous permettant de soulever des poids plus ou moins lourds, ou de muscles plus ou moins souples. Il y a une intelligence du centre instinctif et une intelligence du centre moteur. Maintenant il faut dire aussi, c'est vrai pour tous les fonctionnements, qu'un homme est plus ou moins doué. Ceux qui sont très doués apprennent plus vite ou, parfois même, ont à peine besoin d'apprendre, ceux qui sont moins doués doivent travailler, étudier et s'exercer beaucoup plus. Mais vous voyez que le centre moteur est un « cerveau » dans ce sens qu'il reçoit des informations, prend une décision et répond à ces informations. Le cerveau intellectuel intervient au début de l'apprentissage : « Attendez, expliquez-moi bien, oui, vous me dites que j'ai tendance à plier le poignet quand il devrait être droit, à lever le coude, je dois baisser le coude, non, ma main est mal placée sur le manche de ma raquette, bon... » C'est la même chose quand on commence à se faire expliquer où on doit poser les doigts sur un clavier ou les pieds sur les pédales d'une voiture. Vient un moment où votre tête n'intervient plus, où vous êtes capable de conduire, débrayer, embrayer, rétrograder sans même vous en rendre compte et de soutenir, tout en conduisant, une conversation peut-être difficile.

Ce centre physique, plus ou moins intelligemment suivant qu'il est plus ou moins doué et plus ou moins éduqué, traite donc directement les données et décide directement de la réponse, sans passer par la tête. C'est un point important à comprendre car ce que nous appelons « vigilance », « présence à soi-même », « conscience », *awareness* en anglais, est autre chose que le fonctionnement intellectuel proprement dit. La vigilance ne signifie en rien l'intervention de la tête dans le fonctionnement sexuel, dans celui du corps et celui du centre émotionnel. Le corps est un cerveau qui se suffit à lui-même et qui peut fonctionner soit sans vigilance et dans l'identification, soit avec vigilance et dans la présence à soi-même. Par exemple nous pouvons très bien conduire tout en étant distraits et sans être conscients que « nous sommes » et que nous sommes en train de conduire, sans la présence à soi-même, la conscience de soi qui est le chemin de la conscience du Soi, la vigilance qui est une des données communes à tous les enseignements spirituels sans exception, religieux ou métaphysiques, dualistes ou non dualistes. Nous pouvons avoir conduit, nous être arrêtés au feu rouge, avoir redémarré au feu vert, mis notre clignotant, dans le « sommeil ». Et nous pouvons aussi être vigilants.

Mais être vigilant, être présent, ne signifie pas que la tête va de nouveau intervenir dans un fonctionnement moteur comme c'était le cas dans les débuts de notre apprentissage. La vigilance est comme une lampe qui s'allume. Le fonctionnement peut se dérouler sans que la lampe soit allumée, et il peut se faire quand la lampe de la vigilance est allumée. On peut être en état de méditation tout en conduisant et on peut conduire sans la moindre présence à soi-même. C'est notamment le cas sur les autoroutes où nous tournons le volant vers la droite plutôt que vers la gauche tout en rêvassant à mille choses.

Il y a donc, et je ne prétends rien dire là d'original, une intelligence du corps plus ou moins développée. Mais nous vivons dans une société moderne où la primauté donnée à l'intelligence de la tête est anormale, déséquilibrée, non harmonieuse. Cette affirmation est facilement vérifiable. Même les tests d'embauche ou d'orientation professionnelle s'adressent essentiellement à la tête.

Pour n'importe quelle activité dans laquelle l'érudition ne joue qu'un rôle limité, on recrute maintenant selon le niveau d'études. « Oui, on sait bien que ça ne servira à rien plus tard mais que voulez-vous, il faut bien un critère pour sélectionner les gens. »

Je vous demande d'échapper à cette déformation moderne et de bien comprendre que l'homme, comme l'a dit Gurdjieff, est un être tricérébral, plus un cerveau sexuel particulier et que vous pouvez développer autant qu'il est possible l'intelligence du corps. C'est la capacité du corps à traiter directement des données et à élaborer la réponse, pas seulement au tennis de table mais dans toutes les circonstances de la vie. Certains glissent et tombent, d'autres glissent et savent comment reprendre leur équilibre. Cette intelligence du corps intervient dans toute activité physique, et éduquer la fonction motrice, ce n'est pas seulement augmenter la force musculaire ni la souplesse, c'est éduquer « l'intelligence ».

En ce qui concerne la fonction intellectuelle, dans quelle mesure les études exercent-elles vraiment cette fonction ? Dans quelle mesure celle-ci devient-elle plus apte à bien recevoir les données de l'extérieur, à les assimiler, les comparer, accomplir sur elles un certain travail et à donner la réponse ? Avoir une tête bien faite n'est pas la même chose qu'une tête bien pleine. Imaginons que ce cerveau fonctionne indépendamment — car, en vérité, ces fonctions ont des liens entre elles et une répercussion certaine les unes sur les autres. Il fonctionne parfois très bien. C'est ce qui permet les exploits de la technologie, les décisions bien prises, les solutions rapides à des problèmes qui se posent.

Mais trop souvent ce cerveau intellectuel déraisonne, soit parce qu'il reçoit mal les données de l'extérieur, soit parce qu'il les traite mal et fournit donc une réponse qui n'est pas appropriée. Il est clair que s'il faut tenir compte de dix paramètres et que je ne tiens compte que de cinq, j'ai amputé les informations de l'extérieur. De même, si je les déforme, si je fais courbe ce qui est droit, droit ce qui est courbe, grand ce qui est petit, petit ce qui est grand. Il est important d'éduquer ce centre non pas en mémorisant de plus en plus de choses mais en apprenant à redresser ces distorsions et à voir, au jour le jour, la réalité telle qu'elle est, sans que des projections de l'inconscient ou des choix arbitraires viennent déformer cette réception des données. Avec des données fausses je ne pourrai pas trouver une réponse juste. Il y a déjà là une rééducation nécessaire.

En quoi mon intelligence de la tête est-elle déficiente en dehors de toute question d'érudition et d'examens ? On peut être un sage sans être un agrégé de philosophie, croyez-moi.

Ramana Maharshi et Mâ Anandamayi n'ont jamais fait d'études. Un long travail doit être accompli qui vous permet de prendre conscience des mauvais fonctionnements de votre centre intellectuel, des déformations de vos perceptions et conceptions. Vous ne voyez pas les êtres et les situations tels qu'ils sont — ou rarement, lorsque vous n'êtes nullement touchés ou mis en cause, comme pour résoudre simplement un problème de résistance de matériau et décider quel type de poutrelle d'acier vous allez utiliser et de quelle section. Mais le plus souvent vous êtes impliqués à titre personnel, vous n'êtes plus objectifs, le cerveau reçoit des données incorrectes et on ne doit plus parler d'intelligence, de buddhi, mais du « mental », un mental appelé à disparaître.

D'autre part la tête peut mal fonctionner dans le traitement des données, donc dans le choix de la réponse, et arriver, dans les divers domaines de la vie, à des conclusions qui, ensuite, à l'expérience, s'avèrent soit désastreuses, soit en tout cas moins bonnes qu'une autre solution. C'est le cerveau qui décide : « dans la conjoncture actuelle je vais vendre telle propriété dont j'ai hérité » ou « je ne vais pas vendre », « je vais vendre après avoir achevé les travaux », « je vais vendre en l'état et sans finir les travaux ». Mais quelle est « la justice de la situation » ?

Or la mentalité actuelle a tendance à considérer que ce qui est vraiment important, dans l'éducation du centre intellectuel, c'est ce traitement des données. Oui. C'est vrai, c'est important. Mais comment des êtres humains peuvent-ils se tromper si souvent en dehors de la pure technologie ? Il est admirable d'envoyer des hommes sur la Lune et de les ramener sur la Terre, mais je parle de vos existences personnelles et d'autres domaines que la technologie pure : la politique, l'économie, la direction des affaires. Pourquoi le résultat qui sort, si je peux dire, de ce centre intellectuel est-il inapproprié ? La faute ne revient pas essentiellement au mauvais traitement des données, mais à leur mauvaise réception et c'est cela que vous oubliez trop souvent.

Vous considérez que vous avez bien enregistré les données du problème mais que vous n'avez pas fourni la bonne réponse et vous décidez de mieux réfléchir, mieux comparer, mieux élaborer, mieux décider. Et moi j'insiste sur le fait qu'il y a un secteur bien plus important et considérablement négligé, c'est l'amélioration de la réception des données. Si nous nous conduisons de manière inintelligente dans la vie, c'est parce que nous traitons des données qui ne sont pas les données réelles. Une déformation se produit dans la réception même des données. Des gens « intelligents » se trompent parce que leur cerveau n'est pas capable de leur fournir les données réelles, complètes et avec leur juste coefficient. Nous allons voir tout à l'heure pourquoi.

Enfin, il existe un troisième cerveau, le centre du cœur, que le livre *Fragments d'un Enseigne-*

ment inconnu appelle centre émotionnel mais dont les émotions, je l'ai dit si souvent, sont destinées à s'effacer. « Je suis heureux », « je suis malheureux », « c'est si beau », « c'est bouleversant », « c'est horrible », « c'est atroce », « c'est honteux », « c'est sublime », autant d'expressions typiques du langage de l'émotion. Ce centre émotionnel, considérez-le aussi comme un cerveau pouvant fonctionner indépendamment de la tête, recevant des informations, les traitant, donnant une réponse. Et envisagé en tant que « cerveau », donc en tant qu'intelligence, le centre émotionnel fonctionne de manière déplorable chez la plupart des êtres humains.

Nous avons reçu une formation intellectuelle qui est ce qu'elle est, qui fournit tout de même des hommes capables d'occuper pendant vingt ans un poste important sans qu'on soit obligé de se débarrasser d'eux, et dont on peut observer les résultats positifs indéniables. Nous avons reçu une formation physique qui nous permet de manier habilement notre cuiller et notre fourchette ou de conduire notre voiture, peut-être même de devenir champion de tennis ou acrobate de cirque. Mais la formation du centre émotionnel, *du cœur en tant que « cerveau »*, est pratiquement nulle.

Autrefois, l'enfant recevait cette éducation dans la famille, le milieu, le groupe, la classe sociale, ceci dans toutes les sociétés, pas seulement l'Inde. Et la religion, aussi bien l'Islam, le Bouddhisme ou l'Hindouisme que le Christianisme, avait avant tout pour fonction l'éducation de cette intelligence du cœur et du sentiment conçus non comme un ensemble incohérent de « j'aime » — « je n'aime pas » mais comme un instrument indispensable à notre existence si nous voulons être digne du nom d'homme. Une religion non dégénérée enseigne au cœur à percevoir et apprécier les données existentielles, les situer dans un ensemble, les traiter et décider d'une réponse, comme tout cerveau. Nous sommes des êtres tricérébraux mais la primauté est donnée au quotient intellectuel et à la capacité de passer des examens. Et les tests ne donnent que quelques indications, bien peu, sur le niveau de développement de cette intelligence du cœur.

Si vous voulez progresser, même sans tenir compte des réalités ultimes, métaphysiques, même à l'intérieur de la dualité et de la conscience de soi habituelle, vous ne le pouvez que si vous êtes convaincus de votre nature d'être tricérébral. Les trois centres ont une importance égale. Et ça, vous ne pouvez pas l'admettre. « Non, vous ne me ferez jamais croire que le centre moteur est aussi important que le centre intellectuel. Avec le centre moteur, nous pouvons devenir un grand champion, un acrobate, mais ce n'est pas avec le centre moteur qu'on aurait pu envoyer des hommes sur la Lune. » C'est tout à fait exact mais la vie d'un être humain ne consiste pas uniquement à travailler à la NASA comme ingénieur.

Un yogi, au grand sens du mot, engagé sur le Chemin de la Libération, fournit beaucoup plus un travail sur le corps qu'un travail intellectuel. Une fois qu'il a lu les *Yoga-sutras* de Patanjali, non pas pour en donner des commentaires interminables mais pour disposer d'un résumé aide-mémoire, tout se passe entre son maître et lui. Il ne vit pas voûté sur des livres qu'on souligne et qu'on annote pour passer des licences, des maîtrises et des doctorats.

Tout être humain n'atteint pas la plénitude des possibilités humaines. C'est vrai aussi. Un être humain peut être plus ou moins doué dans un de ces centres plutôt que dans un autre. Mais, par principe, cessez de privilégier, comme nous le faisons tous ou comme nous l'avons fait, l'intelligence de la tête et d'oublier l'intelligence du corps. Trop souvent vous ne réfléchissez pas à l'aspect « cerveau » de ces fonctions et vous considérez que l'intelligence du corps est une habileté acquise une fois pour toutes, une spécialité. Un coiffeur pour dames, ayant bien appris son métier, a ce métier dans les doigts et il va réussir des mises en plis et des coupes. Vous appréciez l'homme qui a certaines capacités manuelles ou motrices simplement comme quelqu'un qui a « appris » quelque chose et qui le connaît physiquement. Quel que soit le nombre de leçons de haute coiffure ou de tennis que vous ayez pu prendre, vous ne serez un bon joueur de tennis ou un bon coiffeur que si vous avez un centre moteur qui fonctionne comme un « cerveau », qui ressent les données, les traite et répond. Vous oubliez cet aspect « intelligence » du corps, en dehors de la tête, pour « réfléchir » et « décider ». A cette nuance près que la fonction de réflexion et de décision du corps est plusieurs milliers de fois plus rapide que celle de la tête. Regardez en tai chi, en karaté, dans les arts martiaux japonais la vitesse avec laquelle le corps reçoit comme information le mouvement ou même l'intention de l'adversaire et décide immédiatement de la réponse. Quant aux réponses du centre instinctif, elles sont encore plus rapides. En combien de temps l'absorption de cyanure de potassium a-t-elle accompli son effet pour donner la mort ? Que de processus complexes la partie instinctive de notre fonctionnement physique est capable d'accomplir en une fraction de seconde.

Chaque centre fonctionne toujours comme un cerveau. Un mouvement de l'extérieur vers l'intérieur pour recevoir l'information et un mouvement de l'intérieur vers l'extérieur pour donner une réponse, ou ce qu'on appellerait peut-être communément une réaction. Mais, dans cet enseignement, nous distinguons soigneusement la réaction et l'action. Ou nous désignons parfois l'action par le terme de « réponse », impliquant un élément de conscience qui ne se trouve pas dans la réaction. Un robot peut réagir de manière admirable mais il ne pourra jamais faire grandir la conscience de soi. Un robot ne réalisera jamais l'Atman.

En ce qui concerne le cerveau du cœur, la situation est particulièrement déplorable, toujours à cause de cette primauté donnée au cerveau de l'intellect. Comprenez que vous n'avez plus le droit de vous considérer comme intelligent, même avec votre agrégation, si votre intelligence du cœur est nulle. Il n'y a pas d'être humain qui puisse se considérer comme évolué en conservant un cœur stupide. Malheureusement des êtres humains brillants intellectuellement ou physiquement ont un cœur stupide. Je vous demande donc aujourd'hui d'envisager cette fonction du sentiment comme une « intelligence ».

Le corps peut percevoir des sensations de froid, de chaud, etc. La tête peut percevoir des relations de cause à effet mais seulement au niveau intellectuel. Certaines données de la réalité ne peuvent être reçues ou perçues que par le cœur, notamment — et cela joue un rôle immense dans nos existences — les émotions des autres. Nous vivons en collectivité avec des directeurs, des employés, des collègues, des confrères, des clients, des fournisseurs, des oncles, des tantes, des beaux-frères, des parents, des fils, des filles, des épouses, éventuellement des amants ou des maîtresses. Et ces êtres humains, avec lesquels s'établissent tant de types de relations différents, ont des émotions. Notre intelligence motrice ne nous permet que très imparfaitement de percevoir celles-ci ; quant à notre tête elle ne peut pas *comprendre* mais seulement *qualifier* — « tu as l'air bien nerveux aujourd'hui » —, sans même savoir pourquoi, de quoi il s'agit et quelle est la vérité de cette émotion. Seul le cœur, s'il fonctionne bien, peut recevoir ces données indispensables à une vie juste et réussie à l'intérieur d'un réseau de relations. C'est un facteur dont nous devrions toujours tenir compte pour éviter des comportements primaires qui ne méritent que le nom de réaction et de réaction non appropriée au but proche ou lointain que nous poursuivons.

Tout ceci est peut-être nouveau pour vous si vous n'y avez pas réfléchi dans cette optique. L'homme est un être tricérébral et le troisième cerveau, c'est le cœur. Je préfère dire le cœur plutôt que le centre émotionnel puisque les émotions sont justement destinées à disparaître. Seul le cœur purifié, fonctionnant bien, nous permet de comprendre les émotions des autres et ensuite de tenir compte de ces émotions qui sont l'essentiel de leurs vies, les peurs, les désirs, les inquiétudes, les espérances, les souffrances, les projections de l'inconscient. L'intelligence des sages, c'est l'intelligence du cœur.

Mais, jusqu'à présent, ce cœur a été tout sauf un instrument de connaissance et une intelligence, encombré qu'il est par des joies, des peines, des enthousiasmes, des rêves, des minutes divines, des désespoirs, des découragements, des idées de suicide. Quel travail il y a à faire pour que le cœur apprenne à recevoir les données qu'il a à traiter : comprendre, c'est le plus important. Traiter les données viendra ensuite. Mais il y a des réponses que seul le cœur peut donner. Aussi instruit puissiez-vous être en matière de psychologie, psychanalyse et psychothérapie, il y a des réponses que la tête ne donnera jamais. Ou, malheureusement, qu'elle va donner mais qui ne sont pas appropriées. C'est le cœur qui, ayant traité la donnée, décide : « il y aura sourire », « il y aura regard sévère », « il y aura parole douce et consolante », « il y aura parole ferme ou peut-être un rugissement de maître zen ». Seul le cœur est habilité à prendre ce genre de décision. Il est l'instrument le plus perfectionné de l'être humain et, en fait, c'est le plus délabré et le moins bien utilisé.

Ressentir, *feeling* en anglais, nous donne une information très précise sur tout un aspect de la réalité à laquelle la tête n'a pas accès. Bien sûr, s'il s'agit d'écrire une lettre, la « réponse » peut passer par la tête et par le corps puisque j'utilise ma main pour tenir le stylo, mais la tête et le corps ne sont plus que des instruments. L'organe directeur, le centre de commande, c'est le cœur. Comment voulez-vous être un centre de commande si vous ne recevez pas les informations qui vous permettent de commander ? Vous avez un cerveau émotionnel que vous n'utilisez pas ou très peu parce qu'il fonctionne mal et que vous n'avez pas appris à vous en servir. C'est pourquoi la purification du cœur, la disparition des émotions, est si importante.

Il faut que dans votre amour-propre, votre fierté, votre dignité, vous ressentiez la faille inadmissible que cela représente pour vous, être humain, de conserver un cœur encombré d'émotions. Votre intelligence n'a pas grande valeur s'il vous manque l'intelligence du cœur. En ce qui concerne le sentiment en tant que cerveau, nous voyons très bien comment le préalable est la perception des données : ne plus déformer. Et l'émotion déforme, l'émotion dénature, que ce soit l'émotion de répulsion, dite « négative », ou, au contraire, la fascination qui nous éblouit et nous aveugle à tous les autres paramètres d'une situation.

Alors, quand un de nos trois cerveaux fonctionne si mal, se trouve pratiquement dans le « coma » ou dans un désordre indescriptible, comment vous étonner que vos existences ne se déroulent pas comme vous le voudriez ? On cherche le grand amour et le bonheur conjugal et on en est à son cinquième divorce en n'ayant jamais rêvé que de fidélité. On voudrait faire régner l'amitié et l'amour dans le monde parce qu'on a des idées idéalistes et on est brouillé avec plusieurs personnes. Et tous les exemples plus complexes. Vous ne pouvez pas espérer une existence humaine réussie si le cerveau du cœur ne fonctionne pas. Vous ne pouvez pas imaginer résoudre certains problèmes intellectuels si vous êtes un débile mental mais vous acceptez d'être des débiles émotionnels.

Seulement vous vous illusionnez parce qu'il se peut que sur le plan moteur vous soyez assez habiles, très doués en ski ou dans un autre sport. Il se peut aussi que sur le plan intellectuel vous soyez brillants, que vous ayez facilement réussi des examens. Ce qui est grave, c'est que même un apprenti menuisier passe une bonne partie de ses études de menuiserie avec une plume, un cahier, des livres et des cours. La véritable intelligence du corps, on le savait bien autrefois, c'était, directement et sans l'intermédiaire de la tête, percevoir les données, la résistance du bois, le sens des fibres, et donc la réponse, la manière de traiter celui-ci. Mais même le plus habile des artisans peut, lui aussi, autant que l'intellectuel, être un débile émotionnel.

Jusqu'à présent, peut-être avez-vous envisagé ce cœur, ce lieu des émotions, surtout en termes de votre souffrance ou de votre bonheur : plus ou moins malheureux, plus ou moins heureux, plus ou moins souvent malheureux, plus ou moins souvent heureux. Et vous espérez qu'une psychothérapie, une ascèse, une *sadhana*, pourra mettre un peu d'ordre dans votre monde émotionnel, donc vous rendre plus heureux, plus souvent heureux. Mais vous n'avez pas suffisamment réfléchi non plus simplement en termes de bonheur et de malheur mais en termes d'intelligence et de stupidité. Le Chemin réel et non plus un chemin préparatoire commence quand vous avez compris de tout votre être que le cœur est un instrument de connaissance et de décision, qu'une grande part de la connaissance qui vous vient est une connaissance déformée par les émotions et que la plupart des décisions prises par le cœur sont des décisions imbéciles. Nous ne percevons rien des émotions, des souffrances, des espérances de notre propre fils ou fille, épouse ou mari, ni des émotions de ceux qui nous dirigent, collaborent avec nous ou sont nos inférieurs hiérarchiques.

*
**

Mais il y a plus. Cette intelligence du cœur ne traite pas uniquement des données concernant l'aspect émotionnel des situations. Le sentiment en tant qu'instrument de connaissance perçoit aussi, à sa place, entre le cerveau physique et le cerveau intellectuel, l'ensemble de la réalité. Je ne peux entrer en relation avec ce magnétophone en train de tourner qu'à travers ma sensation qui me dit tout de suite, sans que j'aie à réfléchir, qu'il a une certaine forme, qu'il occupe un certain volume dans l'espace, qu'il est composé de certains matériaux. Ensuite la tête me renseigne : c'est un instrument d'enregistrement magnétique des sons et non de gravure sur disques.

Et que vous dit le cerveau du cœur, oui, le cerveau du cœur, si important, à propos du magnétophone ? Eh bien, malheureusement, à l'homme moderne, rien, si ce n'est une émotion : j'aime, je n'aime pas, et quelques projections inconscientes suivant que le magnétophone en lui-même est associé pour vous à de très bons souvenirs, peut-être parce que le premier magnétophone c'est votre papa qui vous l'a offert quand vous étiez enfant ou, au contraire, à un mauvais souvenir parce que vous deviez étudier des cours enregistrés et que ceux-ci ne vous intéressaient nullement. Cette mémoire affective ne vous donne aucune information réelle.

Le cœur devrait être un instrument de connaissance, toujours, dans toutes les situations. Un développement à peine embryonnaire devra se poursuivre, auquel vous devez attacher une grande importance, pour que votre cœur participe véridiquement, sans déformations, et intelligemment à votre existence. Comment devenir un être complet, harmonieux, ayant à sa disposition toutes les fonctions que la nature lui a données en tant qu'homme pour pouvoir poursuivre sa quête et découvrir la Conscience ultime ? Vous prenez beaucoup plus facilement votre parti d'avoir un cœur invalide qu'un malade atteint de polyarthrite évolutive chronique depuis l'âge de dix-sept ans ne prend son parti d'être grabataire.

« C'est beau » veut dire « moi je trouve ça beau ». Ce n'est pas une vraie connaissance. La connaissance est objective, elle n'est pas subjective. Quand je dis que le cœur est un instrument de connaissance, j'entends une connaissance exacte. Le cœur en tant qu'instrument de connaissance fonctionne de la même manière chez tous les sages. Rappelez-vous la parole d'Héraclite : « Les hommes qui se sont éveillés vivent tous dans le même monde, mais les hommes qui dorment encore vivent chacun dans un monde différent. » Tous les physiciens, sauf sur certaines données encore hypothétiques, qu'ils soient catholiques, homosexuels, francs-maçons, communistes, russes ou américains, tous, sont d'accord. En ce qui concerne la connaissance par le cœur, s'il s'agit d'une connaissance réelle, nous devons parler le même langage. Mais c'est lettre morte pour la quasi-totalité des Occidentaux modernes.

En face de Swâmiji, nous étions assis sur une petite couverture pliée. Un jour, à la fin de mon entretien, j'avais jeté et non posé à sa place cette couverture. Swâmiji m'a demandé : « Comment avez-vous traité cette couverture ? Pendant tous vos entretiens de ces jours-ci, elle vous permettait d'être plus confortablement assis pour poser vos questions et entendre les réponses. Elle a contribué à vous aider sur le chemin de la recherche du plus important. Et comment cette couverture est-elle venue jusqu'à l'ashram pour vous permettre de mieux profiter des entretiens avec Swâmiji ? Avez-vous pensé avec gratitude aux travailleurs agricoles qui, dans la chaleur torride de l'Inde, ont cultivé le coton, à ceux qui l'ont cueilli, filé, teint, tissé, aux commerçants qui en ont organisé la collecte, le transport, la diffusion sur les lieux de consommation ? » Et, à mesure que Swâmiji parlait, en présence de Swâmiji, sous le regard de Swâmiji, le sentiment s'est éveillé. Mon cœur m'a révélé beaucoup concernant cette couverture, beaucoup que ma tête ne pouvait pas me dire et que même ma sensation « c'est bien plus confortable que d'avoir les fesses sur le ciment » ne pouvait pas me dire non plus.

Il n'y a pas une donnée de la réalité relative qui ne puisse être connue aussi par le cœur. La connaissance réelle de quoi que ce soit, un fait, un objet, une personne, une situation, un « ici et maintenant », est connaissance par les trois cerveaux simultanément. Vous n'avez de compréhension réelle que si les trois cerveaux fonctionnent ensemble. Je ne peux connaître quoi que ce soit à travers la seule sensation que j'en reçois et ce que l'intellect peut m'en dire. Le centre du sentiment est le seul à pouvoir percevoir certaines données, le seul à pouvoir élaborer certaines réponses.

Que de questions me sont posées qui montrent combien la tête a la primauté chez vous. En matière d'éducation, les parents me posent des questions au niveau intellectuel, comme si c'était dans les livres, depuis le Dr Spock jusqu'à Françoise Dolto, qu'on allait trouver les réponses. Mais les informations essentielles en matière d'éducation de vos enfants c'est le cœur seul qui peut vous les donner. Et les décisions c'est le cœur seul qui peut les prendre. C'est l'intelligence du cœur qui peut vous dire s'il faut se fâcher, s'il faut gronder, s'il faut sourire, s'il faut céder, s'il faut refuser, s'il faut imposer du yaourt ou s'il faut laisser l'enfant refuser indéfiniment les yaourts. Jamais la tête seule ne vous donnera les réponses dans ce domaine. Vous oubliez que le cœur est une intelligence et vous essayez d'être des éducateurs en pensant que la tête va le remplacer. S'il existe une science de l'éducation, c'est par excellence une science dans laquelle le cerveau du cœur joue le rôle primordial.

Mais la tête peut vous orienter vers l'intelligence du cœur de même que, pour commencer, la tête vous oriente vers l'intelligence du corps. On vous a enseigné à marcher, à saisir des objets, à faire des exercices physiques, et tout être humain devrait avoir une éducation du cœur suffisante pour « percevoir l'enfant » et pouvoir être lui-même un éducateur. Seul le cœur va donner la réponse juste, scientifique, rigoureuse, comme un ordinateur. Seul le cœur peut savoir en toute certitude à condition qu'il fonctionne bien.

C'est ce qui montre l'importance du travail sur les émotions, que nous essayons toujours d'esquiver. Parce que voilà, quand nous avons vingt ans, vingt-cinq ans, trente ans, nous mesurons combien d'années il nous a fallu pour faire des études, « depuis la onzième où on a commencé à m'apprendre à lire et à écrire jusqu'à ma maîtrise »... Si nous sommes experts dans une activité physique, nous savons combien de temps nous a été nécessaire pour y arriver. Et maintenant vous vous apercevez, peut-être à l'âge de quarante ans, que si vous avez fait quinze ans d'études plus des années d'études personnelles en dehors de la faculté pour lire des livres, vous perfectionner en anglais, étudier la philosophie, la métaphysique, s'il vous a fallu autant d'années pour vous développer physiquement, un travail aussi grand doit être accompli en ce qui concerne ce cerveau émotionnel. Cela paraît une tâche impossible. Alors on va essayer d'en faire l'économie. Et vous vous replongez dans votre étude intellectuelle des livres de Durkheim, Krishnamurti ou Shankara.

Vous ne pouvez pas faire l'économie de cette formation émotionnelle. Un être humain digne de ce nom est « tricérébral ». La nature vous offre trois cerveaux et vous n'en utilisez que deux. Le travail sur les émotions n'est pas propre à l'enseignement de Swâmiji. Du jour où j'ai commencé une recherche spirituelle dans les groupes Gurdjieff, j'ai commencé un certain travail sur le centre émotionnel. Auprès de Mâ Anandamayi aussi, auprès de Ramdas, partout, sans que ce soit aussi clair, prenait place une diminution des fonctionnements distordus de ce cerveau du cœur. Puis ce travail particulier est devenu plus conscient avec Swâmiji mais une part en avait déjà été accomplie. Chaque fois que vous vous orientez sincèrement dans le domaine de la spiritualité, que vous participez à un rite, à une cérémonie, que vous méditez dans une chapelle, bouddhiste ou chrétienne, vous accomplissez déjà un travail de purification de ce cerveau émotionnel. Il s'agit maintenant de le pousser d'une manière plus intense, avec une compréhension plus précise.

J'ai parlé séparément de ces trois cerveaux aujourd'hui mais vous devez comprendre que c'est leur simultanéité qui fait l'être humain. Il faut les considérer comme ayant chacun leurs fonctions séparées mais se complétant. L'intelligence du corps appréhende une part des données et les traite, l'intelligence du cœur une autre part des données, l'intelligence de la tête une autre part encore. Et de cette manière seulement vous pouvez traiter la totalité des données et fournir l'action, la réponse, complète, juste, à la situation.

Si j'ai pris comme point de départ l'expression étonnante de Gurdjieff « l'homme, être tricérébral », c'est en parfaite conformité avec l'enseignement védantique puisque celui-ci insiste tellement sur la disparition des émotions et sur l'importance du sentiment. Et à dire vrai combien nous sommes tous déformés. Je n'en ai été convaincu qu'en face de Swâmiji. Bien doué physiquement — il paraît qu'il était athlétique dans sa jeunesse —, il avait une prestance, une manière de se situer dans son corps plus que convaincante. Et il était éblouissant intellectuellement, c'est certain. Quand j'ai vu combien il avait un cœur intelligent, et que sa vraie supériorité sur nous tous était l'intelligence de son cœur, je n'ai plus pu en douter. J'ai cédé. J'ai reconnu que je ne pouvais pas faire l'économie de ce travail sur le cœur. Le simple fait de vivre auprès de Ramdas et de Mâ Anandamayi était déjà une purification du sentiment. Vivre ses souffrances en les acceptant parce qu'on les vit dans l'ashram, c'est un commencement. Mais pour entreprendre systématiquement cette formation du cerveau « cœur », il a fallu Swâmiji. C'est dire si, justement, notre cœur fonctionne mal pour que nous ayons tant de peine à l'entendre.

Ne vous faites pas d'illusions, avoir beaucoup d'émotions ne veut pas dire avoir un cœur qui fonctionne bien. « Oh, mais moi je ne suis pas un intellectuel desséché, moi j'ai un cœur, je vibre, je participe, j'aime, je souffre, je m'indigne. » C'est l'opposé de l'intelligence du cœur. Les émotions sont une matière première sur laquelle vous pouvez travailler. Ne les étouffez pas, ne les réprimez pas, mais transformez-les, purifiez-les.

Le cœur en tant que cerveau ne fonctionne

convenablement que dans la mesure où il n'y a aucune émotion. Si le sentiment est l'intelligence du cœur, l'émotion est la stupidité du cœur. Nous n'avons pas le droit de dire d'une personne qu'elle est intelligente si elle n'a pas un cœur intelligent, un cœur qui soit un instrument de compréhension, un « cerveau » capable de percevoir sans déformations des données, capable de les traiter dans sa spécialité, celle du sentiment, et capable de savoir en toute certitude la réponse à donner.

Voilà pourquoi la société humaine va si mal, dans les familles, dans les groupes, dans les associations, entre nations, dans les syndicats ouvriers ou patronaux, dans les administrations, les ministères, les ONU, les UNESCO, pourquoi partout tant de folie et de souffrance que les uns et les autres dénoncent tout en en demeurant complices dans leurs sphères respectives. Les hommes qui ont le destin de l'humanité entre les mains, partout, à tous les échelons, manquent de l'intelligence du cœur. Au point de délabrement où en est cette fonction de connaissance, l'homme n'est plus un être tricérébral. Comment pouvez-vous vivre, comment pouvez-vous connaître, comment pouvez-vous percevoir, comment pouvez-vous apprécier les situations, comment pouvez-vous décider, agir, comment pouvez-vous vivre, amputé d'un de vos trois cerveaux ?

« Cerveau » doit avoir pour vous un sens très simple, une fonction particulière qui vous permet de communiquer de l'extérieur vers vous : « je reçois, je perçois les informations », et de vous vers l'extérieur : « je réponds à la demande de la situation ». Il n'y a pas de réponse qui puisse être donnée seulement par le corps, seulement par la tête, ou même par le corps et la tête ensemble. Vous ne pouvez pas vous passer d'un long et persévérant travail de purification du cœur. A vous de vous engager ou de ne pas vous engager.

4

LA TRINITÉ EN VOUS

Un thème commun à toutes les traditions, et surtout à leur partie ésotérique, est de considérer l'homme comme un résumé de l'univers. Non seulement de l'univers physique, grossier, dont nous avons tous une certaine expérience même si nous ne sommes ni physicien, ni biologiste, ni géologue, mais aussi des niveaux intérieurs, subtils de cet univers.

L'hindouisme reconnaît trois niveaux de réalité : le plan causal, le plan subtil et le plan physique, aussi bien du point de vue de la Manifestation tout entière que du point de vue de l'homme. Et au-delà, ou plutôt *en deçà,* à l'origine de ces trois niveaux, il est une Réalité indescriptible en termes ordinaires, le « Brahman » ou, du point de vue personnel, l'« Atman », le « Soi ».

Il n'est pas facile de décrire cet absolu à ceux qui n'en ont pas l'expérience, la « réalisation ». C'est pourquoi on utilise des images sensibles, physiques, pour pointer vers ce qui est d'un autre ordre. On peut considérer une surface d'eau parfaitement lisse comme une image du

« Non-Manifesté ». Mais dès que la moindre ondulation, pour ne pas parler de vagues, apparaît, cette surface plane passe de l'état non manifesté à l'état manifesté. « Causal » *(karana)* signifie ce qui est à l'origine de tout le déploiement de la Manifestation.

Vous pouvez en approcher la compréhension de différentes manières. Par exemple, en dehors de la comparaison avec une surface d'eau qui se met en mouvement sous l'effet du vent, nous pouvons employer une autre image. Lorsqu'il ne danse pas, un danseur n'est pas un danseur. Cette rigueur de langage n'a rien d'arbitraire. Un danseur n'est un danseur que lorsqu'il danse. Quand un danseur déjeune au restaurant, il est un consommateur. Et s'il pêche à la ligne le dimanche matin, il est un pêcheur.

Un homme immobile commence à se mouvoir et, à l'instant même où le premier geste se manifeste, la danse a commencé. La danse apparaît en même temps que le danseur, le danseur apparaît en même temps que la danse. La danse s'achève avec le danseur, le danseur disparaît avec la danse, et l'être humain que nous avons vu s'exprimer revient à l'état hiératique non manifesté — non manifesté par rapport à la danse, bien sûr.

Avant de danser, cet homme immobile a l'intention de la danse, le désir de danser, la pensée de danser. Et les textes décrivent parfois comme intention ou pensée de Dieu l'origine du passage à la manifestation, le passage du non-manifesté au manifesté.

Il n'y a rien dans la métaphysique védantique

que vous ne puissiez pas comprendre. Ce qui est important, c'est de ne pas oublier un seul instant que c'est de vous qu'il s'agit. Vous n'êtes pas ici pour suivre un cours, même pas pour écouter une causerie culturelle. Vous êtes ici pour entendre parler de vous. Vous pouvez concevoir une Réalité qui n'est pas descriptible en termes de l'expérience ordinaire, une Réalité non manifestée. Et sans cette Réalité non manifestée, il ne pourrait pas y avoir de manifestation. Quand cette Réalité non manifestée passe à l'état manifesté, l'origine est appelée le « plan causal ». Le plan causal, c'est l'apparition de la Loi, ou des Lois, car l'univers entier repose sur la Loi.

La première Loi est celle de la relation. Du Un non manifesté naît la manifestation multiple, donc la mesure, quelle que soit l'unité de mesure. Autrefois, les hommes connaissaient le pas, le pouce, la coudée, quelques unités de mesure dans l'espace, et l'année, le mois solaire ou le mois lunaire, des unités de mesure dans le temps. Avec les progrès de la science, on découvre de plus en plus de phénomènes mesurables, donc d'unités de mesure. Et, s'il y a manifestation, il y a nécessairement dualité, tension entre deux pôles, dans l'espace, « ici » et « là », dans le temps, passé et futur, quelle que soit la manière dont vous vouliez l'envisager. Il ne peut pas y avoir manifestation sans qu'apparaisse « Deux », dans tous les domaines. Entre ces deux, il y a une tension, une relation — positif et négatif. Chacun peut choisir les exemples qui lui conviennent selon sa spécialité. Un biologiste, un mathématicien, un physicien...

dans tous les domaines c'est vrai. Un sculpteur ne peut sculpter que s'il y a deux, le sculpteur et le bois (la pierre, le marbre ou la terre glaise), la matière qu'il doit sculpter. Et la Loi, ce principe de dualité qui se manifeste dans tout l'univers, se manifeste aussi en nous.

Ce que les Hindous nomment le « corps causal universel », c'est ce que l'Occidental considère comme Dieu au sens familier du mot, Dieu créateur. Mais au-delà de ce Dieu créateur, un penseur et mystique comme Maître Eckhart reconnaît ce qu'il a appelé d'un terme allemand qu'on a traduit en français par la Déité et cette Déité correspond au Non-Manifesté, l'Absolu, le Brahman des Hindous. J'ai dit penseur parce que c'est le terme habituel mais on emploie en sanscrit un mot beaucoup plus juste, *rishi,* qui signifie « voyant », non pas celui qui « pense » mais celui qui « voit ».

Ce qui est vrai au niveau universel est vrai au niveau personnel. Le Non-Manifesté est au cœur ou au centre de chacun de nous, le corps causal est au cœur ou au centre de chacun de nous comme corps causal personnel *(karana sharir)*, entraînant l'apparition de cette loi de bipolarité, d'attirance et de répulsion. La manifestation se déploie ensuite au niveau subtil qui, pour nous, est d'abord compréhensible comme le niveau psychique, et enfin au niveau physique des molécules, des atomes, des cellules du corps humain.

Cette affirmation de la correspondance de l'homme avec l'univers est essentielle dans tous les enseignements spirituels. On emploie souvent le mot microcosme pour désigner l'homme, petit univers semblable au macrocosme, le grand univers — cosmos signifiant en grec « Tout » ou « Totalité ». L'homme forme un tout, un tout qui résume l'univers non seulement en ce qu'il a de grossier ou de sensible, et là tout matérialiste ou athée sera d'accord, mais aussi en ce qu'il a de subtil. Pourtant les psychologues se représentent plus difficilement un corps subtil universel, c'est-à-dire un psychisme universel — comme si le psychisme ou la réalité subtile étaient réservés à l'homme et, dans une petite mesure, aux mammifères supérieurs. Le niveau causal, la Loi, est plus facile à reconnaître dans toute la Manifestation. La Loi s'affirme dans l'atome, dans les échanges de particules, même au niveau de la microphysique.

Et encore au-delà, qu'y a-t-il ? Ce Non-Manifesté ultime, que différents enseignements ont essayé de laisser entrevoir dans un langage ou dans un autre. Dans le langage chrétien auquel certains d'entre vous sont habitués s'ils ont eu une éducation religieuse mais qu'aucun homme moderne n'ignore complètement, on ne parle pas communément du Non-Manifesté. Il faut des mystiques comme les mystiques rhénans et Maître Eckhart pour que notre attention soit attirée sur sa réalité. Le Dieu dont parle communément le chrétien correspond à ce plan causal universel que les Hindous nomment Ishwara ou Brahma au masculin et non Brahman au neutre. C'est Ishwara qui se manifeste comme Brahma, Créateur, Vishnou, Protecteur et Shiva,

Destructeur. Et la Trinité chrétienne ne concerne pas le Non-Manifesté mais l'Origine de la Manifestation, c'est-à-dire, au risque de choquer peut-être bien des Chrétiens, le corps causal universel ou l'apparition de la Loi. Le Non-Manifesté pense, si on peut s'exprimer ainsi, et cette pensée est ce que j'ai appelé la Loi. Le Un devient multiple, et la relation apparaît, relation entre ce que les chrétiens ont appelé le Père, le Fils et le Saint-Esprit.

Je ne m'adresse pas particulièrement aux chrétiens et je ne fais pas une causerie sur la théologie chrétienne ; peut-être même vais-je étonner certains chrétiens parmi vous. Je veux vous faire non pas entendre avec l'intellect mais sentir avec la totalité de vous-même la vérité — qui, elle, est universelle — de votre propre grandeur, la grandeur divine de l'homme, sans laquelle les enseignements spirituels, qu'ils soient soufis, zen, tibétains, judaïques, chrétiens, n'auraient pas de raison d'être, car ce sentiment de votre propre grandeur est le sentiment religieux par excellence.

Voilà qui est surprenant. Le sentiment religieux paraît plutôt un sentiment d'humilité, de honte d'être un pécheur corrompu face à la grandeur de Dieu. Mais ceci n'est qu'un fragment et, si vous n'entendez que la moitié de la vérité, vous êtes perdus. Il vaut mieux une ignorance totale qu'une vérité incomplète, dans tous les domaines d'ailleurs, même les plus concrets de l'existence. La vérité spirituelle inclut ce sentiment sacré de la grandeur de l'homme donc de votre propre grandeur, en même temps que cette vérité montre la déchéance de l'homme par rapport à cette noblesse. L'homme, créé à l'image de Dieu, a sombré dans une condition nommée le péché originel. Lui dont la réalité essentielle est l'Atman, le Soi suprême identique au Brahman, est tombé dans l'identification aux formes grossières ou subtiles, dans l'ignorance, l'aveuglement, l'illusion, selon les termes hindous. La vérité exprimée est identique. Si vous entendez seulement l'aspect sévère de ces doctrines, vous vous trompez. Ce que les sages qui enseignent selon la ligne du non-dualisme, *advaïta,* dénoncent dans le mode d'expression dualiste, c'est que l'accent soit trop souvent mis sur le sentiment de notre propre nullité devant la majesté de Dieu au préjudice du sentiment fondamental de notre propre grandeur.

C'est un point capital. Si un chrétien quel qu'il soit s'insurgeait contre ce que je viens de dire, je maintiendrais ce point de vue, même si j'étais menacé d'aller en enfer pour hérésie. Sentiment de votre emprisonnement, oui, de votre déchéance, oui, de votre mesquinerie, de votre médiocrité, oui ; mais sentiment aussi de votre grandeur divine. Il faut oser — cela demande parfois beaucoup de courage quand on se sent faible, mené par les émotions — porter cette dignité. Vous êtes « Héritiers du Royaume », « participant à la gloire de Dieu ». Qui est héritier du royaume ? Le propre fils du roi, le prince héritier. L'héritier sera donc un jour l'égal du Roi. Dire que vous êtes héritiers du royaume, c'est dire que vous êtes tous nés de Dieu et fils (ou filles) de Dieu.

Les Hindous et les Bouddhistes, dont la fermeté à l'égard de la déchéance humaine est sans faille, ont mis en valeur ce sens de la grandeur suprême de l'homme, résumé de tout l'univers, grossier, subtil, causal et non manifesté. L'Absolu est en l'homme. L'homme est une expression ou une manifestation de l'Absolu, plus ou moins accomplie, plus ou moins consciente. Je souhaite que vous le ressentiez plutôt que de le comprendre intellectuellement. C'est le fondement de la véritable *sadhana*, la clé qui permet d'ouvrir la porte, la lime qui permet de scier les barreaux de la prison. Il n'y a pas de spiritualité réelle si vous ne vous ouvrez pas à cette vérité que le plan divin est exprimé ou reflété à travers chacun de nous.

De quelle manière, c'est cela qui doit être vu. Il faut unir à la fois une courageuse vision de son mensonge, de son illusion, de la puissance du « mental » que le Christ appelait le « Prince de ce Monde » régnant sur les cœurs et les esprits, et la reconnaissance de votre perfection essentielle.

Vous devez sentir que, si le fini et l'infini, le parfaitement libre et le complètement déterminé sont tout à fait différents, en même temps, lorsque la Conscience s'éveille en vous, le moindre détail de l'existence devient sacré et se trouve éclairé par la spiritualité. Le moindre détail de l'existence, même le plus « médiocre », est une manifestation de la Réalité ultime de l'univers créé par Dieu. La Loi est à l'œuvre dans chaque détail, aussi insignifiant soit-il, de cet univers : dans la chute d'une feuille à l'automne et dans la poussée d'un bourgeon au printemps, dans la santé et dans la maladie, dans l'absorption et dans l'élimination, dans l'inspiration et dans l'expiration. C'est bien pourquoi les Hindous ont longtemps considéré que la science avait une valeur spirituelle et que les grands spirituels de l'Occident étaient peut-être les chercheurs scientifiques. Je dis longtemps considéré parce que, depuis la fin du dernier conflit, le caractère nocif et destructeur de la science a semé le doute dans beaucoup d'esprits, en Orient comme en Occident. Mais la recherche scientifique pure, si elle n'avait pas d'applications « sataniques » dues à l'ego et à l'émotion de l'homme, serait la recherche de Dieu.

Rien n'est trivial, rien. Si vous considérez que quoi que ce soit échappe à la Loi, ou à la Réalité suprême, vous créez une dualité irréductible et qui ne sera plus jamais dépassée entre le matériel et le subtil, le divin et le profane. Ce n'est pas divin de « prier » et profane de « chier ». S'il existe une Réalité divine, elle est sous-jacente à toute la Manifestation. Le profane et le sacré sont dans la compréhension et l'état de conscience de l'être humain qui appréhende la réalité relative. Il y a une manière sacrée d'aller à la selle et une manière profane d'assister à la messe le dimanche. En parlant ainsi, je tente de vous transmettre un *sentiment,* non une idée. Ne vous y trompez pas. Ouvrez-vous à cette vérité

— lourde à porter pour un être qui se sait aussi faible, mensonger, lâche, plein d'égoïsme. Noblesse oblige et, en tant qu'homme, je suis le microcosme, je suis le résumé de l'univers, je suis le contenant de toutes les lois, jusqu'à la Loi suprême — Corps Causal, origine de toute la Manifestation.

La doctrine chrétienne insiste sur le dogme de la Trinité. Ce dogme n'est pas compris de la même manière par les théologiens orthodoxes et catholiques. C'est un des deux points qui ont déterminé le schisme. Présenté aux chrétiens comme un mystère, il a fait couler beaucoup d'encre théologique et il est en abomination aux musulmans. Si c'est un mystère, c'est-à-dire que personne ne peut rien y comprendre, qui s'est permis de le formuler ? A partir de quoi a-t-on pu élaborer ce dogme ? Et surtout, y a-t-il une possibilité pour nous de le vivre à notre niveau et dans nos existences personnelles ?

Ce que je vais dire maintenant, je vous demande de ne pas l'entendre en « chrétiens », auquel cas vous pourriez être choqués. Je l'ai retrouvé, confirmé et vérifié, en éclairant le Bouddhisme Zen par le Soufisme, le Soufisme par le Bouddhisme tibétain, le Christianisme par l'Hindouisme et l'enseignement de Swâmiji par tous les autres.

Comment pouvez-vous comprendre cette vérité de la Trinité dans la perspective si importante de la compréhension de vous-même ? Pas seulement de vous-même au niveau le plus médiocre du conflit, de l'émotion, de la peur et du désir — l'essentiel de la matière première des psychologues — mais comme la Totalité. Tout ce qui est à découvrir dans l'univers est à découvrir en vous. Pour l'instant, le plus précieux est encore inconscient, car notre inconscient, ou notre non-conscient, s'il comprend certaines tendances, pulsions, peurs déterminantes dans nos existences, comprend aussi les réalités suprêmes que les sages, les mystiques, les *rishis* hindous ont vues et révélées aux autres hommes.

Réfléchissons ensemble à ce dogme de la Trinité, si inadmissible pour les musulmans, si important pour les chrétiens, en tentant de voir s'il y a un rapprochement possible entre cette doctrine et les différentes triades des autres enseignements : le ciel, la terre et l'homme dans le Taoïsme, Brahma, Vishnou, Shiva, ou encore Sat-chitananda, Être-Conscience-Béatitude, dans l'Hindouisme. Les triades ou triplicités se retrouvent dans tous les enseignements ésotériques. Je vous proposerai aujourd'hui un rapprochement entre la Trinité chrétienne et cette parole de Swâmiji que vous connaissez tous :

« J'ai fait ce que j'avais à faire,

J'ai reçu ce que j'avais à recevoir,

J'ai donné ce que j'avais à donner »,

trois accomplissements qui expriment bien la liberté du sage en qui les demandes égocentriques se sont effacées.

Approfondir ces trois points est une manière de se situer dans la perspective sur laquelle j'insiste aujourd'hui : comprendre d'une part que tout peut être découvert en nous, jusqu'à Dieu lui-même et, d'autre part, que la vérité est sans séparation, non duelle, que rien n'est médiocre, rien n'est trivial, rien n'est insignifiant. Puissiez-vous sentir l'importance de l'enjeu et prendre conscience de vous dans une lumière nouvelle, non plus seulement homme soumis au mental et au mensonge mais homme contenant en lui tout ce qui est, y compris le plus divin. Quand vous entendrez, recevrez, sentirez pour la première fois cette vérité, vous pourrez considérer que c'est le jour de votre véritable naissance en tant qu'homme : « Je suis tellement plus grand, plus important, plus précieux, plus riche que je ne l'imaginais. Même enfermé dans la cellule d'une prison, je serais encore multimilliardaire puisque tout ce qui est important à découvrir, je peux le découvrir en moi. »

Le véritable disciple d'un enseignement qui conduit quelque part n'est pas seulement un homme qui a le sens de la grandeur de Dieu mais celui de sa propre grandeur intrinsèque — sa propre grandeur, c'est la grandeur de Dieu, et la grandeur de Dieu, c'est sa propre grandeur — et qui se situe entre ces deux réalités : la médiocrité et l'immensité.

Ce qui est important dans le dogme de la Trinité, c'est de sentir en quoi nous, nous sommes concernés et impliqués. Revenez à cette vérité : c'est en moi que je peux tout découvrir, jamais en dehors de moi. Si le dogme de la Trinité a une valeur, c'est en moi que je découvrirai cette valeur. Sinon, il n'y a pas de spiritualité mais une religion exotérique qui a surtout pour but de maintenir le corps social en bonne santé et d'éviter le déferlement de la violence individuelle.

Je vais, à cet égard, vous transmettre une petite histoire souvent racontée par Mâ Anandamayî car celle-ci, comme beaucoup de Maîtres hindous, enseignait à travers des paraboles : c'est l'histoire d'un escroc, l'escroc au pèlerinage si l'on peut dire. Il s'agit d'un homme qui se joint à des pèlerins — Dieu sait s'il y a des pèlerinages en Inde et si les Hindous se déplacent d'un lieu saint à un autre lieu saint —, propose à l'un d'entre eux de faire la route ensemble, lui tient des discours édifiants et s'arrange pour coucher dans la même chambre que lui, lors des étapes du soir, dans ce qu'on appelle les *dharamsalas,* les auberges. Et, dès que le véritable pèlerin dort, raconte Mâ Anandamayî, ce voleur, furtivement, sur la pointe des pieds, en retenant son souffle, en contrôlant ses gestes, fouille partout dans toute la chambre pour essayer de découvrir où son compagnon peut bien garder la provision d'argent qu'il emmène pour la totalité du voyage, avec l'idée qu'aussitôt cet argent volé, il disparaîtra et que l'autre se réveillera le matin tout seul et sans un sou. Mais il ne trouve rien. Une nuit, deux nuits, trois nuits. Obligé de marcher vingt kilomètres tous les jours, il commence à trouver qu'il s'est branché sur un coup qui n'est pas rentable ! C'est la première fois que sa méthode échoue. Finalement, au bout de quatre nuits, n'y tenant plus, il avoue au véritable pèlerin : « Où cachez-vous votre argent ? J'ai cherché partout pendant que vous dormiez. Je vous en supplie, dites-le-moi. » Et l'autre lui répond : « J'ai tout de suite senti qu'il fallait se méfier de vous. — Alors, comment pouviez-vous dormir si paisiblement ? — Oh ! oui, je dormais paisiblement ! J'avais chaque soir caché mon argent au seul endroit où j'étais sûr que vous ne le chercheriez jamais : sous votre propre oreiller. »

Voilà l'histoire. Et Mâ Anandamayî conclut : Dieu est caché à l'endroit qui est à la fois le plus intime, le plus accessible et en même temps où vous ne songez jamais à le chercher, sous votre propre oreiller, dans votre propre cœur.

Dieu ne peut pas être cherché en dehors de vous. Si vous n'aimez pas le mot Dieu, employez celui qui vous convient, Tao, Nature-de-Bouddha ou Brahman. Ce qu'on vous a présenté comme divin, surnaturel, supra-humain, devrait être entendu comme supramental — au-delà de ce mental limité dont nous sommes pendant si longtemps prisonniers — et ne peut être trouvé qu'à l'intérieur de nous. Que la prise du mental soit solide, qu'il faille peut-être des années d'habileté et d'héroïsme pour échapper à ce mental, c'est une autre question.

D'autre part, deuxième vérité que j'ai mis longtemps à découvrir et à tirer au clair, les grandes réalités spirituelles se réfléchissent dans chaque détail, aussi banal soit-il, de notre existence et il n'y a pas une parole métaphysique qui n'ait tout de suite un sens concret. Cela seul rend possible un Chemin de découverte de l'Absolu au cœur même du relatif. Il n'y a pas de parole qui s'applique au niveau ultime et qui ne s'applique pas aussi tout de suite, maintenant, tout à l'heure.

Je vous donne un exemple, la parole des *Upanishads* : « *Ek evam advityam* », « *One without a second* », « Un sans un deuxième », « Un sans un second ».

C'est la suprême parole de la métaphysique, « Un sans un second ». Un, sans autre chose que Lui. Un seul dans tout l'univers. Les soufis disent : « Il n'y a pas place pour deux dans l'univers. » Les derniers mots du premier maître soufi que j'ai rencontré en 1967, quand les portes du soufisme afghan se sont ouvertes devant moi, sont : « *Yak ast do nist* » — *Ast,* le verbe ÊTRE, EST, *nist* la contraction du N de la négation, *yak ast do nist,* « Un est — Deux n'est pas ».

Je revois encore ce *pir* — il avait d'énormes sourcils noirs — me regardant et, avec insistance puisqu'il ne pouvait pas converser directement avec moi en persan, me répétant : « Un est — Deux n'est pas. » La parole suprême d'un sage, le plus haut enseignement, c'est « Un-sans-un-autre », « Un-sans-un-second ». Tous ceux qui connaissent le soufisme ou le *Védanta* hindou connaissent ces mots. Mais une fois qu'ils ont affirmé « *Ek evam advityam* », quel rôle cela joue-t-il dans leur existence qui est fondée sur un, deux, trois, quatre, sur dix, cent et mille ?

Or il n'y a de Chemin possible que si cette parole qui a un sens métaphysique ultime a aussi un sens immédiat pour vous et si vous voyez le fonctionnement du mental qui crée un deuxième, qui surajoute quelque chose sur ce qui est. La vérité, dans toutes les conditions et toutes les circonstances, est toujours Une sans un second — toujours.

J'ai mal au doigt. Et le mental surajoute autre chose : un doigt qui n'a pas mal. Puis, comparant le doigt qui a mal à ce doigt qui ne devrait pas avoir mal, il met en branle tout le mécanisme de la souffrance — fondée sur une non-vérité, un « deuxième irréel ». Cela aussi, vous devez le sentir : les grandes affirmations métaphysiques sont disponibles pour moi, si je le veux, tout de suite, et je peux immédiatement les mettre en œuvre dans mon existence.

Ou encore : de chacun de vous, il n'existe qu'un seul exemplaire. Il n'en a jamais existé un autre dans le temps, il n'en existera jamais un autre dans l'avenir, et il n'en existe qu'un seul à l'heure actuelle. Il n'y a pas deux empreintes digitales identiques et cette différence représente un indice très sûr pour la police. Un Alain Gardon, il n'en existe qu'un sans un deuxième. Un seul, unique au monde dans le temps et dans l'espace. Il n'y a jamais eu un Alain Gardon, il n'y en aura plus jamais un. Jamais dans le passé un être n'a eu son empreinte digitale et jamais dans le futur un être n'aura son empreinte digitale. Je suis seul et unique au monde. Il n'y a pas un second Arnaud dans le monde. Il n'y a pas un *alter ego,* un autre moi-même, dans le monde. Voilà que cette suprême parole des *Upanishads* devient vraie d'une manière très concrète.

Vais-je nier cette vérité ? Le mental la nie. C'est pourquoi le mental a été appelé l'adversaire, Satan, le diable — étymologiquement, « diable » signifie celui qui divise, celui qui sème la division. « Un-sans-un-second ». Et l'être humain partout cherche un second, un second soi-même, chez son fils, chez sa femme, chez sa mère, chez son meilleur ami. Vous êtes seul au monde. Chacun de vous est unique et sans un deuxième.

Combien cette parole, que des milliers de védantins ont lue mais qui ne joue aucun rôle dans leur existence, prend de force et nous demande une fidélité à la vérité. Si nous entendons simplement « il existe un seul Brahman sans un second dans l'univers, c'est la non-dualité suprême », qu'est-ce que cela exige de nous immédiatement ? Rien. Vous pouvez continuer à vivre emportés par l'aveuglement, l'illusion et la dualité. Si nous entendons cette parole à tous les niveaux, elle nous concerne tout de suite. Et toute vérité est vraie à tous les niveaux. La loi de relation est active au niveau suprême dès que la Manifestation apparaît, comme entre deux atomes, entre un noyau et des particules, entre deux pays, entre deux personnes. Les mêmes lois sont toujours à l'œuvre.

Maintenant, revenons à la Trinité. Pouvons-nous tirer une aide concrète de ce rapprochement qui s'est imposé à moi entre la Trinité et cette parole de Swâmiji, sur laquelle j'ai tant réfléchi : « *I have done what I had to do, I have got what I had to get. I have given what I had to give* », « J'ai fait ce que j'avais à faire, j'ai reçu ce que j'avais à recevoir, j'ai donné ce que j'avais à donner. » Le sage, l'éveillé, est celui qui peut dire, parce que c'est la vérité de son être : « J'ai fait ce que je portais en moi de faire, j'ai reçu ce que je portais en moi de recevoir, j'ai donné ce que je portais en moi de donner. »

Cette nécessité, ou cette potentialité, de faire, de recevoir et de donner, elle est vraie au niveau du corps subtil et de tout ce que les hindous appellent « latent », caché, subconscient, qui attend son heure. Vous portez en vous des *vasanas,* des demandes en tous genres, dans bien des domaines différents. Mais c'est vrai aussi au niveau causal. Le corps causal, c'est la nécessité de faire, mais on ne sait pas encore de faire quoi, la nécessité de donner, mais on ne sait pas encore de donner quoi, la nécessité de recevoir, mais on ne sait pas encore de recevoir quoi. C'est à partir du moment où intervient le corps subtil que se précise pour chacun quoi faire, quoi recevoir et quoi donner, tout l'apport « karmique » de la naissance qui se déploie en réaction aux différentes circonstances de votre destin.

Certains portent en eux de tuer. Ils deviendront des assassins. D'autres portent en eux de sauver l'humanité. Ils deviendront des prédicateurs, des chefs politiques, des fondateurs de mouvements philanthropiques. Mais ce qui est à l'œuvre dans toutes les manifestations, celles des feuilles qui tombent en automne et celles des hommes, c'est toujours la Loi.

Vous pouvez donc considérer le corps causal comme l'apparition de cette loi d'origine au cœur du Non-Manifesté : nécessité de faire, nécessité de donner, nécessité de recevoir. Et le sage, celui qui a découvert en lui non seulement l'essence causale mais l'ultime, l'indicible, l'indescriptible, l'éternel, l'Atman, peut proclamer : « J'ai fait ce que j'avais besoin de faire, j'ai reçu ce que j'avais besoin de recevoir, j'ai donné ce que j'avais besoin de donner. » Sinon ces latences, pour parler comme les Indiens s'expriment en anglais, persistent et déterminent une nouvelle incarnation pour accomplir ce qui n'a pas été accompli.

Le Grand But, liberté ou libération, est un achèvement, un accomplissement. Nirvana veut dire extinction, nirvana veut dire « c'est fini ». C'est fini, j'ai fait ce que j'avais à faire, reçu ce que j'avais à recevoir, donné ce que j'avais à donner — en tant qu'ego, en tant que moi. C'est alors le dépassement de l'ego, la révélation de l'État-sans-ego. Le sage continue apparemment à faire, à recevoir et à donner. Mais plus selon une nécessité qui lui est propre, une nécessité individuelle, égocentrique. Il a atteint ce qu'on appelle techniquement en Inde la « spontanéité ». La Loi est toujours la Loi mais viciée ou non par un fonctionnement parasite que nous désignons de deux termes : l'ego, le mental, *ahamkar* et *manas* en sanscrit.

Quel rapprochement pouvons-nous faire avec le Père, le Fils et le Saint-Esprit, en ne les projetant plus dans les Cieux — ou dans les querelles des théologiens — mais en application de ce que je viens de dire jusque-là ? Voici ce qui m'est apparu avec force : le rapprochement avec la triade « l'homme, le ciel et la terre » du Taoïsme ne me convainc pas ; le rapprochement avec Brahma, Vishnou ou Shiva ne me convainc pas ; avec Sat-chit-ananda, Être, Conscience, Béatitude, ne me convainc pas non plus. Je cherchais encore dans cette ligne quand le rapprochement s'est fait avec ces trois mots de Swâmiji, Faire, Recevoir et Donner, auxquels j'avais peu à peu attribué un sens de plus en plus riche, de plus en plus profond.

Si Swâmiji a employé ces trois mots : faire, recevoir et donner, je dois prendre cette parole au sérieux. Swâmiji était un sage, dans la plénitude du terme, avec, outre la liberté intérieure, une très grande érudition et expérience. S'il a résumé dans ces trois mots la liberté de ne plus se réincarner sur terre, c'est que ces trois mots doivent résumer à eux trois toute la Manifestation. Quand la Réalité passe du plan non manifesté au plan manifesté, la Loi d'origine est la nécessité de faire, de recevoir et de donner. Toute la Création repose sur faire, recevoir et donner. Cela ne peut pas concerner seulement l'homme. Le principe d'équivalence du macrocosme et du microcosme et de l'universalité des lois doit s'appliquer là aussi. On doit retrouver cette loi partout.

Or, dans l'ensemble de ce qui nous est énoncé ici ou là, dans l'Ancien ou le Nouveau Testament, qu'est-ce qui apparaît ? Il apparaît que

Dieu reçoit les sacrifices, les offrandes, les louanges, l'adoration. C'est un thème qui court à travers toute la Bible. Dieu est celui à qui l'on offre, à qui l'on donne, donc celui qui reçoit : « O Père, daigne agréer ce sacrifice, daigne agréer cet hommage, que mes louanges te soient agréables. » Vous pouvez trouver ce langage insupportable mais Dieu le Père reçoit, reçoit l'hommage entier de sa Création. Il nous est dit qu'au Ciel le chœur des anges chante les louanges de Dieu, que nous irons au Ciel pour glorifier et louer Dieu. Le Père est celui qui reçoit, à qui l'on donne, à qui l'on offre — et qui daigne ou ne daigne pas recevoir.

Ensuite, un thème essentiel de la théologie considère le Christ comme Celui qui fait. Celui par qui toutes choses ont été faites — pas l'homme Jésus historique mais le Christ éternel, le Logos, le Verbe. Le Christ est Celui qui fait et qui fait par son propre sacrifice ou démembrement. Je vous dis au passage qu'on retrouve dans tous les enseignements ésotériques ce Principe qui crée en se démembrant sous la forme de la multiplicité, au lieu du Un, avec les tensions inhérentes à la multiplicité.

Enfin, le Saint-Esprit donne « les dons de l'Esprit ». A l'un il donne le don de la parole, à l'autre le don de guérison. Dans l'Église primitive, le Saint-Esprit donnait tel ou tel charisme. Le Saint-Esprit est toujours lié au thème du « don » dans les deux sens du mot don — le talent d'un être doué et le cadeau, le bienfait.

Faire, Recevoir, Donner, ces trois termes s'éclairaient brusquement pour moi dans un lien évident avec la Trinité qui devenait une vérité s'appliquant à moi et prenant son sens dans chaque détail de mon existence.

Si vous voulez progresser, il faut que, tout en voyant lucidement votre mesquinerie et la puissance du mental, vous ayez le courage de reconnaître votre grandeur sacrée en tant qu'homme. Blasphémer l'homme, c'est blasphémer Dieu. Si vous sentez en vous une intense demande de dépassement, de compréhension, de découverte, tournez votre recherche vers le domaine spirituel, l'ésotérisme, les sciences sacrées et l'expérience libératrice, vers « Cela, dit l'*Upanishad*, dont la connaissance fait que nous connaissons tout le reste. »

Et vous aujourd'hui, vous êtes trop stimulés par les intérêts extérieurs. Qui se passionne encore pour la recherche scientifique intérieure et pour la découverte du secret de l'univers en soi-même, sans aucun appareil, avec ces instruments que sont notre sensation, notre pensée, notre sentiment ? Même la sexualité, vécue selon certains principes initiatiques, peut mener vers la Connaissance suprême. La spiritualité tenait lieu autrefois de science mais nous l'avons oublié aujourd'hui, nous modernes, pour qui la religion tient le rôle d'antiscience : « Je crois sans preuve. On me dit qu'il faut croire à la Trinité, je crois à la Trinité. » J'ai connu un scientifique chrétien, protestant, qui s'est exprimé ainsi devant moi : « En tant que biologiste, j'affirme qu'il n'y a aucune survie possible d'aucune conscience à la destruction du corps physique, mais en tant que croyant, j'affirme l'immortalité de l'âme, et que le Christ est ressuscité. »

La spiritualité est aujourd'hui considérée comme antiscientifique. Et je vous dis que la spiritualité est la grande science, sinon elle est sans intérêt. Laissez les théologiens discuter sur la Trinité et se disputer avec les musulmans. Ce qui est plus utile pour vous, hommes déchirés par des peines amoureuses ou des échecs professionnels, mais aussi hommes engagés sur le Chemin et susceptibles de le suivre jusqu'au bout, jusqu'à la liberté, jusqu'à l'absolu, c'est ce rapprochement. La Trinité — le Père, le fils et le Saint-Esprit — s'exprime en moi par ces trois mots : recevoir, faire et donner.

Tout mystique chrétien témoigne qu'il a découvert la Trinité en lui-même, sous son propre oreiller, comme raconte Mâ Anandamayi. Mais ce qui est vrai au bout du Chemin, est déjà vrai tout de suite. Tout de suite, pas seulement quand vous aurez atteint le niveau de saint Jean de la Croix ou de Maître Eckhart.

La Loi universelle est à l'œuvre en vous, qui vous dépasse tellement, et que vous rétrécissez à la conscience de l'ego individualisé dont vous pouvez pourtant vous libérer complètement. Chaque fois que vous faites, que vous créez, que vous accomplissez, c'est l'aspect de la Trinité appelé le FILS qui s'exprime à travers vous. Chaque fois que vous donnez, que vous donnez vraiment — les dons gratuits —, c'est cet aspect de la Trinité appelé l'ESPRIT qui se manifeste en vous. Chaque fois que vous recevez, c'est cet aspect de la Trinité appelé le PERE qui se manifeste en vous.

Et ce que je vous demande maintenant d'entendre, c'est ce « chaque fois ». Lui seul peut donner un sens sacré à toute votre existence et faire d'elle un véritable Chemin. Sinon, il y aura la réalité de votre existence, où vous êtes bien contents de recevoir un certain cadeau, une certaine somme d'argent, « mais ça c'est matériel ». Et puis une spiritualité qui plane dans les airs. Chaque fois que vous donnez, chaque fois que vous faites et chaque fois que vous recevez, la Réalité Suprême est à l'œuvre en vous et la Trinité s'exprime à travers vous — même si vous recevez pour Noël un foulard en soie de chez Hermès — si vous savez le recevoir.

Il n'y a pas de fossé qui ne puisse être comblé. Certes, du point de vue du mental, il y a un abîme entre la peur, le désir, la violence et la Sagesse suprême, entre le niveau Terre et le niveau Ciel, pour parler comme les Evangiles. Mais du point de vue de la spiritualité non dualiste, il n'y a plus de fossé. Dans chaque détail le plus trivial de l'existence, Dieu est à l'œuvre, la Loi suprême est à l'œuvre, le Corps Causal Universel est à l'œuvre. Chaque fois que vous recevez, quoi que ce soit que vous receviez, vous pouvez savoir : c'est Dieu qui reçoit en moi, c'est le Père en moi qui reçoit.

Pourquoi dit-on le Père, le Fils et le Saint-Esprit, c'est-à-dire pourquoi recevoir vient-il en tête, plutôt que faire ou donner ? Parce que si nous nous plaçons du point de vue de notre conscience, de notre expérience d'homme, c'est toujours l'homme qui est au centre de la vraie spiritualité, c'est de l'homme qu'il est question. C'est à l'homme qu'on s'adresse. L'être humain a d'abord reçu, non pas la vie, ce qui est une expression impropre car la Vie ne naît pas et ne meurt pas, mais, pour parler comme les Orientaux, un corps physique. Si nous n'avons pas d'abord reçu un corps physique, nous ne sommes plus des hommes parlant à d'autres hommes à la surface de la terre. L'homme commence par recevoir. C'est à travers ce corps physique et ses cinq sens que vous pouvez recevoir. A partir de là, vous pouvez faire, fût-ce faire une tarte, faire une petite sculpture en terre glaise ou faire de nombreux enfants, et vous pouvez donner.

Distinguez bien ces trois termes : RECEVOIR, FAIRE, DONNER. Toute votre vie, chaque instant de l'existence, est le déploiement d'un de ces trois termes. Et si on peut considérer la Loi fondamentale comme la loi d'attraction et de répulsion, on peut aussi la considérer comme le principe trinitaire, faire, recevoir et donner — ou recevoir, donner et faire — ou donner, faire et recevoir. Vous savez que les Personnes de la Trinité sont trois, tout en étant Une. A la fois nous faisons, à la fois nous donnons, à la fois nous recevons. Ces trois fonctions peuvent être distinguées et peuvent aussi être considérées comme inséparables. Si vous avez tant soit peu entendu ce que j'ai dit aujourd'hui, vous allez sentir la gravité de chacune de vos actions.

« Recevoir. » Je deviens une expression de Dieu. Je deviens, à mon niveau, l'héritier du Royaume, le fils de Dieu, l'égal de Dieu — dans ma petite sphère, je reçois. La création entière chante la louange de Dieu et ce matin, voilà que moi je reçois : le soleil se lève, je reçois sa chaleur, je reçois sa lumière, les oiseaux chantent pour moi, la création entière est là pour me donner. Eh bien ! Osez le vivre. Ça n'est ni de l'égoïsme, ni de l'égocentrisme, c'est de la véritable spiritualité. Recevez d'une manière tout à fait nouvelle. Et si vous éprouvez ce sens sacré, surnaturel, de la réception, il est certain, vous le verrez, qu'un recevoir médiocre tombera de lui-même.

Quoi ! je suis Dieu recevant la louange de la Création et je me préoccupe de recevoir avec avidité de petites choses éphémères dont mon ego est insatiable ? Tout va commencer à changer. Ne pensez plus que recevoir est égoïste. Votre réalité, votre sagesse, c'est recevoir, faire et donner. Recevoir fait partie du Chemin. Recevoir est une attitude spirituelle, recevoir est un geste sacré. Apprenez à recevoir. Et de la même manière, apprenez à faire. Par tout ce que je fais, je deviens le collaborateur de Dieu dans la création. Ce sont le Père, le Fils et le Saint-Esprit qui œuvrent en moi. C'est le Père qui reçoit en moi, c'est le Fils qui fait en moi, c'est le Saint-Esprit qui donne en moi.

Si nous nous exprimons ainsi, le langage que j'ai tenu aujourd'hui devient beaucoup moins choquant pour le chrétien, qui y retrouve l'écho des auteurs mystiques. Ce n'est plus moi qui vis, c'est le Christ qui vit en moi. Ce n'est plus moi qui reçois, c'est le Père qui reçoit en moi, ce n'est plus moi qui fais, c'est le Fils qui fait en moi, ce n'est plus moi qui donne, c'est le Saint-Esprit qui donne en moi. Voilà l'attitude spirituelle. Et ce que j'ai dit aujourd'hui peut vous aider d'une manière nouvelle et plus vivante à comprendre ce qui est peut-être pour vous encore un mystère — celui ou celle que nous appelons un Sage, un « Libéré vivant » *(jivan-mukta)*.

Qu'est-ce que cet homme ou cette femme, Ramana Maharshi, Ramdas, Kangyur Rimpoché, Dudjom Rimpoché, Mâ Anandamayî, que je vois vivre comme moi et dont en même temps je sens qu'il est différent ? Cette différence, elle s'impose à moi et je veux essayer de comprendre. Elle est dans la manière nouvelle de Faire, de Donner et de Recevoir. Et c'est cela qui vous déroute, voir comment un gourou reçoit. Ceux qui ont été en Inde, ceux qui ont approché des maîtres, ont vu toutes les offrandes qui étaient faites au gourou. Dans un passage des *Upanishads*, le disciple — un souverain —, ayant tout offert à son maître qui n'est jamais satisfait, finit par dire : « Je vous offre moi-même. » Les gourous reçoivent et pourtant cela ne nous gêne pas, dès que nous avons dépassé nos préjugés d'Occidentaux ou nos illusions mensongères.

Le gourou reçoit. Quand ça n'est pas des cantiques qu'on chante à la gloire du gourou, ce sont des offrandes, des amoncellements de roupies à ses pieds, des écharpes blanches s'il est tibétain, le *pranam* des disciples. S'il y a des êtres au monde qui reçoivent, ce sont bien les sages. Recevoir est une activité sacrée. Rendez-la tout de suite sacrée pour vous sans attendre d'être un gourou en Inde. Et la manière dont le gourou fait, dont le gourou donne, est l'illustration concrète, la possibilité de vérifier ce que j'ai dit aujourd'hui. C'est la pleine conscience de ce principe trinitaire, c'est le Père qui reçoit, le Fils qui fait, le Saint-Esprit qui donne, non vicié par l'ego, non interprété par le mental.

Toute votre existence peut prendre ce sens sacré, et là est votre responsabilité. Si vous n'y pensez jamais, si vous l'oubliez, si vous retombez au niveau ordinaire, si vous recevez sans conscience que vous recevez, si vous faites sans conscience que vous faites, si vous donnez sans conscience que vous donnez, si vous n'êtes pas vigilants, vous êtes morts comme l'ont dit tous les sages. Vous avez manqué votre vie en tant qu'homme.

Si vous recevez consciemment, si vous donnez consciemment, si vous faites consciemment, vous découvrirez que ce que j'ai dit aujourd'hui est vrai. Et vous commencerez à comprendre de mieux en mieux en quoi Kalou Rimpoché, Ramdas, un maître zen ou tel sage soufi que vous avez rencontré a « quelque chose de différent » : la pleine conscience que ce n'est pas lui qui vit mais la Trinité qui vit en lui.

Pourquoi pas vous ?

5

L'HOMME ET LA FEMME

Je vais aborder aujourd'hui un sujet délicat parce que nous sommes si intimement et si profondément concernés, jusque dans l'inconscient, que le fait d'être aussi impliqués nous rend difficile d'entendre vraiment ce qui peut être dit.

Ce thème est commun à la sagesse ancienne et à la psychologie moderne. Exprimé aussi simplement que possible, c'est le fait que l'homme porte en lui une composante féminine et la femme porte en elle une composante masculine. Ceci est même vérifié physiologiquement par l'endocrinologie et constitue une des données les plus importantes de l'apport de C.G. Jung, animus et anima. Mais c'est du point de vue de la connaissance orientale que je vous parlerai.

Une sculpture hindoue, *ardhanareshwara*, est moitié homme moitié femme ; la moitié droite de la sculpture est un homme, la moitié gauche une femme, et l'être humain étant considéré comme le représentant de la réalité totale — ce qui est dit d'une Divinité s'applique aussi à l'homme — l'homme accompli est aussi *ardhanareshwara*, homme et femme réunifiés. Un homme total a assumé en lui son élément féminin et une femme épanouie a assumé en elle son élément masculin.

Ce thème touche celui de la différence des sexes, donc celui des rapports entre les sexes et vous savez que la condition féminine suscite aujourd'hui un grand nombre d'émotions souvent mal contrôlées. Certains principes sont à l'œuvre partout dans l'univers. Ils sont exprimés sous une forme figurée dans les différentes mythologies et ils opèrent au niveau métaphysique, au niveau ontologique, au niveau causal, au niveau subtil et au niveau physique. Or, la Manifestation entière est fondée sur la distinction de deux forces qui sont à la fois distinctes et indissolublement liées.

Vous avez tous entendu parler du yin et du yang, le yin étant principe féminin, le yang principe masculin. Vous avez peut-être entendu parler aussi de *Purusha* et *Prakriti*, Purusha étant masculin et Prakriti, la Nature, étant féminine, ou de *Shiva* et *Shakti*. Shiva le témoin, l'immuable, et Shakti l'aspect dynamique de Shiva. Les mythologies, loin d'être un ramassis de fables infantiles, sont une expression figurée des grandes réalités et elles touchent à la fois notre pensée, notre sentiment et notre sensation.

La division de l'humanité en deux sexes est donc l'application au niveau humain des principes fondamentaux de la réalité physique, subtile et causale. La Réalité proprement métaphysique se situe au-delà, ou plutôt en deçà de cette première différenciation, celle du principe masculin et du principe féminin essentiels.

Il est certain que, dans la méditation profonde, on ne se ressent plus ni homme ni femme. La conscience centrale est si parfaitement non conditionnée qu'elle transcende l'identification à une forme masculine ou féminine. Au niveau du *je* ultime, tout ce que je vais dire maintenant s'efface. L'*atman* n'est ni masculin ni féminin. Et certains sages, dont les journées s'écoulent en *samadhi* sauf, de temps en temps, un regard ou une parole pour ceux qui les entourent, ne se ressentent plus comme un homme ou comme une femme tant leur conscience est détachée de leur apparence. Mais revenons à un niveau plus accessible. Ces deux principes, masculin et féminin, que Swâmiji appelait en anglais *male and female* (le mot *female* en anglais n'a pas le côté péjoratif qu'il a en français), sont à l'œuvre en tout homme et en toute femme. Le principe féminin l'emporte chez la femme et le principe masculin l'emporte chez l'homme.

Ce qui est difficile mais constitue une grande part du Chemin de la sagesse, c'est d'abord d'assumer complètement pour l'homme sa masculinité et pour la femme sa féminité, puis pour l'homme d'intégrer sa féminité et, pour la femme, sa masculinité. Même en reconnaissant qu'une grande part de la psychologie moderne a tenu compte de cette présence de l'élément féminin chez l'homme et de l'élément masculin chez la femme, il y a loin de la doctrine écrite dans les livres à la réalisation personnelle. Et il n'est pas aisé d'accomplir parfaitement cette plénitude de l'état humain.

Avançons donc pas à pas. Évitons les émotions latentes concernant le complexe d'infériorité de la femme par rapport à l'homme dans une société dite phallocratique, ou le complexe de castration ou l'envie du pénis, ou toutes autres données qui peuvent être sujettes à discussion. Malheureusement, aujourd'hui, les hommes sont rarement des hommes, les femmes sont rarement des femmes et nous vivons dans un monde mené par des idées, des slogans, des préjugés sur ce qu'est un homme viril ou une femme féminine, bien loin de l'épanouissement auquel vous êtes tous appelés.

Ces composantes féminine pour l'homme et masculine pour la femme n'ont pas à être acquises. Elles existent déjà en nous. Elles ont à être libérées et épanouies et non réprimées, niées ou distordues.

Je laisserai de côté aujourd'hui l'aspect proprement traditionnel ou ésotérique, Shiva-Shakti, Purusha et Prakriti, et ce qui est exprimé dans les enseignements spirituels concernant l'ontologie, les cosmogonies, le masculin et le féminin dans une perspective universelle. Et pourtant, je veux commencer par évoquer une réalité bien connue de l'hindouisme, réalité que tout voyageur en Inde peut observer sous la forme de statues dans les temples. C'est le célèbre *lingam* de Shiva : une pierre noire dressée verticalement, très rarement sculptée de manière tant soit peu représentative comme un pénis mais considérée comme un phallus. Ce *lingam* est associé à un support en forme de coupe, *yoni,* et un certain nombre d'auteurs y ont vu d'une façon assez superficielle le pénis pénétrant le vagin, en admettant qu'il puisse y avoir là un symbolisme représentant l'union ou la réunion. Mais la vérité est plus subtile. Le *lingam* ne pénètre pas dans cette coupe, il en émerge comme le lotus émerge de la vase. Ce symbolisme signifie que le dynamisme masculin de la Manifestation émerge du statisme féminin.

Si nous étudions les genèses hindoues, nous nous heurtons à des contradictions. Parfois c'est l'eau qui est l'élément primordial, parfois le feu. Mais nous constatons dans ces genèses quelque peu différentes que ce sont presque toujours l'eau ou la terre qui apparaissent d'abord comme principe premier de la différenciation ou de la manifestation, donc deux éléments féminins. Cette doctrine des quatre éléments est très riche et il ne faut pas la traiter comme une vieille superstition prélogique de peuples primitifs. L'eau et la terre sont féminins, l'air et le feu masculins. Il s'agit là d'une distinction qui se rattache au tronc central de la connaissance ésotérique.

Les Hindous considèrent que le masculin émane du féminin et cela nous concerne tous, pas seulement parce que le *lingam* sort de la coupelle appelée *yoni* mais parce que vous aussi pouvez faire jaillir les éléments masculins des éléments féminins. Les images données traditionnellement sont sujettes à caution pour un esprit moderne mais elles cherchent à illustrer un principe. Le lait est un liquide qui a toutes les propriétés de l'élément eau. Pourtant, si nous barattons le lait, nous en extrayons le beurre et, si en versant du lait sur le feu nous l'éteignons, en versant du beurre dans le feu nous alimentons celui-ci. Le beurre masculin se trouve donc à l'état latent dans le lait féminin. Vous ne ferez pas brûler de l'eau mais celle-ci est composée d'oxygène et d'hydrogène qui sont tous deux combustibles. Du point de vue de la science naturelle, ceci ne va pas très loin mais, symboliquement, c'est une image importante. D'autre part, une représentation très courante de l'élément terre est le bois, dont le bois de la croix de Jésus-Christ, et nous savons qu'en frottant deux morceaux de bois l'un contre l'autre, nous pouvons aussi en faire jaillir le feu.

Ce qui est d'abord à comprendre, c'est qu'en tout être humain, homme ou femme, notre nature masculine émerge de notre nature féminine. Ceci est vrai pour la femme comme pour l'homme, en n'oubliant pas, ce qui est le simple bon sens, que les valeurs féminines dominent chez la femme et les valeurs masculines chez l'homme. Mais un être complet doit devenir *ardhanareshwara*.

Combien de fois Swâmi Prajnanpad, à des questions plus ou moins intellectuelles que je lui posais, m'a répondu : « *What does nature say?* » « Que dit la nature ? » Pas que disent les *Upanishads* écrites il y a deux mille cinq cents ans, que dit la nature ? Regardons pour l'instant ce qu'est un homme et ce qu'est une femme.

Cela vous aidera à comprendre ce que sont la masculinité et la féminité.

Que dit la nature ? La nature dit que, outre deux yeux, un nez et une bouche, deux mains et deux pieds, l'homme a des organes sexuels apparents et la femme des organes sexuels non apparents. La femme possède l'équivalent des organes sexuels de l'homme. Au lieu d'un pénis et de deux testicules, elle a un vagin et deux ovaires. Mais dans un cas ils sont patents, dans l'autre latents, latent signifiant simplement caché, non visible à l'extérieur. Et que dit encore la nature ? Ce n'est pas la femme qui dépose l'ovule dans le corps de l'homme mais l'homme qui dépose le spermatozoïde dans le corps de la femme. La nature elle-même le dit : l'homme donne et la femme reçoit.

Jusque-là, vous ne pouvez pas laisser votre mental intervenir pour nier une vérité aussi flagrante. Mais nous pouvons aller plus loin dans notre effort pour nous comprendre nous-mêmes et comprendre le chemin de l'épanouissement et de la libération. Avant de chercher à savoir en quoi consiste un homme viril ou une femme féminine, ce qui est devenu bien difficile dans une civilisation névrosée, nous pouvons voir que la femme reçoit le spermatozoïde émis par l'homme, donc la femme accueille, prend au-dedans d'elle-même et l'homme donne, émet au-dehors de lui-même. S'il existe une féminité et une masculinité, un yin et un yang, l'aspect féminin est un aspect de réception, d'accueil, d'intériorisation, de maturation cachée dans la profondeur, l'aspect masculin un aspect de projection vers l'extérieur.

Les Hindous et les Bouddhistes admettent que, dans la série des existences successives, on puisse être parfois homme et parfois femme, ce qui pourrait expliquer aussi comment certaines tendances féminines se trouvent chez un homme et certaines tendances masculines chez une femme. Mais on peut éliminer totalement ce point de vue d'une succession d'existences pour aborder notre sujet. Après tout, c'est vous dans cette vie-ci qui avez la chance d'*être conscients que vous êtes,* donc de pouvoir découvrir le secret de l'Être et de la Conscience.

Essayez de concilier peu à peu ces éléments d'observation : celui qui vous est tout de suite accessible et que je viens d'évoquer, la fonction naturelle de la procréation, et ce symbole important du *lingam* de Shiva, emblème phallique, non réaliste dans sa représentation, émanant de la coupelle ou *yoni.* Cela n'implique pas seulement que tout être humain émane de la mère, se forme dans l'utérus et vient au monde lors de l'accouchement (du point de vue de la mère) et de la naissance (du point de vue du bébé). Revenant au symbolisme des quatre éléments, nous voyons en effet que dans l'observation de la nature l'eau et la terre correspondent à ce qui vient d'être dit. C'est en effet dans la terre que se produit la germination et dans l'eau aussi que se multiplie toute une vie qui ne se développe pas dans le feu. Notre bassin du Bost a été un enseignement à bien des égards. Et l'étude de tout ce qui se produit au printemps dans l'eau de ce bassin est convaincante. « *What does nature say?* », regardons le bassin du Bost.

Dans d'autres approches, l'image célèbre des vagues naissant de l'océan ou l'Esprit qui souffle sur les Eaux de la Genèse, c'est le vent — principe masculin — qui souffle sur l'eau — principe féminin — et de l'eau émergent les vagues.

Si l'on admet que ces anciennes comparaisons ne sont jamais parfaites puisqu'elles sont matérielles pour exprimer des réalités subtiles, toutes ont cependant leur richesse. Il faut renoncer à une certaine logique aride, proprement masculine et même propre à une masculinité caricaturale, pour accepter cette approche imagée ou allégorique. Je ne m'étendrai pas sur ce symbolisme archétypal, parce qu'il est très connu, de l'eau fluide et adaptable, de la terre nourricière... Tout ce que nous pouvons faire dire au symbolisme de la terre et de l'eau s'applique aux valeurs féminines et celui de l'air (ou du vent) et du feu nous apprend beaucoup sur les valeurs masculines.

En nous tous, êtres humains, le principe féminin est un principe de profondeur. Tout ce qui est pour nous associé à la profondeur est de nature féminine. Tout ce qui est associé au passage de la profondeur à la surface est de nature masculine. On peut donc dire que l'effort de méditation est d'essence féminine puisqu'il s'agit de s'intérioriser, de rentrer dans sa profondeur, et on peut dire que l'esprit d'entreprise, l'action, le désir de façonner le monde sont d'essence masculine. Mais il est bien certain que c'est de la profondeur que naît l'action chez tout être équilibré. C'est de l'océan qu'émergent les vagues et c'est des zones profondes de nous-mêmes qu'émerge l'action juste.

Maintenant revenons au point de vue psychologique et à cette constatation physique : l'homme donne et la femme reçoit. C'est fondamental.

Les impressions, les sensations qui nous viennent du dehors, pénètrent en nous. Elles nous touchent et elles nous touchent au niveau féminin de nous-mêmes. C'est vrai pour les hommes comme pour les femmes. Chaque fois qu'une perception nous parvient, si nous sommes tant soit peu équilibrés — parce que nous sommes généralement névrosés par rapport au thème que je traite aujourd'hui —, nous nous trouvons dans une attitude féminine. Un élément venu du dehors pénètre en nous et en nous s'accomplit une maturation, une gestation, qui est, elle aussi, d'essence féminine. Ensuite, nous répondons à la situation, ou, trop souvent, nous réagissons mécaniquement ; et cette réponse ou cette réaction, elle, est d'essence masculine. C'est simple dit comme cela mais c'est la clef d'une compréhension réelle de soi-même d'une part et, d'autre part, de la relation juste entre les sexes. Si l'humanité doit être heureuse, il importe que les femmes soient aisément et naturellement des femmes et que les hommes soient aisément et naturellement des hommes.

***

Tout ce qui est accueil, réception, prendre au-dedans et laisser mûrir est féminin. Ce qui est, au contraire, projeter, promouvoir, procréer même — la plupart des termes qui commencent par *pro* — est masculin.

Si j'affirme que l'aspect féminin est préalable à l'aspect masculin c'est parce qu'avant de donner, de projeter, d'exprimer, il faut recevoir, porter en soi.

Allons pas à pas parce que c'est peut-être assez nouveau pour vous.

Que dit la nature ? Pour que la femme puisse un jour mettre le bébé au monde, ce qui en soi est un acte correspondant à l'aspect masculin de la Manifestation, il faut d'abord que la femme ait reçu le spermatozoïde dans la profondeur de son être, l'ait uni à sa propre substance et l'ait laissé mûrir. Voilà ce qui se passe au niveau physique. Voilà qui est vrai aussi au niveau psychologique. Dans la mesure où nous recevons quoi que ce soit qui puisse germer en nous, nous tous, hommes autant que vous femmes, avons une attitude féminine. Dans la mesure où, après avoir porté en gestation, nous exprimons au-dehors, nous tous, vous femmes et nous hommes, avons une attitude masculine. Donc je dis bien le côté masculin de l'existence émane du côté féminin. Le bébé émane de la profondeur des entrailles de la mère et toute action juste émane de la profondeur de notre perception et maturation.

Maintenant, comment ce principe est-il à l'œuvre ? Ici intervient une grande confusion parce que vous êtes tous et toutes imprégnés d'idées superficielles concernant la rivalité des sexes. « L'émancipation de la femme » consiste le plus souvent non pas à permettre aux femmes d'être de vraies femmes épanouies mais à proposer aux femmes d'être des caricatures d'hommes.

Être pleinement homme c'est avoir assumé sa composante féminine, être pleinement femme c'est avoir assumé sa composante masculine. Certes, ce point est important. Mais le chemin de la perfection pour un être humain c'est aussi d'être pleinement femme en tant que femme et pleinement homme en tant qu'homme, et notre monde moderne a élaboré peu à peu une société qui paraît donner la suprématie aux hommes, en oubliant non seulement la valeur de la maternité dont seules les femmes sont capables, mais en oubliant de plus en plus la valeur du principe féminin. Notre société actuelle nous déséquilibre, autant nous les hommes que vous les femmes, parce qu'elle ne reconnaît plus la valeur primordiale — venant en premier — de la féminité.

Ce mouvement s'aggrave, nourri d'idées creuses qui ont eu une vérité autrefois mais que l'on a déformées ou qui sont vraies mais que l'on ne maintient pas à leur place : « La femme est intuitive et illogique, l'homme, lui, est logique. » Ne vous laissez pas impressionner par des sentences aussi superficielles. Ce qui est vrai, c'est que l'aspect féminin d'un être humain ne concerne pas l'intellect tel que nous le comprenons aujourd'hui. Mais de là à dire que cet aspect féminin de l'être humain est inférieur, c'est le mensonge dont meurt notre monde occidental moderne. Comme si l'intellect, la tête, la logique, qui sont en effet masculins, avaient une valeur exclusive.

On ne peut penser, raisonner, réfléchir, déduire que si l'on a d'abord senti, perçu, reçu, si l'on a été « réceptif » comme l'est la femme dans la nature et comme l'est le principe féminin manifesté dans la création. Or, la négation de ces valeurs féminines, qui ne sont pas les valeurs logiques, cartésiennes, est relativement récente mais désastreuse pour notre société. L'aspect féminin de la réalité a une valeur éminente, la terre, l'eau, l'utérus, la réception, la profondeur d'où émerge l'acte créateur.

Qu'ensuite on dise que la femme est intuitive, peut-être. Que la femme est irrationnelle, qu'est-ce que cela signifie ? Parle-t-on d'une femme complète, affirmée, ou d'une femme amoindrie, blessée psychologiquement, mal développée, étouffée, influencée par cette société pathologiquement mâle. Oui, le monde moderne dans lequel nous vivons est, j'emploie l'expression consacrée, phallocratique. Mais cela ne veut pas dire que ce monde donne la supériorité aux hommes sur les femmes. Si on l'entend comme cela, on ne peut pas voir juste. Cela signifie que le monde moderne donne la supériorité au principe cosmique masculin sur le principe féminin. Les femmes en font les frais, les hommes également mais la réaction féministe est fausse parce qu'elle ne remet pas en cause cette erreur principielle. Elle consiste pour les femmes à nier de leur mieux l'aspect féminin de la réalité pour essayer d'égaliser ou de battre les hommes sur le terrain de la masculinité alors que les malheureux hommes, ayant perdu leur féminité, sont aussi désemparés que peuvent l'être les femmes.

Cette société est moins destructrice de la femme et favorable à l'homme, comme l'ont écrit Simone de Beauvoir dans son ouvrage *Le Deuxième Sexe* et toutes celles qui lui ont succédé, que destructrice de l'élément féminin chez la femme et de l'élément féminin chez l'homme. Et l'élément masculin hypertrophié ne peut conduire qu'à la névrose et à la coupure avec soi-même, autrement dit l'aliénation. L'étage affectif et sensoriel de l'être humain, la véritable sensibilité, est une donnée féminine.

Swâmiji disait : « *Be sensitive* » : « soyez sensible ». Non pas au sens de « un rien me fait pleurer », mais de la capacité à ressentir. Les deux mots clefs de l'enseignement de Swâmiji, vous les connaissez, sont : « *to feel (feeling)* et *to see* ». *Feel, feeling* : ressentir. Le Sage n'a plus d'émotions mais il est devenu très sensible, comme un instrument perfectionné qui pèse au millième de milligramme et non à deux grammes près. *To see* qui signifie voir, ou *seeing*, le fait de voir, c'est l'aspect masculin d'un être humain et *to feel*, c'est l'aspect féminin puisqu'on ne peut ressentir que si on s'ouvre, on accueille, on prend au-dedans sans se protéger.

Je vais employer une image un peu cavalière : une femme qui serrerait les cuisses pour éviter d'être pénétrée ne pourrait jamais accomplir ce miracle qui est de mettre au monde un nouvel être humain. Si nous nous « serrons » par peur de la réalité extérieure, nous nions et nous étouffons l'aspect féminin de nous-mêmes. Or beaucoup d'êtres humains aujourd'hui, hommes ou femmes, ont étouffé leur sensibilité. Par contre ils veulent agir. Pour agir il faut appliquer une certaine logique qui nous permet de diriger nos actions et cette logique, qui est une fonction masculine, coupée du fondement de toute vision qui est d'abord la perception, envahit le monde moderne.

J'en veux pour preuve le phénomène grave qui se déploie sous nos yeux et qui est la multiplication des examens purement intellectuels. La seule logique cérébrale est devenue le critère d'appréciation et de sélection. Tout passe par la tête. Notre société se détruit elle-même par l'étouffement de la sensibilité et l'hypertrophie de l'intellectualisme, l'étouffement des valeurs féminines de la réalité humaine et l'hypertrophie des valeurs masculines. On est de moins en moins capable de ressentir. La sensibilité est meurtrie, réprimée, refusée, dénaturée par les névroses. Et, pour se rattraper, l'accent est mis sur les capacités intellectuelles.

Quelle perte tragique pour nous tous, hommes et femmes, pour l'humanité entière, que les valeurs féminines soient reniées et que des valeurs masculines déviées soient portées aux nues. Les femmes n'osent plus être des femmes ; elles pensent que ce qui les rend pourtant si précieuses pour l'ensemble de l'humanité n'a pas de valeur et que ce qui importe c'est leur capacité à développer leur virilité avec ses corollaires, esprit logique, études, activisme. Et l'on ne dira plus que les femmes sont « merveilleusement illogiques ».

Comment voulez-vous agir, créer, produire, changer le cours des événements, vous exprimer (fonctions masculines) d'une manière juste si vous ne vous êtes pas d'abord ouverts, non par l'intellect mais par les sensations et l'appréciation du cœur, à toutes les données qui viennent jusqu'à vous ? Swâmiji disait : « Tout est sexuel », mais pas au sens où Freud a pu le dire. Toute la dualité est sexuelle, dualité égale sexualité, non-dualité égale transcendance de la sexualité. Qu'est-ce qui est sexuel ? C'est de recevoir par un orifice. Or les *Upanishads* parlent de ce que l'on appelle les neuf orifices, les oreilles, le nez, la bouche... et toutes les informations pénètrent en nous par ces orifices.

Il y a donc là un élément féminin d'ouverture et d'accueil. Si je me laisse pénétrer et que je reçois ce qui pénètre en moi, je me manifeste en tant que principe féminin. Mais cette réceptivité est de plus en plus amoindrie. Vous vous fermez, vous vous protégez. Vous n'osez plus vous ouvrir à ce qui passe non par l'intellect mais par la sensation et le sentiment et vous touche directement dans votre sensibilité. Ce sont des informations que le monde extérieur nous donne, qui se déposent en nous et qu'il est normal de porter comme une gestation. Ensuite nous exprimons, nous manifestons au-dehors et nous devenons masculin. Lorsque la femme accouche, bien que ce soit l'image même de son activité de mère, elle manifeste son aspect masculin qui « projette au-dehors » au lieu de prendre au-dedans.

Un mâle véritable est un homme qui a développé en lui l'aspect féminin de sa nature, pas seulement un homme qui a de gros muscles ou un homme qui « rentre-dedans », qui décide, qui construit ou qui détruit.

Il est de bon ton aujourd'hui d'ironiser sur les Polytechniciens et sur les Énarques mais la vraie source de cette ironie, c'est l'étouffement par la logique de la capacité à ressentir. Et cela conduit au désastre. En ce qui concerne l'aide aux pays du tiers monde, où la sensibilité et l'intuition jouaient un très grand rôle, les technocrates ne ressentent pas. Ils pensent. Avec leurs chiffres, leurs calculs, leur raison, ils déplacent des populations, décident de nouvelles cultures et détruisent un équilibre naturel que des hommes qui n'avaient pas étouffé leurs richesses féminines avaient senti depuis des éternités. Un ingénieur général à l'Institut géographique français qui était parmi nous ce matin me citait des exemples saisissants de cette difficulté du technocrate occidental à comprendre la manière dont s'étaient établis, depuis des millénaires, ces équilibres, pauvres certes mais vivables, grâce à une sensation et une intuition défaillantes chez le technicien qui ne sent rien, ne s'ouvre à rien, vient avec toutes les idées qu'il a ingurgitées pendant ses études en France et commence à décider ce que les nomades doivent faire pour se sédentariser, comment il faut changer les modes d'élevage, de pâturage et de cultures. Et, malheureusement, les échecs et les erreurs s'accumulent en Amérique, en Afrique et en Asie.

Cette incompréhension est la gloire du sexe masculin et c'est le critère de notre société pour apprécier les femmes. Une femme est entrée à Polytechnique : quelle revanche pour le sexe féminin ! Des femmes sortent de l'ENA : quelle revanche pour le sexe féminin ! Est-ce que vraiment les femmes ont pour but aujourd'hui de prouver qu'elles aussi peuvent devenir des hommes amputés et névrosés ? Alors qu'elles pourraient devenir des femmes intégrant leur masculinité comme nous, hommes, avons à intégrer notre féminité, à retrouver le sens de l'accueil qui est le fondement de la gestation et de la création.

Il n'est pas nécessaire de « penser logiquement » au moment d'accueillir le pénis et le sperme d'un homme. « *What does nature say ?* » Le monde irait moins mal si nous pouvions créer un système d'irrigation, tracer le plan d'urbanisme d'une ville ou établir une nouvelle organisation de la fiscalité française comme une femme crée un bébé, en s'ouvrant d'abord, en se laissant pénétrer par la réalité qui, ensuite, œuvrerait elle-même en nous.

Mais si nous décidons que la sensibilité est une fonction inférieure réservée aux hippies, aux poètes, aux femmes — avec un petit ton méprisant — et que l'intelligence est la fonction supérieure qui fait les techniciens, les chercheurs scientifiques et les administrateurs, nous faussons le jeu de la vérité, celui de la Création elle-même. *To see*, voir, la *buddhi,* l'intelligence, et *to feel*, ressentir, sont également précieux, également nécessaires.

***

Il est normal que l'on ait associé l'utérus — le lieu privilégié de la femme, celui où elle peut créer un être humain — à l'idée de profondeur. Tout le symbolisme de la profondeur, toute la richesse que ce mot peut inclure, ont été naturellement comparés dans le mode traditionnel d'appréhension de la réalité, aux organes féminins, donc à la féminité, et c'est juste. Quand nous parlons de la psychologie des profondeurs, nous devrions oser dire : psychologie de l'aspect féminin de la réalité. Profondeur implique féminité mais l'homme et la femme modernes sont de plus en plus coupés de leur profondeur. D'où cette immense réaction que représente la vogue des thérapies modernes. Retrouver sa propre profondeur n'est pas facile. Si tous ceux qui ont fait un an de bioénergie, de primal ou de thérapie par le cri étaient libérés, beaucoup de nos contemporains seraient déjà mieux dans leur peau.

Psychologie des profondeurs signifie donc psychologie de l'aspect féminin de l'être humain, homme ou femme, et en effet nous allons retrouver l'importance de la capacité à percevoir les influences ou les impressions du dehors. La tentative de la psychologie des profondeurs ne s'attaque pas directement à l'intellect, mais essaie justement de toucher le domaine affectif, le domaine du reçu, du ressenti : « Comment ai-je perçu l'amour de ma mère, l'amour de mon père, les colères de ma mère, les colères de mon père ? Comment me suis-je d'abord ouvert au monde et ensuite refermé et emprisonné dans les divers mécanismes de protection ? » Nous sommes tous aujourd'hui, ou nous avons tous été, sur la défensive par peur de nous laisser atteindre. L'affectivité étant l'étage féminin de l'homme, qu'est-ce alors qu'un homme qui a nié son affectivité ou dont l'affectivité est devenue maladive ?

En ce qui concerne proprement le chemin de Swâmiji, le *lying* (anamnèse des traumatismes inconscients) — ne plus résister et descendre dans sa propre profondeur — est une attitude féminine. C'est le salut des hommes et celui des femmes qui ne sont plus des femmes parce que cela leur permet de redécouvrir la richesse profonde de leur être, irrationnelle, affective. Quand je dis irrationnel, je ne suis pas méprisant. Je le serais plutôt si je disais rationnel. Le *lying* est une des possibilités que nous donnait Swâmiji de retrouver la féminité en nous, d'oser s'ouvrir à cela même à quoi nous nous sommes fermés autrefois.

Le bébé s'ouvre au monde mais, à force d'en recevoir des coups, il se ferme et il dénie ce qu'il a reçu en s'ouvrant, les souffrances, les déceptions. Tout cela est réprimé. L'enfant est coupé de sa profondeur, de son ressenti, et il donne, qu'il soit petit garçon ou petite fille, de plus en plus d'importance à son intellect : lire, lire, lire, comme si lire un livre sur la natation pouvait remplacer la joie de barboter dans une piscine. La petite fille comme le petit garçon doivent avant tout être bons élèves. Cela c'est mesuré, cela c'est apprécié. Maintenant, que son affectivité soit nulle, la société n'en tient pas compte. C'est lui ou elle plus tard qui, poussé par ses souffrances, cherchera l'aide d'un psychothérapeute ou éventuellement d'un gourou.

Si vous avez nié votre féminité, vous devenez anormal, au point que certains ont centré leur recherche spirituelle sur la fuite de l'ouverture et le refus de ce qui s'est inscrit en eux dans la mesure où ils étaient ouverts. Tout passe par la tête : et un livre de plus sur les soufis, et un livre de plus sur le zen, et un livre de plus sur la méditation, et un livre de plus sur le *Vedanta*. On peut aussi lire tout Freud sans jamais entamer la moindre analyse, jongler avec l'Œdipe, la castration, le stade anal et le stade oral pour mieux se protéger contre son propre inconscient. La psychologie des profondeurs est la redécouverte de vos potentialités féminines.

La lutte créatrice de l'homme qui modifie la face du monde, qui organise, décide, édicte un code de lois, fonde une société, régit une entreprise, toute cette activité que nous associons aujourd'hui à la masculinité, n'est juste que si elle est d'abord l'expression d'une ouverture totale, « êtrique » comme disait Gurdjieff, à la réalité. Un des signes astrologiques dominants dans mon propre thème est le signe des Gémeaux occupé par plusieurs planètes, un signe intellectuel qui pousse aux valeurs masculines : établir des contacts, voyager, organiser des rencontres, faire du commerce, que ce soit le commerce des idées ou celui des tissus, et j'ai dû redécouvrir peu à peu la fausseté des valeurs dans lesquelles la société moderne m'a élevé et notamment que la vie ne consiste pas à être bon élève. J'ai suffisamment dit que les *lyings* n'étaient qu'une petite partie de l'enseignement de Swâmiji pour dire aussi que le *lying* m'a à cet égard sauvé parce que j'ai accepté complètement ma propre profondeur, mon irrationalité et reconnu tout ce que j'avais vécu et ressenti depuis mon enfance, qui n'avait rien à voir avec le fait d'avoir écrit le tome I des *Chemins de la Sagesse.*

Un homme exilé de sa féminité n'est pas un homme véritable, même s'il affirme de plus en plus une masculinité sans racine dans la profondeur, et devient de plus en plus, au sens déplorable de ces mots, viril, logique, implacable, technicien, coupé de sa sensibilité, toujours plongé dans les livres, les chiffres, les statistiques. Quand un homme a trop brimé sa féminité ou une femme sa masculinité à elle, sa capacité à créer, réfléchir, produire, ils deviennent particulièrement vulnérables en face du sexe opposé parce qu'ils cherchent désespérément en celui-ci la dimension de la vie qui devrait normalement exister en eux. C'est aussi ce qui vous rend si fragiles.

La question que Marco a eu le courage de poser hier soir : « Plusieurs femmes m'ont dit “je t'aime” au cours de ma vie et pourtant j'ai la conviction de n'avoir jamais été aimé », est vraie pour la plupart d'entre vous, hommes, parce que vous cherchez chez la femme cette féminité que vous n'osez pas découvrir en vous. Plus vous vous coupez de votre propre féminité, plus vous devenez faibles en face des femmes. Vous avez peur de cette faiblesse, vous vous méfiez, vous réagissez par la dureté et, comme le dit si bien la pensée moderne, vous transformez la femme en objet pour la rendre inoffensive.

Aussi un point encore peut-il être ajouté : si vous avez, messieurs, refoulé ou détruit votre propre féminité intuitive, irrationnelle, vous êtes attirés par les femmes et vous en avez peur parce qu'elles représentent ce dont vous avez peur en vous. La fameuse peur des femmes, qui existe dans le cœur de tout homme, disparaîtra vraiment pour vous quand vous aurez accepté la nécessité de ressentir, de devenir « sensitif », de vous ouvrir sans réserve au vent, à la pluie, au chant d'un oiseau, à une odeur, d'ouvrir *tous* vos sens aux impressions et aux perceptions. Si vous avez le courage de retrouver vos émotions, de redevenir réceptifs, intuitifs, irrationnels, « pareils à de petits enfants », vous n'aurez plus peur de la part féminine de vous, donc de la part féminine éminente chez la femme. Vous échapperez à la fois à la fascination qui vous rend infantiles en face d'une femme et à la crainte.

Quant aux femmes, il est sûr qu'elles ne seront pleinement humaines que si elles développent aussi des valeurs masculines, celles qui correspondent au symbolisme de l'air et du feu. Et, pour que la femme puisse incarner ces valeurs masculines, il faut d'abord qu'elle ait assumé ses propres valeurs féminines. Si elle aussi finit par avoir peur de sa sensibilité, de sa capacité à communier, à faire l'amour avec l'univers entier, son côté masculin sera pathologique. La femme qui fume deux paquets de Gitanes par jour, et qui, harcelée par trois téléphones, est gratifiée d'avoir des hommes sous ses ordres dans l'entreprise où elle travaille, a-t-elle pleinement réussi son existence ? Finalement c'est assez simple à entendre, mais c'est beaucoup plus difficile à ressentir puisque vous vous protégez tous contre votre affectivité, mal d'ailleurs parce qu'elle vous submerge d'autant plus que vous ne lui donnez pas sa place dans vos vies. Les valeurs féminines font un homme véritable. En affirmant la différence entre l'homme et la femme, je n'infériorise pas la femme et je n'ai jamais nié que les capacités de l'homme ne soient accessibles à la femme.

Il faut que nous revenions encore sur une idée étonnante : la femme, quand elle accouche, agit en homme parce qu'elle procrée, elle produit un nouvel être humain. Et en vérité, les hommes se consacrent à essayer eux aussi de « mettre au monde ». Deux techniciens n'hésitent pas à dire : « Comment va notre enfant ? » en parlant d'un projet quelconque, fût-ce la nouvelle voiture que Peugeot va sortir. Ou : « Ça y est ! J'y ai passé la nuit, mais j'ai accouché de mon projet. » Le langage est révélateur à cet égard. Quand la femme accouche, elle agit en homme :

elle change quelque chose à la face de la terre et, à défaut de construire la tour Montparnasse ou l'autoroute du Sud, elle a construit le « précieux corps humain » d'un futur adulte.

Une femme agit aussi en homme dans la mesure où elle est, comme elle l'était autrefois, selon les mots de Swâmiji, « *Queen in her kingdom* », reine dans son royaume, la maison, le foyer au sens ancien du mot. Même en restant à l'intérieur du royaume traditionnellement dévolu à la femme, celle-ci pouvait s'épanouir en manifestant l'aspect masculin d'elle-même : réfléchir, organiser, diriger, régner sur les cœurs. Et dans les civilisations moins malades que la nôtre, les hommes ont parfaitement admis l'autorité de la femme dans de nombreux domaines. La femme décidait et l'homme la laissait diriger. Et puis, cela va sans dire, il y a toujours eu les cas exceptionnels de femmes qualifiées pour exercer le pouvoir. L'Inde a connu bien des souveraines exerçant des *dharmas* d'hommes, de l'Antiquité à madame Indira Gandhi.

Si les femmes au moins respectaient encore les valeurs féminines. Mais depuis leur enfance on les leur a rendues suspectes. Vous croyez que c'est facile pour une petite fille d'entendre dire à un garçon : « Ne pleure pas, il n'y a que les filles qui pleurent » ? Quelle stupidité ! Non seulement les garçons en arrivent à réprimer leur sensibilité et à n'être plus qu'un cerveau coupé du cœur et de la sensation, mais les femmes elles-mêmes admettent que « les filles pleurent, bien sûr, car ce ne sont que des filles », tandis que les petits mâles, eux, ne pleurent pas. Il est certain que, si les femmes se laissent impressionner par ce genre de slogans et d'idées toutes faites, elles n'osent plus être des femmes. Et, si elles n'ont pas été très bons élèves — au masculin ! —, si elles n'ont pas réussi leur bac avec mention bien, elles se sentent infériorisées. Mais une civilisation qui a placé les études et l'intellect au-dessus de tout est une civilisation morbide, schizophrène.

Vous voulez retrouver la santé ? Vous voulez, dans cette société moribonde, être des cellules saines ? Ne pactisez pas avec la maladie de ce monde moderne et osez, vous hommes, retrouver et, vous femmes, honorer votre propre féminité. Une humanité équilibrée a impérativement besoin de l'union des hommes et des femmes, non de leur concurrence.

Un couple véritable est un couple dans lequel l'homme est reconnaissant à la femme de l'aider à assumer la part féminine de lui-même et la femme reconnaissante à l'homme de l'aider à faire grandir sa part masculine. Tant que les hommes nieront leur part féminine et que les femmes en feront autant à cause des idées prévalant dans la société, la vie de couple sera aussi compromise qu'elle l'est aujourd'hui : une espérance jamais satisfaite, des amours qui se brisent, des malentendus, des querelles, d'intenses souffrances. C'est tragique quand on se souvient de ce que pourraient être au contraire la plénitude et la beauté d'une relation entre un homme et une femme. La vie de couple n'est possible que pour l'homme qui accepte complètement sa féminité et, pour la femme, non pas seulement qui accepte complètement sa masculinité, mais qui elle aussi accepte complètement sa féminité, puisque même la femme n'ose plus l'accepter aujourd'hui.

Ce qui est grave pour tout le monde actuel c'est que les valeurs féminines sont reniées, décriées, méprisées dans les faits sinon dans les paroles. Nous sommes en train de mourir de cette perte et les prétendus remèdes, à commencer par l'émancipation de la femme, se situent tous à l'intérieur de cette aberration. La seule lueur d'espoir est la redécouverte, à travers la psychologie moderne, de l'importance du monde affectif. Malheureusement on redécouvre ce monde affectif dans la mesure où il ne fonctionne plus. On le découvre comme une maladie et l'expression « les affects », en psychologie moderne, désigne une fonction perturbée.

La valeur du monde affectif est primordiale. Tout le reste vient en second. D'abord ressentir pleinement, ensuite voir ce qui doit être fait, non plus « réagir » mais « répondre ». Heureux l'homme qui peut pleinement reconnaître que tous ses diplômes ne valent pas la capacité d'une femme à sentir, à s'ouvrir, à prendre au-dedans les messages que nous donne le monde, l'homme qui comprend que la femme a une autre manière que lui de s'adapter au monde et une manière qui a autant de valeur.

Tant que les hommes continueront à mépriser leur propre sensibilité, à n'être ouverts *au monde extérieur que pour le dominer au lieu de s'en imprégner et de communier*, rien ne sera possible en ce qui concerne la guérison de notre société. Tout au plus, quelques individus particuliers pourront-ils échapper à la décadence générale.

Nehru, que l'on ne peut pas considérer comme un Indien traditionnel, a tout de même eu la réaction typiquement indienne de protester quand on a annoncé triomphalement : l'Everest a été « vaincu » ou « conquis ». Voilà un comportement essentiellement masculin. L'attitude masculine privée des racines féminines ne considère la nature que comme un adversaire à vaincre. Et Nehru avait dit : « l'Everest est devenu notre ami », comme si nous avions fait sa connaissance. Mais hommes et femmes se coupent aujourd'hui de la réceptivité aux messages de la nature. C'est une perte matérielle sur laquelle les écologistes essaient d'attirer l'attention. Plus grave encore, c'est une perte humaine et spirituelle.

Communier avec la Nature, avec la Grande Vie universelle, est une attitude primordiale. A partir de là seulement peut surgir une action juste, celle du sage qui a pleinement développé en lui toute la dimension féminine de l'humanité. Il peut comprendre. Amasser des faits et des statistiques, la tête peut le faire, mais comprendre est une fonction de l'être entier et personne ne peut comprendre, au vrai sens du mot, qui n'ait pas harmonieusement développé la féminité en soi et la masculinité en soi. Comprendre, c'est inclure. Osez redonner leur prééminence à toutes les valeurs féminines, aussi bien vous les femmes que vous les hommes, d'où que viennent ces valeurs : des mythes, des allégories, des paraboles, des symboles. Imprégnez-vous de ces valeurs féminines. Alors, le vrai chemin du bonheur s'ouvrira enfin devant vous.

6

MASCULIN ET FÉMININ

Revenons au thème de masculin et féminin que nous avons commencé à aborder ensemble. Premier point, ce thème est aussi bien métaphysique et théologique que psychologique et physique. Les lois et les principes qui sous-tendent l'univers manifesté régissent tous les niveaux de la Manifestation et la réalité de la division de l'humanité en deux sexes, mâle et femelle, n'est qu'une application de ce grand principe que nous pouvons appeler, nous, masculin et féminin.

L'approche moderne part du niveau ordinaire pour expliquer les niveaux supérieurs et considère, à la limite, que toute doctrine spirituelle est la projection idéale ou la symbolisation de données biologiques. A partir de la constatation que les hommes ont un pénis et les femmes un vagin on peut ainsi, en suivant une certaine ligne de pensée comme par exemple la relation du père avec la fille ou de la mère avec le fils, élaborer tout un système d'explication des idées religieuses. C'est ce qu'ont fait de nombreux psychanalystes.

On peut au contraire admettre la vérité des enseignements traditionnels. La Manifestation est une densification progressive à partir de l'Origine. Dans le Non-Manifesté apparaît d'abord le plan causal, ensuite le plan subtil, enfin le plan physique. Ces trois niveaux se retrouvent en chacun de nous. Les principes qui régissent le passage du Non-Manifesté au Manifesté sont à l'œuvre à tous les degrés de la réalité et à tous les plans intérieurs de l'être humain. Ce mode d'explication, que nous rencontrons dans les différents ésotérismes, soufi, hindou, chrétien, tibétain, judaïque, change radicalement notre approche de la réalité quotidienne banale de nos vies, considérée comme l'expression concrète des réalités spirituelles.

C'est bien pour cela que la sexualité a été presque toujours sacralisée ou même que la sexualité, en tout cas un symbolisme sexuel, a joué un rôle si important dans plusieurs enseignements spirituels. Personne n'ignore maintenant que les façades de certains temples indiens représentent, parmi bien d'autres sculptures, toutes les possibilités sexuelles, y compris même les manifestations d'homosexualité ; et le texte du *Kama-Sutra*, célèbre jusqu'à présent comme ouvrage érotique, est en fait un volumineux traité composé par un sage, dont une part, une petite part seulement, concerne l'érotisme et la technique de l'union sexuelle entre l'homme et la femme.

Chaque détail de notre activité, même celle que nous avons en commun avec les animaux, la vie sexuelle, est l'expression d'une réalité spirituelle et peut donc être vue comme une activité sacrée, une épiphanie qui nous révèle les « principes » auxquels les sages ou les yogis ont accès dans leurs méditations et leurs états supérieurs de conscience. De même, la division de l'humanité en hommes et en femmes, qui prête tellement à discussion aujourd'hui et donne lieu à tant d'ouvrages, de débats télévisés et d'interviews, peut être considérée elle aussi comme l'expression d'une réalité spirituelle, causale, subtile, avant d'être physique. C'est seulement si vous situez cette question dans ce cadre d'ensemble que vous pouvez l'appréhender de façon juste parce que complète. La dualité ou bipolarité, mâle et femelle, se retrouve presque à chaque page des textes anciens ou dans chaque thème abordé par un enseignement traditionnel.

L'affirmation de l'ego est la déformation de l'attitude masculine et l'effacement de l'ego est une attitude féminine. La vie spirituelle, la *sadhana* — même si le mot *sadhana* signifie faire des efforts —, est une attitude réceptive, une attitude d'ouverture et non d'affirmation. Mais combien il est difficile pour les hommes d'accepter l'idée qu'il leur est demandé de devenir beaucoup plus disponibles aux valeurs féminines qu'ils ne le sont. C'est une redécouverte, la plus grande que nous puissions faire tous : notre salut viendra de la pleine reconnaissance de la valeur de cette attitude féminine. Et pourtant, en parlant, je suis obligé d'être prudent parce que chaque phrase que je peux prononcer réveille en vous les échos de pensées qui ne sont que des citations, d'émotions qui ne sont que des imitations et d'influences culturelles aliénantes.

Dans tout ce qui est colporté concernant l'homme en tant que mâle et la femme en tant que femelle, il y a un mélange de préjugés et de vérités qui, bien que fort connues, gardent leur importance. Un proverbe anglais que les Indiens citent souvent dit : « Ne jetez pas le bébé avec l'eau du bain. » Faites attention, quand vous voulez rejeter des habitudes ou des idées qui vous paraissent corrompues, de ne pas rejeter en même temps des vérités qui s'avèrent précieuses si nous leur redonnons leur fraîcheur éternelle en les dépoussiérant de la banalité dans laquelle elles sont tombées.

L'attitude féminine s'apparente au fait de recevoir et l'attitude masculine au fait de donner. Prenez cette vérité comme point d'appui pour une réflexion approfondie qui puisse vous conduire, au-delà des clichés et des lieux communs, jusqu'à une compréhension qui ne restera pas intellectuelle mais transformera votre être, votre vie et vous mènera jusqu'à la « Réalisation ». C'est un double mouvement, comme une respiration : recevoir et donner. J'inspire, je reçois ; j'expire, je donne. Les plantes aussi inspirent et expirent, reçoivent et donnent. L'un ne peut pas exister sans l'autre. Chaque fois qu'un processus va de l'extérieur vers l'intérieur, nous recevons et chaque fois que le dynamisme va de l'intérieur vers l'extérieur, nous donnons. On dit par exemple : « donner des coups de pioche ». Nous n'offrons pas un cadeau à la terre en lui donnant des coups de pioche, et pourtant nous employons l'expression « donner » qui implique se manifester, s'exprimer. Toute existence — l'existence humaine, entre autres — est fondée sur ce double mouvement : recevoir et restituer. L'homme est un appareil récepteur de différentes nourritures grossières et subtiles et de différentes énergies, un appareil transformateur et un appareil émetteur, mais cet appareil n'est pas le même chez l'homme ordinaire et chez le sage. Nous émettons aussi des vibrations et nous extériorisons une énergie.

Vous avez entendu dire que la femme était plus passive et que l'homme était plus actif. Oui, mais qu'est-ce qui est impliqué exactement par ces deux mots, passif et actif, essentiels pour traduire les conceptions hindoues ou bouddhistes ? Il semble que passif signifie paresseux, donc soit péjoratif, et qu'actif soit au contraire une vertu. Et, si je répète cette affirmation connue : « l'homme représente un pôle actif, la femme un pôle passif », cela a l'air insultant pour les femmes. En vérité, il n'y a aucune supériorité de l'activité sur la passivité. Et vous pouvez même réfléchir à des paroles qui vous étonnent, comme celles de Ramana Maharshi : « La passivité du sage est mille fois plus active que l'activité ordinaire. » La passivité mérite notre respect car la passivité est créatrice.

Revenons au point de départ de Swâmiji : « *What does nature say ?* » sans préjugés concernant l'oppression ou la libération de la femme. L'accomplissement le plus important de l'espèce humaine est de mettre au monde un autre homme ou une autre femme, avec cette idée bien oubliée mais qui anime les peuples traditionnels, que cet homme ou cette femme sera peut-être un sage, un des phares de l'humanité. Dans une civilisation traditionnelle, toute femme enceinte essaie de prier, de se purifier pour se rendre digne d'être le réceptacle d'un futur sage. Mais comme les saints (à part la liste du calendrier) n'intéressent plus guère, je me demande combien d'hommes et de femmes s'accouplent avec le sentiment sacré qu'ils vont peut-être donner un corps physique à cet être humain si précieux, aussi précieux que le feu l'était pour les hommes préhistoriques.

Or cette procréation, elle s'accomplit d'une manière passive. Une femme peut éventuellement augmenter son régime en protéines ou en sels minéraux, mais elle n'a pas à se mettre au travail — « maintenant vous allez voir ce que vous allez voir » — pour faire un enfant. Vous pouvez retrousser vos manches pour creuser une tranchée ou monter un mur en une journée, mais ce n'est pas ainsi qu'une femme procrée.

Dans cette attitude passive, la femme se contente de recevoir, recevoir l'oxygène de l'air, recevoir différentes nourritures matérielles, protides, glucides, lipides et autres, et recevoir les nourritures émotionnelles. *Sarvam annam,* « tout est nourriture ». Ce dont une femme enceinte se nourrit est très important. Se nourrit-elle de romans policiers ou d'ouvrages religieux, de musique sacrée ou des émissions de télévision les plus ordinaires ? Notamment est-ce que la femme se nourrit et nourrit son enfant de goudron et de nicotine en continuant à fumer tant et plus au mépris de l'embryon qu'elle porte en son sein ?

Swâmiji m'a raconté, et a raconté à d'autres, une histoire invraisemblable qu'il paraissait prendre très au sérieux. Un garçon de vingt ans, appartenant à une famille respectable, a commis un certain crime et sa mère s'est souvenue que, pendant sa grossesse, elle avait lu un livre qui racontait exactement le crime commis par son fils vingt ans plus tard. Et Swâmiji maintenait — lui qui avait pourtant été un physicien et non un farfelu de l'occultisme — qu'il y avait un lien entre le fait que cette femme ait été si impressionnée par la lecture de ce livre (même en Inde ce genre d'erreur peut arriver) et que vingt ans plus tard son fils ait accompli ce crime qui s'était gravé en lui, fœtus, comme un *samskara*.

J'avoue que, malgré mon respect pour Swâmiji et son passé prestigieux de physicien à l'université de Calcutta, j'ai eu du mal à accepter cette proposition. Si je la cite aujourd'hui, ce n'est pas pour m'y attarder mais simplement pour vous rappeler combien l'attitude procréatrice de la femme qui attend un bébé est une attitude réceptive. Elle reçoit les trois nourritures : la nourriture alimentaire, la nourriture de l'air — du *prana*, comme on dit en Inde — et les impressions. Et en Inde, on insiste beaucoup pour que seules les impressions subtiles, raffinées, viennent frapper la mère pendant la grossesse.

A la fin de cette attitude de réception, la femme met au monde. Et là son attitude devient masculine. Au moment où la femme met un enfant au monde, et surtout si elle le fait consciemment, si, au lieu de se laisser emporter par la douleur, elle adhère consciemment aux contractions, la femme accomplit une action masculine : elle crée, elle procrée, elle agit dans le monde. Et quand elle allaite l'enfant également, même si l'image la plus féminine qui soit est celle d'une mère regardant avec attendrissement le bébé accroché à son sein.

Maintenant, nous pouvons aller encore un peu plus loin. Vous admettez que tout être humain équilibré, homme ou femme, possède normalement ces deux aptitudes, donner et recevoir, se laisser transformer et transformer. Mais aujourd'hui, vous êtes beaucoup plus tournés, hommes et femmes, vers l'attitude et le comportement consistant à transformer plutôt qu'à se laisser transformer. Vous avez peur d'être passifs et vous avez donné la primauté à l'activité. Or la passivité est aussi importante que l'activité. Il n'y a pas d'être humain harmonieux qui ne soit capable de passivité. Vous avez à redécouvrir comment recevoir sans se protéger, oser se rendre vulnérable et se laisser transformer.

C'est une directive que l'on retrouve dans beaucoup d'enseignements anciens : se laisser transformer par l'action du Saint-Esprit en nous, se laisser transformer par l'action de la Grâce en nous. Il y a à la fois, dans la vie spirituelle, nécessité de faire de nombreux efforts, ce que l'on appelle *sadhana* en sanscrit ou ascèse en français, et nécessité de cette attitude passive sur laquelle tous les mystiques ont insisté : s'ouvrir à l'influence de l'Esprit-Saint, s'ouvrir à l'influence de la Grâce, s'ouvrir à la révélation de l'Atman.

Le limité ne peut pas s'emparer de l'Illimité, le fini ne peut pas s'emparer de l'Infini, l'ego ne peut pas s'emparer du supra-individuel, le mental ne peut pas s'emparer du supramental, le moins ne peut pas s'emparer du plus. Vous pouvez uniquement lâcher prise et vous ouvrir. Et cela vous est devenu pratiquement impossible. Vous, hommes et femmes modernes, vous êtes sur la défensive et vous ne comptez plus que sur vos propres forces. Le mot si utilisé en Inde, *surrender,* signifie reddition. Il faut s'être beaucoup imprégné de l'Enseignement de Ramana Maharshi ou d'autres sages pour commencer à entendre d'une oreille plus favorable que le beau-du-beau, le summum-bonum, c'est le *surrender,* la reddition, la capitulation. Capituler devant qui et devant quoi ? Ou vous capitulez devant votre inconscient et votre mental qui vous mènent aujourd'hui complètement, ou vous capitulez devant Dieu lui-même qui, dans la perspective métaphysique, est votre Réalité fondamentale, votre Soi suprême, même si vous n'en êtes pas conscients.

A une époque où je commençais confusément à entrevoir ces vérités parce que je commençais à m'ouvrir, c'est le cas de le dire, à l'enseignement hindou, avant d'avoir rencontré Swâmiji, j'ai écrit, dans le petit livre *Yoga et Spiritualité :*

« Nous voulons bien tout, mais que ce soit nous. » « Je » demeure pour agir, pour rester les bras en croix pendant dix minutes même si ça fait mal, pour me lever à trois heures du matin et assister aux offices de nuit, pour inspirer par une narine et expirer par l'autre, pour faire trois cents prosternations à la suite. Nous voulons bien tous les efforts de la *sadhana*, au moins dans les moments d'enthousiasme et de ferveur, mais que ce soit *nous.* Ce *lâcher-prise,* cet abandon de l'ego, est entièrement à redécouvrir.

Revenons au point de départ fondamental. « Que dit la nature ? » Dans cet acte essentiel de la procréation d'un être humain, la femme se rend réceptive. D'abord réceptive à l'homme. A part le bébé-éprouvette ou autres découvertes futures de la science moderne, la fécondation se fait par la pénétration. La femme s'ouvre à la pénétration de l'homme. Si elle est totalement, parfaitement ouverte, l'orgasme peut même avoir une valeur spirituelle. Il est dit dans une *Upanishad* que « le Sage vit dans un orgasme permanent ». Cette parole a-t-elle un sens et quel sens peut-elle avoir ? La femme s'ouvre à la pénétration de l'homme, l'utérus s'ouvre pour recevoir le spermatozoïde. C'est une attitude de non-protection.

Tout Yoga est inévitablement un chemin d'ouverture, de laisser-faire, laisser agir en nous des forces qui dépassent l'ego. Il y a là un point que vous aurez tous à rencontrer au cours de votre Chemin, en admettant que vous soyez vraiment engagés sur un Chemin et non de simples amateurs. C'est le moment où nous devons renoncer à ce que ce soit nous, fût-ce au prix de grands efforts, qui conquerrions notre Libération et où nous ne pouvons avoir d'autre attitude que l'attitude féminine, ne faire rien d'autre que de nous ouvrir, nous rendre disponibles.

Dans l'équilibre entre féminin et masculin, recevoir et donner, passif et actif, la vie humaine est aussi une harmonie du oui et du non, et nous pouvons reconnaître que le oui est une attitude féminine et le non une attitude masculine. Chaque fois qu'une femme dit non, elle manifeste l'aspect masculin de sa nature et chaque fois qu'un homme dit oui, il manifeste l'aspect féminin de sa nature.

Peut-être vous souvenez-vous que dans un de mes derniers livres je raconte au sujet du « Oui » une petite histoire véridique qui fut une révélation pour moi. J'allais m'installer au Bost et je me rendais une dernière fois sur un plateau de télévision pour enregistrer la présentation des films sur les soufis programmés en septembre 1974. J'arrive un peu à l'avance sur ce plateau et je vois un groupe de techniciens réunis dans un coin du studio pour écouter quelque chose. Mais quoi ? Certains avaient déjà travaillé avec moi, d'autres connaissaient le nom de Desjardins, et, les sentant si intéressés, je m'approche d'eux : « Qu'est-ce que vous écoutez ? — Ah ! répond l'un, ce n'est pas pour toi ; cela va te changer de ton Inde et de tes sages. » Il s'agissait d'un extraordinaire morceau de bravoure, comme on dit dans le métier, d'une comédienne évoquant avec un érotisme saisissant le déroulement de l'acte sexuel en utilisant uniquement le mot « oui ». Sur le plan de la performance d'une artiste, c'était admirable parce que, sans son talent, cela eût été aussi vulgaire qu'une revue pornographique. Mais ce n'était pas le cas. A partir des premiers « oui » gais, enjoués, cajoleurs puis plus troublés jusqu'à des oui graves, rauques, gémissants, exaltés, vous pouviez suivre tout le déroulement d'une rencontre amoureuse. Uniquement à travers le oui. Et, tandis que les autres écoutaient cela comme un enregistrement « porno », moi-même, tout en reconnaissant le talent hors pair de la comédienne, j'ai entendu uniquement le mot oui : oui, oui, oui. J'étais imprégné par les enseignements hindous et tibétains sur le symbolisme érotique en tant que symbolisme de la spiritualité et imprégné aussi par ce mot oui, le *yes* de Swâmiji. Le Oui ultime transparaissait au travers du oui de la femme qui se donne.

Y a-t-il encore beaucoup de femmes capables de se donner totalement, donc libres de peurs inconscientes ? Si ces peurs demeurent, le don ne peut pas être véritable, total et sans arrière-pensées. Et qui peut affirmer qu'il est libre des peurs inconscientes de se donner ? La sexualité humaine est presque toujours insatisfaisante, faute de l'attitude juste. Le mental tente un compromis qui ne peut pas aboutir, se donner sans se donner. Dire oui, c'est ouvrir, c'est ne plus se protéger.

Bien entendu, l'être humain, homme ou femme, est aussi amené à dire non. L'équilibre d'une existence est celui du masculin et du féminin, du passif et de l'actif, du oui et du non, ce qui ne remet pas en cause le oui à ce qui est, Aum, Amen, sur lequel se fonde non seulement tout l'édifice de l'Enseignement de Swâmiji mais toute spiritualité. Il existe même une Notre-Dame-du-Oui et une vie chrétienne est centrée sur le oui le plus célèbre de tous : l'acquiescement de la Vierge lors de l'Annonciation : « Je suis la Servante du Seigneur, qu'il me soit fait selon ta parole. » Marie incarne la dimension féminine de l'humanité. Elle est le modèle du disciple et tout mystique chrétien choisit Marie comme inspiratrice, qu'il soit homme ou femme. Il n'est en rien déshonorant pour un homme de prendre une attitude féminine comme critère pour devenir pleinement un homme et non une caricature qui n'accepte que la moitié de la réalité. Un être humain qui veut bien expirer mais ne veut pas inspirer pourrait-il survivre ?

A quoi allons-nous dire oui, à quoi allons-nous dire non ? Oui à ce qui est. Ce « oui à ce qui est » entraîne la disparition de la coupure avec la vie totale et de la prison de l'ego que représentent les émotions. Et chaque fois que nous mettons l'Enseignement en pratique et que nous disons OUI, C'EST, parce que c'est, ici et maintenant, nous avons une attitude féminine, réceptive, ouverte. Ensuite, nous agissons, mais sur le fondement de cette adhésion à la réalité, de cette non-dualité exprimée dans l'Hindouisme ou le Bouddhisme par des statues de divinités en accouplement sexuel.

Ensuite, je peux avoir une attitude masculine,

que je sois homme ou femme, et chercher à transformer ce qui peut l'être, mais sur la base de la communion, de la participation et non du refus, de la contraction, de la révolte, en un mot de l'émotion. Je peux transformer. C'EST, et je vais essayer de le changer. Je suis malade, OUI, et je vais essayer de guérir. Tenter de guérir est une manière de dire non au fait d'être malade, mais ce non masculin succède au oui féminin. La vie humaine est faite de cet équilibre du oui et du non. Et vous sentez bien que le oui est préalable ; le non n'est juste que venant après le oui. OUI, je suis malade, fébrile, courbatu, nauséeux. NON, je ne m'installe pas dans la maladie, je vais tenter de guérir. C'est simple, trop simple pour la complexité du mental.

L'attitude féminine est préalable à l'attitude masculine, et l'attitude masculine sans l'attitude féminine est fausse : « je n'accepte pas d'être malade » nous prive de l'essentiel, de la beauté du oui. Ce oui en lui-même, fût-ce à la maladie ou à toute autre situation fâcheuse mais qui est pourtant la réalité, ici et maintenant, ce oui a une valeur que la plupart d'entre vous ne soupçonne pas encore. Dire oui, c'est une manière de dire : « Entrez. » Quand on frappe à la porte, certains répondent « entrez » et d'autres « oui », ce qui signifie : « oui, vous pouvez entrer ». C'est en effet une attitude féminine : entrez.

« Entrez ». Ouvrez toujours, c'est toujours Dieu qui frappe. Cela, c'est la découverte des mystiques, ignorée de ceux qui continuent à vivre éclairés par la lumière de leur seul mental, une lumière voilée passant au travers de verres déformants.

Jusqu'à présent, je le vérifie jour après jour, le « oui à ce qui est » vous apparaît encore trop comme une résignation, comme l'acceptation d'une défaite : je suis bien obligé de capituler, la réalité est plus forte que moi. J'ai entre les mains un papier officiel m'annonçant une somme d'impôts à payer bien plus élevée que l'inspecteur ne me l'avait laissé espérer, une contravention bien pire que ce que j'avais imaginé, eh bien je dis « oui » et, au mieux de la compréhension, je dis oui « parce que cela est et qu'il ne sert à rien de nier ». Mais vous ne savez pas encore que le fait de dire oui est en lui-même miraculeux, que ce mot oui est le tremplin qui vous projette dans cet état de conscience que vous cherchez à travers la méditation, la prière, les exercices respiratoires, les techniques de concentration. C'est la plénitude du oui qui peut donner l'orgasme à la femme ou à l'homme, et c'est la plénitude du oui qui peut faire de la vie un orgasme permanent selon l'expression des *Upanishads*.

Seulement, quel oui allons-nous dire ? C'est ce oui qui doit prendre un sens nouveau, qui doit être aussi total que celui de la femme la plus libre et la plus amoureuse se donnant à l'homme qu'elle aime. Ouvrez toujours, c'est toujours Dieu qui frappe. Tout concourt au bien de ceux qui aiment Dieu. Le mental voit tantôt le bien tantôt le mal mais la vision de la Vérité ne voit plus que le bien. Du moment que *c'est,* je dis *oui.* Tout repose sur la plénitude de votre oui.

Ce oui ne doit plus être considéré comme une résignation, comme une défaite. Dites oui de tout votre cœur à ce qui n'est qu'apparemment la défaite de l'ego et qui est, en vérité, toujours une victoire pour la sagesse en nous, pour la liberté en nous.

Ce oui qui vous est demandé doit devenir un acte religieux. Bien que du point de vue de l'intelligence ordinaire il soit très compréhensible que l'adhésion à la réalité fasse disparaître les émotions et que ce soit déjà une grande liberté de n'avoir plus d'émotions, ce oui ne relève pas de la psychologie mais d'une transpsychologie, d'une métapsychologie. Cela dépend de la manière dont vous le comprenez, dont vous le vivez, dont votre être entier dit oui à ce qui est. Le oui est toujours un cri de victoire ou le signe d'une victoire, même si c'est dire oui à la certitude d'un cancer ou à la mort d'un être que nous aimons.

Là se trouve le secret, et nulle part ailleurs, de ce que nous appelons vie spirituelle mais il est plus difficile à entendre pour l'homme moderne que pour l'homme d'autrefois. Jadis ce oui, que ce soit celui de l'Islam, celui de l'Hindouisme, celui du Christianisme, s'exprimait naturellement parce que les valeurs féminines de l'humanité étaient moins bafouées qu'aujourd'hui et l'hypertrophie des attitudes masculines et du non n'était pas devenue ce qu'elle est.

Depuis la préhistoire, l'homme n'a pas cessé de dire non : non je n'aurai pas froid cet hiver, je vais me revêtir de peaux de bêtes, coucher dans des grottes plutôt qu'en plein air, maintenir le feu que la foudre a allumé au lieu de le laisser s'éteindre. L'homme n'a pas arrêté de dire non, non aux injustices, non aux oppressions. Telle est l'attitude masculine de l'humanité ; mais de quelle manière, dans quel esprit, avec quelle compréhension d'ensemble ?

***

Le non joue son rôle dans la vie humaine mais équilibré avec le oui, le masculin équilibré avec le féminin, l'ouverture avec la projection, l'accueil avec l'action et se laisser transformer avec transformer le milieu extérieur. Il n'est pas question de supprimer le mot non de votre vocabulaire mais de votre sentiment et par là d'échapper de plus en plus, et un jour définitivement, aux émotions.

Il est normal que le corps dise non : je pose ma main par mégarde sur une plaque de fer brûlante, le corps dit non et je retire ma main. Il est normal que la tête dise non : j'ai commandé des poutrelles métalliques de cinquante millimètres, on me livre des poutrelles d'un diamètre inférieur et je dis non, je refuse. La tête dit oui, la tête dit non ; le corps dit oui, le corps dit non. Mais le cœur, lui, est destiné à dire toujours oui. Or, chaque fois qu'il y a une émotion négative, c'est-à-dire une émotion de négation, le cœur dit non. D'autre part, certaines émotions qui paraissent fondées sur le oui ne sont pas fondées sur un oui calme et paisible mais sur un oui excessif. Vous êtes emportés par l'émotion heureuse et celle-ci est aussi pernicieuse dans vos vies que l'émotion douloureuse.

L'attitude juste est un oui non émotionnel, auquel le mental n'enlève rien, ne rajoute rien ; un OUI qui est synonyme du mot EST. En langage religieux on dit plutôt OUI, en langage métaphysique non dualiste on dira plutôt EST, le *asti* sanscrit des *Upanishads*. Le cœur purifié dit toujours oui : c'est. Le corps dit non, la tête dit non mais la disparition du non au niveau du cœur, c'est la disparition de l'émotion, l'éveil de ce que nous nommons sentiment — encore faut-il s'entendre sur le sens que nous donnons à ce mot — et c'est l'essence de toute vie spirituelle, que vous l'appeliez soumission à la Divine Providence, adhésion à la Réalité ou « destruction du mental » *(manonasha).*

Voyez combien ce thème essentiel de la non-dualité dans la vie quotidienne est directement lié à celui du masculin et du féminin. La masculinité de la femme et la féminité de l'homme ne sont que le reflet du principe masculin et du principe féminin à tous les niveaux de la Manifestation. Et là réside votre difficulté par rapport à ceux qui vous ont précédés dans les siècles passés : ne plus être sur la défensive et accepter d'être passif. C'est une attitude qui disparaît peu à peu de notre être et, si vous prenez la peine de vérifier ce que je me permets d'affirmer, vous verrez que c'est encore plus vrai que vous ne l'imaginez en m'entendant. Pour moi, cette redécouverte s'est échelonnée sur vingt-cinq ans et je dois reconnaître combien la familiarité avec l'Inde ou d'autres civilisations d'Asie m'a aidé.

Je peux aussi rendre hommage à l'enseignement Gurdjieff, le premier que j'ai laissé agir dans mon existence et que je ne renierai jamais. Sans que je comprenne dès les débuts tout ce qui y était inclus, un type d'effort m'a été proposé qui n'était pas l'effort habituel, un effort de non-effort, sous la forme des exercices de relâchement musculaire de plus en plus profond, de respiration consciente, d'ouverture à des vibrations dont nous ne sommes normalement pas avertis et dont nous pouvons devenir conscients par l'exercice. Pendant quinze ans, j'ai pratiqué des exercices de silence, de relâchement, de réceptivité, avec des résultats malheureusement partiels parce que les *vasanas* et *samskaras* étaient trop puissants dans l'inconscient pour que j'en vienne à bout uniquement par ces méthodes. Il a fallu une longue et lente transformation avec bien des retours en arrière et des péripéties pour que j'intègre de mieux en mieux les valeurs féminines ou l'aspect féminin de mon être, ne sois plus marqué par des images du héros actif et comprenne combien et en quoi le sage est plus grand que le héros.

Les modèles qui s'impriment dans notre subconscient à partir de notre enfance et de notre adolescence sont des modèles du « non ». Une formation religieuse nous propose au contraire l'exemple suprême d'ouverture donné par Marie dans son acquiescement à l'Ange. Mais combien d'entre vous peuvent-ils dire qu'ils sont de vrais Chrétiens ? Comme l'enseignait

Gurdjieff, le Chrétien n'est pas celui qui se dit ou se croit Chrétien, c'est celui qui a l'être d'un Chrétien. Avoir l'être d'un Chrétien, c'est avoir l'être de Marie, modèle du disciple, et dire oui à ce qui nous transforme.

Oh ! il nous semble facile de dire oui au fait de mettre au monde Jésus-Christ mais, si nous regardons bien ce qui est signifié dans l'enseignement traditionnel de l'Église, la jeune fille Marie, qui était vierge, qui n'avait pas connu son fiancé, doit d'abord accepter de se trouver enceinte. C'est un point de vue auquel on ne réfléchit généralement pas. Et, si vous vous souvenez tant soit peu des Évangiles, Joseph a commencé par être scandalisé. Que vous croyiez ou non à la virginité de Marie est secondaire ; je parle là de l'enseignement lui-même, du mythe, au plus noble sens du terme, l'enseignement qui peut vous conduire vers la Libération. Tout ce contre quoi vous vous protégez sans cesse, à quoi vous vous fermez, qui vous paraît malheur, déception, échec, souffrance, c'est ce qui pourrait vous transformer dans le sens que vous souhaitez. Je vous propose une conversion intérieure, une révolution, le retournement de tout ce dont l'ego et le mental sont certains. « Ce qui est sagesse aux yeux des hommes est folie aux yeux de Dieu et ce qui est folie aux yeux des hommes est sagesse aux yeux de Dieu. » Oui à ce qui vient, pour nous transformer dans le vrai sens du mot : conduire au-delà de la forme.

Qu'est-ce qui frappe à la porte ? la maladie ? OUI. D'abord l'attitude de réception, parfaite, totale. Ensuite, l'aspect masculin de la réalité intervient et vous entrez en lutte contre cette maladie. Le même Swâmiji qui disait « *accept, accept* » en anglais disait aussi : « *it cannot be tolerated* », « cela ne peut pas être toléré ». Acceptez de manière parfaite, mystique, métaphysique ce à quoi dans un instant, d'une autre manière, vous allez dire non. C'est ce point qui n'est pas encore complètement clair pour les uns et les autres.

Restons-en à l'exemple de la maladie. Certains ont été jusqu'au bout de l'attitude religieuse absolue qui consiste à confier même la guérison à Dieu : « Si c'est la volonté de Dieu que je sois de plus en plus malade et que je meure, amen ; si c'est la volonté de Dieu que je guérisse, c'est Lui qui me guérira. » Mais Mâ Anandamayî elle-même disait : « C'est la volonté de Dieu que vous soyez malade, mais c'est aussi la volonté de Dieu qu'il y ait un médecin à côté de l'ashram. » En admettant que vous soyez décidés à vous soigner, donc à dire non à la maladie, pouvez-vous d'abord dire un oui total, sans réserve, sans restriction, au fait même de la maladie, aux symptômes qui vous sont perceptibles, à la radiographie sur laquelle de grandes taches blanches voilent un poumon ?

Ce oui doit être parfait. C'est toujours un oui de victoire, jamais un oui de défaite. Vous pouvez l'exprimer en langage religieux : « Je vois la volonté de Dieu partout, Dieu vient à moi à travers la souffrance ; Dieu fait tout pour mon bien ; je ne sais même pas ce qui est bon ou mal pour moi ; est-ce que de cet accident, de cette maladie, de cet échec professionnel ne va pas sortir un bien ? » Sur le Chemin, tout concourt au bien de ceux qui aiment Dieu. Vous avez à redécouvrir que cette soumission n'est pas votre faiblesse, mais votre force et que les prétendus hommes dans le monde actuel sont de plus en plus faibles. Un rien les abat : une grimace, une parole blessante, un contretemps, un échec professionnel... Un rien les abat et tout cela au nom de la force.

A ce thème, qui est l'essence de la Voie, tout est lié. Nous le retrouvons dans le Christianisme comme dans l'enseignement que nous a révélé le comte Karlfried von Dürckheim, celui du *hara* : renoncer à rentrer le ventre et à bomber le torse et accepter la descente de notre centre de gravité dans l'abdomen, s'ouvrir, si je puis m'exprimer ainsi, à son propre ventre, et ce n'est pas si facile. En privilégiant un aspect de la réalité, les hommes modernes se sont de plus en plus écartés de la vérité du *hara*. Dans divers ouvrages de Karlfried von Dürckheim figurent des photographies de statues médiévales, avec ce que les historiens de l'art dénomment le « ventre gothique », qui témoignent que cette attitude juste a été connue et vécue au Moyen Age. Et pourtant ce *hara* vous est d'abord suspect, même si vous adhérez intellectuellement à la nécessité du lâcher-prise de la tête et à l'importance du bas-ventre, parce que nous avons tous, viscéralement, fondamentalement, inconsciemment, la peur de ce qui ne se voit pas.

Retrouver son ventre et renoncer à la dictature de la tête, c'est le commencement du salut.

Quant au cœur, il est tellement encombré d'émotions qu'on ne peut guère compter sur lui. Il vous impose longtemps sa loi sous la forme de l'attraction et de la répulsion, de ce qui vous rend fou de joie ou fou de douleur. Dans les deux cas, le cœur vous rend fous, l'opposé de la Sagesse.

L'exercice du *hara* est un magnifique équilibre de l'attitude féminine et de l'attitude masculine. L'attitude féminine parce qu'il y a un relâchement : je laisse tomber mon sens de gravité jusque dans le ventre et je ne cherche plus à bomber le torse pour affirmer mon ego. C'est dans le ventre que la femme porte ses organes génitaux et c'est également dans son ventre que s'accomplit le grand-œuvre de la gestation. Et, en même temps, la pratique du *hara* est aussi un exercice masculin parce qu'elle demande une active concentration de l'attention et une certaine poussée sur les muscles du ventre. C'est pourquoi cet exercice est si important non seulement dans le Bouddhisme japonais mais également dans le Bouddhisme tibétain, en tout cas chez les *kargyu-pa*. Unir en nous le masculin et le féminin, unir en nous l'actif et le passif, c'est unir en nous les deux pôles de la Manifestation, c'est devenir vraiment un Homme. Dès que nous refusons que ce qui est soit, nous rentrons le ventre, nous sommes incomplets donc faibles.

La limitation de la conscience individuelle, *ahamkara* en sanscrit, que nous traduisons par ego, est fondée sur le non. L'enfant grandit et s'affirme en disant non et cela est la condition humaine ordinaire. Mais si vous voulez échapper à la condition humaine ordinaire et atteindre ce que l'on a appelé éveil, sagesse, illumination, Royaume des Cieux, il faut devenir féminin. Il faut vous ouvrir, il faut accepter de recevoir, de vous laisser transformer, de lâcher l'ego, de lâcher la logique. Et pour cela, il faudrait lâcher la peur. L'être humain vit dans la peur d'où découlent toutes les compensations imaginables, à tous les niveaux, pour anesthésier cette peur. Plus la peur diminue, plus nous sommes capables de nous ouvrir ; mais également, plus nous nous ouvrons et voyons que, loin d'être détruits, nous découvrons la sécurité intérieure, plus la peur diminue.

Quel va être votre point de départ ? Votre point de départ peut être, pour commencer, intellectuel. Il y a dans l'Enseignement védantique une rigueur et une logique qui obtiennent votre adhésion. Puis la conviction vous conduira dans la profondeur, vous incitera à accorder la primauté au cœur. Le mental est superficiel, le cœur est profond.

Ou bien c'est le cœur d'abord qui est touché si vous avez un tempérament religieux. Le mythe chrétien, celui du oui de Marie et celui du Christ lui-même, la condamnation, la crucifixion, la résurrection, fait vivre en vous des dynamismes puissants sur lesquels vous pouvez vous appuyer et que vous pouvez laisser œuvrer en vous.

Certains même ont commencé par un point d'appui physique ; c'est le langage du corps qui les a touchés, le relâchement du ventre en expirant. Mais en fait vous ne pouvez être humains que si le corps, le cœur et la tête sont convaincus et participent ensemble à cette œuvre de transformation. Vous ne pouvez être humains que si vous acceptez le féminin autant que le masculin, recevoir autant qu'agir, vous laisser pénétrer autant que pénétrer, que si vous acceptez de retrouver cette dimension féminine que non seulement les hommes ont perdue et déplorablement perdue, mais que les femmes sont en train de perdre en se laissant influencer par un monde qui est, je ne le nie pas, sinistrement masculin.

D'abord : OUI ; ensuite l'action. Et ce qui va vous transformer, ce qui vous conduira au-delà de l'identification aux *koshas,* aux revêtements du Soi, vous conduira au but, à la paix, à la non-dualité, c'est ce OUI. Pas un oui de défaite, un oui riche de toute votre conviction spirituelle, de toute votre conviction métaphysique, de toute votre conviction mystique, un OUI immense, divin, même pour dire oui à ce qui est le plus médiocre, le plus décourageant, le plus décevant. Toujours OUI, parce que c'est toujours oui à Dieu lui-même.

7

LE NON-AGIR

Le mot *sadhana* implique « faire des efforts ». Mais de quels efforts s'agit-il ? Voilà évidemment la question la plus importante. Comment l'ego peut-il faire des efforts qui conduiront au dépassement de l'ego ? Comment le mental peut-il faire des efforts qui conduiront à la destruction du mental ? N'est-ce pas s'enfermer à l'intérieur d'un mode de conscience et, en fin de compte, s'emprisonner de plus en plus, ce que Ramana Maharshi comparait au voleur qui s'enfuit en criant : « au voleur, arrêtez-le ! », détourne ainsi les soupçons et se transforme en gendarme pour s'attraper lui-même !

C'est une question que vous êtes amenés tôt ou tard à vous poser, surtout si vous avez déjà fait pas mal d'efforts sincères : « Comment des efforts que j'accomplis à partir d'un certain niveau de conscience vont-ils me conduire au-delà de ce niveau, à la libération, au détachement, à l'éveil ? » D'intenses efforts scolaires peuvent vous mener à des succès universitaires et d'intenses efforts physiques peuvent faire de vous un grand gymnaste. Mais le type d'efforts auquel vous êtes habitués pourra-t-il vous conduire à un état différent dans lequel vos motivations habituelles — vos peurs, vos désirs — ont lâché prise puisque, si nous faisons un effort, c'est justement avec le désir d'atteindre un certain but et d'obtenir un certain résultat ? Voici certainement une question délicate.

Je vous ai dit que le monde moderne méconnaît de plus en plus tragiquement les valeurs féminines. Vous considérez que c'est l'effort ordinaire — « je veux et j'y arriverai » — qui fait l'envergure d'un homme sortant de la médiocrité, alors que l'acte le plus important qu'un être humain puisse accomplir, porter en soi un enfant, ne correspond à aucun effort habituel. De ce fait naturel, toutes sortes de vérités peuvent se déduire et se vérifier.

La vie ne se manifeste que par des alternances de jours et de nuits, d'inspirations et d'expirations, d'action et de repos, d'activité et de passivité. Il y a autant de valeur dans la passivité que dans l'activité, non une passivité faite de torpeur, de paresse, de rêvasseries, mais une passivité consciente, vigilante. Cette attitude vous est de plus en plus étrangère et ceci est lié directement au déclin de l'esprit religieux. Vous savez que les églises ne sont guère fréquentées, que les vocations de prêtres sont de moins en moins nombreuses, mais vous ne mesurez pas pleinement la différence qui existe entre une société comme celle dans laquelle vous avez grandi et une société ancienne imprégnée de religion.

J'ai vécu un certain nombre d'années au cœur de communautés demeurées religieuses. Je ne parle pas seulement d'ashrams, de monastères ou de confréries soufies, mais de la société musulmane très pure de l'Afghanistan jusqu'au régime actuel, des populations tibétaines de l'Himalaya et des hindous en dehors des grandes villes et même parfois à Bombay ou à Delhi. Tous ont gardé le sens du sacré et la conviction que l'homme n'est qu'un aspect de la réalité, l'autre étant Dieu, la *Shakti* divine, la Providence divine. Sauf de rares exceptions, l'homme moderne, même se disant chrétien, ne vit plus son existence pour Dieu, par Dieu, en Dieu, sous le regard de Dieu. Ces mots ne correspondent plus à *une certitude* ni à *une expérience* qui nous imprègne. Mais, sur le Chemin de la sagesse, même si l'on suit une Voie qui s'exprime en langage métaphysique non dualiste, où la relation de personne à personne entre une créature et un Créateur ne joue aucun rôle, la mentalité religieuse, elle, doit jouer inévitablement un rôle déterminant. Et cette mentalité, qui nous relie — c'est au moins un des sens du mot — implique la conviction des limites de notre effort habituel et de nos possibilités et celle que nous pouvons nous ouvrir à une force, une influence, qui dépassent ce que l'ego peut comprendre : le plus petit ne peut pas contenir le plus vaste, le limité ne peut pas contenir l'illimité et le fini ne peut pas contenir l'infini. Si nous ne tenons compte que de nous-mêmes, de nos forces, nos faiblesses et nos efforts selon les modalités habituelles, nous n'aboutirons jamais.

Tout être engagé sur un chemin spirituel est amené à développer en lui de façon harmonieuse l'aspect féminin de sa nature, qu'il s'agisse d'un homme ou d'une femme. Par rapport à la grande Réalité, à la Vérité, à la Vie Divine, l'homme a une attitude féminine. Le véritable mystique, en termes religieux, est celui qui aurait l'audace de dire « je suis amoureuse de Dieu », même s'il est du sexe masculin. Surprenant pour un certain nombre d'entre vous, ceci n'est pas révolutionnaire par rapport aux traditions religieuses connues. Chez les mystiques chrétiens, on retrouve un langage très proche de celui-ci et dans la dévotion hindoue aussi.

Or aujourd'hui, dans ce monde dominé non par les hommes mais par les valeurs masculines, cette attitude féminine qui laisse agir une Force plus grande que nous est pratiquement oubliée. Que dit la nature ? Quand la femme conçoit et crée un enfant, elle est passive, le plus passive possible — il ne faut pas qu'elle mène une vie agitée et une énergie, une vitalité (j'emploie à dessein des termes vagues pour que chacun trouve celui qui lui convient) est à l'œuvre en elle. Elle est le lieu où ce travail s'accomplit. Ce qui lui est demandé, c'est de ne pas l'empêcher, d'y collaborer. Quand je dis « ne pas l'empêcher », je ne parle pas seulement d'interruption volontaire de grossesse mais de toutes sortes de manières de vivre qui ne sont pas compatibles avec la grossesse. A part la production d'un enfant, nous ne comprenons plus, nous, hommes et femmes modernes, comment l'on peut obtenir de grands résultats tout en étant passifs et l'idée de « non-action » ou de « non-agir », dont chacun sait qu'elle est au centre du Taoïsme, n'est guère plus qu'un mot pour nous. Que peut signifier ce genre de parole : « Par le non-agir, il n'est rien qui ne puisse être accompli » ? En tout cas, par le non-agir de la femme, il est bien certain qu'il peut être accompli une chose aussi admirable que la création d'un nouvel être humain.

C'est vrai aussi sur le Chemin et il peut y avoir bien des méprises et des malentendus à cet égard. Ici, nous n'employons pas un langage typiquement religieux. Je n'ai jamais critiqué le Christianisme, je n'ai jamais songé à détourner qui que ce soit de la réflexion sur les Évangiles et l'enseignement du Christ — j'ai même souvent fait état de mes nombreux séjours dans une abbaye cistercienne en Vendée — mais j'ai conservé le cadre intellectuel que j'avais trouvé auprès de Swâmiji, le Védanta hindou. Néanmoins, Swâmi Prajnanpad était un moine régulièrement ordonné par son propre gourou. Il se rattachait aux écritures sacrées de l'Inde, telles que les *Upanishads* et le *Yoga Vashishta* et citait le *Mahâbhârata* ou les *Puranas*. Je l'ai toujours considéré comme un représentant de la spiritualité et non de la science ou de la psychologie moderne, même s'il était un expert dans ces deux domaines.

Donc, si vous acceptez le terme le plus général et le moins provocant, « spiritualité », vous ne devez pas oublier que ce qui vous est proposé ici est un visage de la spiritualité qui ne peut pas enfreindre les lois fondamentales de toute spiritualité et en partage, au contraire, le fond commun, même si les chemins sont très divers. L'essence commune est dans cette attitude, si difficile à comprendre pour nous, qui fait sa place à la passivité, à l'ouverture, à la soumission, à la non-action. Et cette non-action opère des miracles ; cette non-action est capable de résultats que l'action ordinaire ne pourra jamais accomplir.

***

Swâmiji m'a dit un jour : « Intérieurement, soyez activement passif ; extérieurement, soyez passivement actif. » Qu'est-ce que cela peut signifier ?

« Intérieurement, soyez activement passif », un certain effort nous est demandé pour être passif. N'y a-t-il pas là quelque chose de contradictoire ? Essayez de comprendre.

Du fait des conditions qui sont plus ou moins les nôtres à tous, Occidentaux modernes, nous avons pris l'habitude de refouler une bonne part du contenu de notre conscience, une part de nos souvenirs, une part de nos désirs et de nos peurs et tout cela bouillonne au fond de l'inconscient. En conséquence, il nous est difficile quand nous voulons être silencieux de l'être, quand nous voulons nous relâcher de nous relâcher, quand nous voulons méditer de méditer, parce qu'il y a beaucoup de tensions diverses, contradictoires, qui luttent dans l'inconscient ou le subconscient et dont les remous viennent jusqu'à la surface. Essayez de méditer, des successions de pensées vont venir vous distraire, vous emporter dans une direction ou une autre, des craintes, des appréhensions ou des espérances, y compris toutes les pensées qui ont pour but de compenser ou de masquer ce que nous cherchons à nier ou ce que nous n'avons pas accepté.

A ces pensées s'ajoute une agitation physiologique. On sait bien que les émotions finissent à la longue par ruiner l'organisme et tous ceux qui ont essayé de méditer ont découvert — et parfois avec une intensité qui est presque comique — une irrésistible envie de bouger. Le simple fait de se demander de rester immobile fait lever en nous toutes sortes de démangeaisons inattendues, de courbatures, de douleurs que nous ne ressentons pas habituellement et une grande difficulté à demeurer sans remuer.

Donc, pour pouvoir être passif, non actif, silencieux, une certaine activité nous est nécessaire, sinon cela ne se fera pas tout seul. Si vous êtes un débutant dans la relaxation, par exemple, et que vous vous contentez de vous allonger sur votre lit, vos muscles ne vont pas se relâcher vraiment. Si, activement, vous demandez à vos muscles de se relâcher, si vous faites passer votre attention dans chaque partie de votre corps pour convaincre les muscles de se détendre de plus en plus profondément, vous obtiendrez peu à peu des résultats. Et cette nécessité d'une intervention consciente s'applique à tous les autres aspects de l'agitation qui se manifeste lorsque vous tentez de rester intérieurement silencieux. Comprenez bien cela. Vous pouvez par les méthodes ordinaires contracter un muscle, ce n'est pas difficile. Je peux serrer mon poing ou serrer les dents. Mais ce n'est pas de cette même manière que je peux me relâcher. L'effort est plus subtil. Et pourtant, vous ne pourrez vous relâcher musculairement d'une manière profonde que si vous êtes actifs. Si vous n'êtes pas actifs dans le sens du relâchement, vous allez rêvasser et ces rêvasseries s'accompagneront de contractions diverses. Il faut que vous soyez vigilants, donc d'une certaine manière actifs, mais dans le sens du relâchement, c'est-à-dire de la passivité.

Dès que vous revenez à l'attitude ordinaire, les muscles se contractent soit pour fuir, soit pour s'emparer de ce que vous désirez, soit pour détruire. Ce sont les trois actions fondamentales de l'homme en tant qu'animal : s'emparer de ce qu'il convoite, que ce soit de la nourriture ou une femelle, fuir s'il y a un danger qui lui fait peur ou attaquer pour détruire l'adversaire. Ces trois dynamismes impliquent une contraction. Et, tant que règnent l'ego et le mental, ce sont ces trois modes d'action fondamentaux qui règnent sur nos existences. Pratiquement, nous ne connaissons que ces trois pulsions. Elles sont à la source de tous nos comportements, des niveaux apparemment élevés, raffinés, intellectuels, esthétiques, aux niveaux les plus grossiers, du moins tant que la dimension religieuse n'imprègne pas vraiment nos existences.

Ces trois dynamismes étant en vous à l'état latent, un effort d'une qualité nouvelle, très nouvelle, vous est demandé : une vigilance pour détendre. Si vous êtes complètement relâchés musculairement, vous n'êtes plus prêts à prendre, à vous emparer, à fuir, ou à détruire. Le relâchement musculaire va de pair avec la passivité, la soumission et même, d'un certain point de vue, le renoncement, l'abandon, bien que certains animaux soient capables, dans le danger, d'une contraction musculaire immédiate et totale. Mais l'animal a un inconscient beaucoup moins chargé que le vôtre.

L'homme aujourd'hui, abandonné à lui-même puisque, sauf exception, la religion ne joue plus qu'un rôle très superficiel dans sa propre vie, ne compte que sur ses propres forces pour vivre, pour satisfaire ses désirs et se protéger contre ses peurs. Vous êtes toujours sur le qui-vive. Vous ne connaissez pas la source inconsciente de ces tensions mais elles sont là. Si vous êtes totalement décontracté physiquement, vous acceptez, pour l'instant, de ne chercher ni à fuir, ni à détruire, ni à prendre.

Comprenez bien ce point. Il y a dans le relâchement musculaire un renoncement fondamental à la prérogative d'homme tendu, sur le pied de guerre, prêt à prendre, prêt à attaquer, prêt à réagir. Croyez-vous qu'une femme qui serrerait les dents et se contracterait pour mieux accomplir sa tâche de procréatrice aurait une grossesse supérieure ? Sûrement pas ! Moins une femme est sous tension musculairement, *moins elle est dans un état de protection,* plus les lois naturelles jouent harmonieusement et plus cette grossesse s'accomplit harmonieusement elle aussi.

Le relâchement musculaire est le premier auquel nous ayons accès et le plus immédiatement compréhensible mais il se poursuit dans celui des tensions émotionnelles et mentales qui fut longtemps l'expression de la conviction religieuse, qu'elle soit chrétienne, musulmane, hindoue : « Je me confie entièrement à Dieu, je remets mon sort entre ses mains, j'ai confiance dans la Providence Divine, si certaines épreuves m'arrivent j'y vois la main de Dieu pour me purifier et me rapprocher de la réalisation intérieure... » Une foi religieuse profonde est un puissant facteur de détente émotionnelle : moins de désirs, moins de peurs, l'existence étant vue à la lumière d'une donnée que la plupart des êtres humains écartent catégoriquement aujourd'hui et qu'on a appelée la Grâce divine, la Providence divine, Dieu à l'œuvre dans ce monde.

Mentalement, nous sommes rarement détendus aussi. Tout le temps sur la brèche, pensant : il faut faire ceci, on ne devrait pas faire cela, je n'aurais jamais dû faire ceci, pourquoi a-t-il fait cela ?... Si vous essayez de ne plus penser en fonction de votre état de conscience actuel, celui de la séparation, de la limitation, de la vulnérabilité, vous constatez combien il est difficile de demeurer ouverts, silencieux. Et pourtant, ces mots « ouvert », « silencieux », c'est le langage religieux ou spirituel universel : j'ai même retrouvé le mot soumission, en anglais *surrender* : abandonner nos prérogatives pour satisfaire nos besoins ou nous protéger des dangers et faire confiance à une Vie, à une Force supérieure à la limitation de notre conscience égocentrique. Que vous la nommiez la Grande Force de Vie Universelle, *Atma-Shakti* comme le faisait Swâmiji, ou Dieu, c'est une question de vocabulaire.

Mais le fond commun à toute attitude spirituelle, lui, doit être pleinement reconnu. Et ce n'est pas facile pour vous, Européens modernes. Lâcher prise intérieurement, s'ouvrir, vous est beaucoup plus difficile que d'agir par vous-mêmes.

Soulever des haltères jusqu'à ce que vous ayez une belle musculature, vous êtes capables de le faire. Travailler même la nuit en khagne ou en taupe, pour rentrer à Normale supérieure ou à Polytechnique, des étudiants le font. Pédaler dans la chaleur comme les « géants de la route » du Tour de France, des hommes l'accomplissent. Mais découvrir la vertu du non-effort, de cette attitude féminine qui rend possible, qui collabore, mais qui accepte de laisser-faire, vous est de moins en moins acceptable ou admissible.

Pour que nous puissions retrouver cette passivité, il nous faut, d'une certaine manière qui doit être bien comprise, nous montrer actifs. « Intérieurement, soyez activement passifs. » Sinon vous resterez ordinairement actifs, c'est-à-dire tendus, agités, contractés. La « Libération », c'est d'abord le complet relâchement de toutes les tensions : physiques, émotionnelles et mentales. Cela ne se fait pas tout seul.

Revenez à l'exemple plus accessible du relâchement musculaire. Vous ne pouvez pas vous relâcher comme vous pouvez vous contracter, et cela ne se relâchera pas tout seul. Je suis vigilant, donc d'une certaine façon actif : relâchons le front, encore plus, les sourcils, la mâchoire, l'épaule droite, l'épaule gauche, le poignet droit, le poignet gauche... Je relâche, je relâche. Et ce mouvement de relâchement va à l'inverse de l'attitude habituelle, parce qu'être relâché c'est être vulnérable, c'est renoncer à être sur la défensive, prêt à agir. Dans le principe même du relâchement, nous tournons le dos à la contraction musculaire qui nous donne l'impression sécurisante que nous sommes actifs.

Vous avez peur de cette attitude passive. Le langage mystique, qu'il soit celui des soufis ou des chrétiens, n'a plus cours, il fait sourire, il choque, et tout le monde rêve d'être le moins passif possible. Hommes ou femmes, tout le monde veut être actif. Les gens se trouvent trop passifs, donnant à ce mot le sens de désabusé, fatigué, manquant d'énergie. Ce n'est pas du tout la même chose et ce point-là doit être bien clair. Que le mot passif soit associé dans votre esprit au mot actif, comme le mot inspiration est associé au mot expiration, ou le mot jour associé au mot nuit, en leur attribuant une valeur égale. Et trouvez des termes plus justes pour les états de lassitude, de découragement, de dépression, de fatigue et de manque de cœur à l'ouvrage qui font que l'on cherche quel remontant on pourrait prendre ou simplement que l'on aspire à un peu de vacances ou de repos.

En ce qui concerne la spiritualité, c'est la passivité, en vérité, qui l'emporte sur l'activité et c'est la compréhension de la valeur de la passivité qui vous sauvera, parce que l'activité ordinaire a une limite. Elle émane de l'état de conscience appelé aveuglement, ignorance, sommeil, et ce n'est pas cette activité qui pourra vous conduire au-delà de l'ego ou du « mental », ce mental qui doit être « détruit ». Elle peut seulement vous être utile pour éliminer peu à peu la fausse activité et vous permettre de découvrir la vraie passivité. Intérieurement, soyez activement passifs. Soyez suffisamment vigilants pour écarter l'agitation, renverser l'attitude ordinaire, opérer une conversion et vous réunifier pour vous offrir à l'action d'une force bien plus vaste que la limitation du mental et de l'ego.

*
**

Extérieurement, soyez passivement actifs. Bien sûr qu'extérieurement nous sommes actifs, mais il y a une manière décontractée de l'être, sans tension, comparable à celle de l'acteur qui joue un rôle en scène. Extérieurement, l'acteur peut être très actif. Le rôle de Cyrano de Bergerac est réservé aux athlètes et, à la fin de la pièce, le comédien sort de scène « lessivé ». Mais l'acteur peut jouer tout le rôle de Cyrano, faire pleurer le public et peut-être verser des larmes lui-même, tout en étant intérieurement très détendu, puisqu'en tant qu'ego il n'est pas concerné. Il sait bien qu'il ne va pas mourir d'une blessure à la tête à la fin du cinquième acte. Le comédien en scène est un « acteur », un agissant, mais intérieurement il est silencieux, sans crispation, soumis au rôle et à la mise en scène.

C'est à cela que vous êtes appelés aussi : à être apparemment actifs, peut-être même très actifs mais passivement actifs. Certains Sages ont été *apparemment* beaucoup plus actifs que contemplatifs : le Bouddha, qui a sillonné le Bihar et le nord de l'Inde jusqu'à l'âge de quatre-vingts ans, ou Shankaracharya, qui a parcouru l'Inde bien qu'il soit mort très jeune. Mâ Anandamayi s'est montrée très active, même âgée. Soyez intérieurement passifs, sans tensions, ouverts pour devenir l'instrument d'une compréhension, d'une intelligence, d'une vision, d'une énergie autres que vos moyens habituels. L'énergie, l'intelligence cosmiques sont limitées en nous, rétractées, comme une section dans l'Immensité. Vous ne progresserez que si vous vous ouvrez à ces idées, si vous en ressentez la vérité.

Ramana Maharshi disait : « Il n'y a que deux méthodes. Ou bien pratiquer la recherche du Soi (la méthode non religieuse, la méthode védantique, la méthode métaphysique) ou bien *surrender* », ce mot très utilisé en Inde : lâcher prise, abandonner l'ego et faire entièrement confiance à la Providence, une confiance que l'on ne reprend plus. Si je suis malade, il ne faut pas qu'immédiatement ma confiance dans la Providence disparaisse. Je suis d'accord pour être malade mais je reconnais que c'est aussi la Providence qui m'envoie un médecin ou me permet d'en rencontrer un. Si l'on va jusqu'au bout de cette attitude, l'attitude religieuse fondamentale, on peut aussi atteindre l'état-sans-ego. Ce n'était pas la voie que Ramana Maharshi enseignait particulièrement mais c'est une voie dont il n'a jamais cessé de reconnaître publiquement la valeur.

Quant à la voie védantique directe de la découverte du Soi, c'est aussi une voie de silence. La pensée s'efface peu à peu, les tensions disparaissent, la pensée « racine » — je suis moi — est en suspens aussi et la Conscience infinie se révèle. Mais nous ne pouvons pas la contraindre à se révéler. Ne vous y trompez pas. Même si des ascèses puissantes, étonnantes même, ont été enseignées, les maîtres sont unanimes pour affirmer qu'il s'agit seulement d'une préparation et que nous aurons à *nous ouvrir* à la Réalité divine, métaphysique, illimitée, infinie que notre ego ne peut ni concevoir ni conquérir.

Les ascèses préparatoires purifient l'ego, assouplissent le mental, nous permettent de neutraliser les dynamismes puissants des grandes peurs et des grands désirs qui nous ramènent dans l'action ordinaire. Certains ascètes ont parfois employé des méthodes héroïques. Et après tout, le Christ dit bien « le Royaume des Cieux, les violents s'en emparent par la force ». Vous pouvez utiliser certaines méthodes énergiques pour vous préparer, pour aller jusqu'au bout des désirs et des peurs qui constituent votre nature profonde et de ces trois dynamismes : prendre ce qui vous attire, fuir ou détruire ce qui vous repousse. Il est des ascèses dangereuses, sans parler des expérimentations modernes plus ou moins risquées et encore moins des extravagances contemporaines qui se vendent sur le marché mondial au nom de l'Hindouisme et du Bouddhisme.

Intérieurement, soyez activement passifs ; extérieurement, soyez passivement actifs. C'est une conversion, un retournement de l'attitude habituelle. L'ego ne connaît que lui, il n'a aucune certitude qu'une force divine puisse venir à son aide et il veut tout résoudre par lui-même, par l'effort ordinaire. Et, bien sûr, l'autre face de cet effort ordinaire, c'est la passivité ordinaire, la lassitude, la fatigue, la dépression, tout pèse trop lourd, je n'ai plus goût à rien. Vous ne pouvez pas dissocier le couple activité-passivité. Si vous êtes actifs de la manière ordinaire — et 99,9 % des êtres humains en Occident sont actifs de la manière ordinaire — c'est l'ego qui est actif, qui n'a confiance qu'en lui, qui vous maintient dans la tension vers un but et qui a comme autre face le découragement quand ce n'est pas l'effondrement.

Vous ne pouvez pas demeurer tout le temps actifs au sens ordinaire du mot mais, si vous équilibrez harmonieusement l'activité et la passivité, vous ne connaîtrez plus ces mouvements cycliques d'exaltation et de dépression où, un jour, tout vous paraît possible et où, une semaine plus tard, vous touchez le fond du découragement. Si vous êtes, intérieurement, activement passifs et, extérieurement, passivement actifs, vous pourrez demeurer équanimes qu'il fasse chaud ou froid, qu'il y ait beaucoup de travail ou qu'il y en ait peu, que tout aille bien ou que tout aille mal. Vous ne serez plus soumis à des changements d'états intérieurs sur lesquels vous n'avez aucun pouvoir. Vous atteindrez la stabilité.

***

Tant que vous ne connaissez que l'état de conscience individualisé, *ahamkara* ou ego, que le mode de vision et de compréhension que nous appelons le « mental », comprendre ce que je tente de dire aujourd'hui est difficile. Je vais pourtant aller plus loin encore : le but, conscient ou non conscient, de tout être humain, c'est la suppression de la dualité. Oui. Et vous allez voir que ce n'est pas si compliqué que cela. « Dualité » signifie qu'il y a deux, c'est tout. Et la dualité essentielle pour nous, c'est la dualité : moi et ce qui n'est pas moi. En nous incarnant, nous nous établissons dans la dualité. Un petit fragment séparé apparaît dans le Tout sous la forme de la fusion d'un ovule et d'un spermatozoïde. Voici un homme qui a un état civil, qui est reconnu comme ce que l'on appelle en Droit « une personne ». Et nous n'avons qu'un but, c'est de supprimer cette dualité, parce que nous sommes menés par la loi de l'attraction et de la répulsion.

Ce qui nous attire, nous ne pouvons pas accepter d'en être séparé, nous voulons l'unir à nous d'une manière ou d'une autre, le faire nôtre. Si un homme est amoureux d'une femme, c'est qu'il ressent une dualité : « Il y a moi, il y a cette femme, cette femme m'attire, je suis amoureux d'elle, je ne peux pas être heureux si elle m'échappe, si je ne la revois plus jamais ou si elle se marie avec un autre ; par conséquent j'essaie de l'unir à moi ». Et peut-être que, « si tout va bien », cet homme et cette femme seront unis par le lien du mariage. Uni signifie faire un.

Ensuite, l'éducation nous amène à rabattre nos prétentions et nous savons bien que nous ne pouvons pas entrer dans un magasin et nous servir à volonté. Il faut payer. Toute l'existence est fondée sur des vérités aussi simples. Notre état de conscience est celui de la dualité et nous ne voulons pas de cette dualité. Ce pour quoi je ressens une attraction, je veux l'unir à moi et puisqu'il n'y a plus qu'un, j'ai supprimé la dualité.

Ce pour quoi je ressens une répulsion, je veux l'annihiler et de cette manière-là aussi j'aurai supprimé la dualité puisque l'un des deux termes de cette dualité aura disparu. Pour faire disparaître cet autre terme de la dualité, il y a deux possibilités : le détruire (cela n'existe plus) — ou le fuir. Et il arrive qu'un homme trop amoureux d'une femme qui vient de se marier avec l'un de ses amis parte à Hong Kong ou en Australie pour mettre la plus grande distance possible entre lui et cette femme. La distance diminue la souffrance. Et nous savons bien que, dans le crime passionnel, on détruit, on tue la femme que l'on a suppliée de nous épouser, à qui l'on a dit pour la dernière fois « je t'aime » une heure auparavant.

Voilà les trois mécanismes fondamentaux auxquels vous êtes soumis. Ils sont tout le temps à l'œuvre : si une science vous intéresse, vous supprimez la dualité entre vous et les phénomènes que vous étudiez. Vous ne voulez pas qu'il y ait d'un côté ces phénomènes et de l'autre côté, vous. Et vous tentez la non-dualité avec ces phénomènes sous la forme d'une étude scientifique.

Vous ne trouverez aucune activité, sauf chez celui qui est engagé sur une voie spirituelle, qui ne rentre pas dans l'une de ces trois catégories, qui n'ait pas pour but, plus ou moins évident ou masqué, de supprimer la dualité par les moyens ordinaires que nous connaissons. Qui dit dualité dit conscience de l'ego ou fonctionnement du mental, vision non objective, égocentrique, du monde. Et c'est à cela que vous voulez échapper. Mais comment allez-vous faire ?

Si une nouvelle compréhension n'intervient pas, vous allez assimiler ce que vous appellerez le Chemin, la Voie, le Yoga, la Vie Spirituelle, aux activités dont vous avez l'expérience. Il y a un certain but que vous vous représentez comme Éveil, Sagesse, Libération, purification du psychisme, destruction du mental — but dont vous vous sentez séparés et que vous voulez « atteindre », donc auquel vous souhaitez être unis. Pour un élève qui commence sa terminale, le titre de bachelier est encore une réalité séparée. Il existe une dualité. Le jour où il est devenu « bachelier de l'enseignement secondaire », il a réalisé la non-dualité. Le titre de bachelier et lui coïncident. Seulement ce type d'effort-là ne vous permettra pas d'obtenir le titre de Sage ou de Libéré comme on obtient le titre de bachelier. Cela aussi doit être absolument clair pour vous. Si vous n'êtes pas très vigilants, vous allez vous tourner vers vos buts « spirituels » avec la mentalité ordinaire et croire que les méthodes ordinaires peuvent réussir. Elles ne réussiront pas. Je suis catégorique sur ce point. Vous continuerez à être actifs de la mauvaise façon avec des moments de passivité. Des moments où vous décidez « maintenant, je mets l'enseignement en pratique, maintenant je me lève de bonne heure, je fais du yoga, je jeûne, je ne fume plus, je médite, je suis un avec tout ce qui se présente », et d'autres où ce bel élan est tôt ou tard brisé, le pendule oscille sur son axe, inévitablement le découragement reprend le dessus et cet enseignement ne vous intéresse même plus. Puis de nouveau un stimulant se présentera, par exemple la rencontre d'un sage tibétain et, sous le choc de la présence de ce sage, le mouvement s'inverse encore et de nouveau vous décidez « on va voir ce qu'on va voir, je vais m'engager sur le Chemin ».

Si vous vous intéressez à la vie spirituelle depuis plusieurs années, ce que je dis là trouve peut-être un écho en vous. Vous reconnaissez tous les désirs dont l'ensemble constitue le désir de libération et, inversement, soit la lassitude et le découragement, soit une nouvelle fascination amoureuse, une amélioration dans votre métier, un accomplissement profane dans le monde de la forme. Livrés à vos propres forces, utilisant les méthodes dont vous avez l'expérience, même doués de courage, d'intelligence, de persévérance, vous demeurez et fonctionnez toujours à l'intérieur de l'ego et du mental.

En Inde, ou d'autres civilisations plus spiritualisées, la grossesse était portée aux nues. La femme enceinte, rien que parce qu'elle est enceinte, est considérée comme une représentation de la Déesse, de la *Devi*, de la *Shakti*, est aidée à être activement passive, encore mieux et encore plus passive, encore plus ouverte, encore plus disponible, encore plus silencieuse, encore plus centrée en elle-même pour collaborer à une œuvre qui la dépasse. C'est cela l'attitude religieuse : être activement passif pour collaborer à une œuvre qui nous dépasse. Cette œuvre, vous pouvez l'appeler la grâce de Dieu ou la révélation de l'*Atman*, aucun moyen ordinaire ne vous ouvrira la porte du Royaume des Cieux ou de la réalisation du Soi.

Fondamentalement, ce n'est pas seulement l'orientation religieuse, c'est l'orientation métaphysique. Il est écrit dans les *Upanishads* : « L'*Atman* se révèle à ceux à qui il veut bien se révéler ». Ce que vous pouvez faire, c'est vous mettre et demeurer dans cette attitude d'ouverture. C'est apprendre, par vos efforts, par votre *sadhana*, à devenir en effet passifs, activement passifs, ouverts. Alors cette Force, cette Réalité, cette Vie, qui a des possibilités que votre ego et votre mental n'auront jamais, commence à se manifester à travers vous, à vous animer et même à diriger vos actions. Vous vous découvrez une intelligence que vous ne soupçonniez pas jusque-là, pour apprécier la situation, la vérité du moment, comme une vision nouvelle. L'on dit parfois que les écailles que nous avions devant les yeux sont tombées, les verres déformants qui nous brouillaient la vue ont disparu ou que l'aveugle voit, le sourd entend, le paralysé marche. Les miracles du Christ peuvent être pris au pied de la lettre mais ils peuvent aussi être pris symboliquement comme image de cette transformation.

Souvenez-vous de la parole célèbre de saint Paul : « Ce n'est plus moi qui vis c'est le Christ qui vit en moi », ou bien : « Je vis mais non pas moi, c'est le Christ qui me vit. » Cette parole a une valeur universelle. Ce n'est plus moi en tant qu'ego qui vis, c'est la *Shakti* qui vit en moi, c'est la Bouddhéité, l'état de Bouddha, qui vit en moi, c'est la Vie Divine, l'Énergie Suprême. Vous ne pouvez pas être plus forts, plus malins, plus rusés que cette nécessité d'abandonner l'effort et de devenir uniquement un instrument, démarche fondamentale de toutes les spiritualités, même celles dans lesquelles le courage, l'énergie, la détermination, donc apparemment l'activité et l'effort, jouent un rôle visible. Cette nouvelle compréhension doit imprégner dès maintenant chaque détail de votre *sadhana*. Ce n'est pas seulement une clef qui vous est donnée pour plus tard, lorsque vous serez mûrs pour le lâcher-prise. Intérieurement, soyez activement passifs. Extérieurement, soyez passivement actifs. Donc, dans les deux cas, soyez détendus.

Pouvez-vous relâcher toutes les tensions ? Vous savez comment on fait pour relâcher physiquement. On ne peut pas relâcher un muscle comme l'on contracte un muscle ; ce n'est pas le même mécanisme. Comment pouvez-vous être activement passifs, mais passifs ? La méditation, c'est le non-effort absolu. Voilà la vérité. Seulement, vous êtes tout le temps en état d'effort pour empêcher que ce qu'il y a dans la profondeur vienne à la surface, pour continuer à réprimer, à refouler, à censurer, et c'est cette résistance qu'il faut écarter. Mais on ne peut pas obliger la profondeur à s'exprimer. On peut agir sur ce qui nous empêche de nous exprimer. Et là il y a une habileté à trouver. Certains la découvrent très vite, tout de suite, mais d'autres mettent beaucoup plus longtemps et ils continuent à lutter pour tenter d'unir la surface et la profondeur.

Il n'y a pas d'effort qui tienne. Il faut découvrir, par la vigilance, le secret du non-effort et, en ce sens, toute tentative de silence est précieuse. Je lâche, j'essaie de lâcher, de ne plus agir, de laisser faire. Ce n'est pas l'*Atman* qui va se révéler pour commencer, ce sont vos peurs enfouies, vos tristesses non consolées, vos désirs non accomplis, mais c'est le Chemin qui vous conduira un jour à ce que, de la même manière, dans ce silence intérieur, l'Infini vous accueille. Il s'agit d'un effort bien particulier. Cherchez-en le secret jusqu'à ce que vous l'ayez trouvé. Cet effort de non-effort consiste à me rendre activement non actif pour que quelque chose s'accomplisse qui ne peut s'accomplir que dans l'abandon, le lâcher-prise, la confiance, la soumission, l'ouverture.

Extérieurement, qu'est-ce que le non-agir ? Vous avez d'abord à découvrir la manière qui vous sera la plus vite compréhensible pour agir détendu, sans crispation : « Ce qui m'est possible, je le fais ; ce que les circonstances demandent de moi, je le fais. » C'est toujours une soumission. Soumission à la nécessité des situations, la nécessité des conditions qui sont les vôtres.

Des circonstances se présentent, sur lesquelles vous n'avez qu'un pouvoir très limité même si nous admettons que vous avez un certain pouvoir, et répondre aux circonstances c'est d'abord se soumettre à elles pour que votre réponse soit juste et adaptée. Moyennant quoi, vous pourrez en effet être actifs, donner un coup de téléphone, écrire une lettre, peut-être parler avec fermeté et sévérité, peut-être même manifester une colère, mais en étant intérieurement aussi neutres, aussi détendus que le comédien en scène, agissant en apparence comme celui qui est impliqué mais intérieurement complètement détachés.

Mais il y a plus. Il y a ce que les êtres vraiment religieux connaissent et qui est vrai, donc vrai aussi sur un chemin de forme apparemment non religieuse comme le *Védanta*. Les êtres profondément religieux savent que s'ils sont non actifs, mais d'une manière vigilante, ce qu'ils n'auraient pas été capables d'accomplir peut s'accomplir. Dans le langage religieux ordinaire, cela s'appelle : remettre son problème entre les mains de Dieu. Prier. Oh ! Des mots que nous connaissons et qui sont, même pour plusieurs d'entre vous, je le sais, suspects parce qu'associés à de mauvais souvenirs. Parce qu'il y a beaucoup d'aspects décevants dans le catholicisme et le protestantisme d'aujourd'hui, ne rejetez pas la vérité de la spiritualité en même temps que vous rejetez un christianisme qui vous a déçus ou une mentalité religieuse qui ne vous paraît illustrée que par des bigotes et des prêtres perdus dans leurs problèmes. La vérité, elle, sera toujours la vérité. Pour celui qui a l'attitude religieuse et qui, unifié, offre son problème à Dieu, que de « miracles », que d'accomplissements se produisent dans cette non-action vigilante, dans cette non-action silencieusement active.

On pense, on discute, on tente d'agir, on tente de « faire » et on échoue, et on n'arrive à rien. Si vous pouviez être totalement silencieux — « je ne tente plus rien, c'est au-dessus de mes forces, à Dieu d'agir » —, vous auriez la surprise de voir s'opérer le résultat que vous souhaitiez.

Je vais vous donner deux exemples qui me viennent à l'esprit. La création du Bost a représenté pour mon fils, qui avait alors dix ans, ce que nous appelons un traumatisme tragique. Il avait toujours vécu avec moi, les conditions avaient fait que j'avais pu l'emmener dans tous mes voyages et brusquement son père a disparu de son existence en même temps qu'il avait une hépatite à virus qui le rendait encore plus vulnérable. Il est venu au Bost quelques jours et cela s'est très mal passé. Sa mère était à Paris. Il n'y avait que Josette pour me seconder mais elle était alors en clinique. Une dame âgée, qui par enthousiasme et bonne volonté avait quelque peu tendance à régenter, avait dit à cet enfant : « Tu te crois chez toi, ici ? Tu es dans un ashram ! Ta maison, c'est à Paris. » Ces paroles ont été insupportables pour ce petit garçon.

Quand j'ai été disponible pour lui, il s'était enfermé dans une chambre et m'avait glissé un papier sous la porte : « Je n'ouvrirai plus jamais jusqu'à ce que je sois mort, je suis trop triste et trop malheureux. » Il devait être 20 h ou 20 h 30. A travers la porte, j'ai tenté : « Écoute-moi, Emmanuel ! » Pas de réponse. « Allez, ouvre ! » Pas de réponse. « Mais écoute, on peut bien parler. » Puis, au bout d'un moment, j'entends : « Regarde le papier qui est glissé sous la porte. » Je lui ai répondu : « Mais je l'ai vu ce papier. » De nouveau, le silence. Cela pouvait sembler terrible. D'abord si je n'avais pas été un avec la situation, aussi cruelle qu'elle paraisse, s'il y avait eu émotion, tout aurait été aggravé. Mais le sentiment me donnait la compréhension par le cœur de la souffrance de cet enfant enfermé dans cette chambre, et j'ai ressenti combien il était meurtri. Je me suis assis de l'autre côté de la porte. C'est tout. Et je n'ai rien fait. Ni parlé, ni discuté. Rien. Je me suis assis, pour être intensément silencieux, passif, activement passif. En langage chrétien, j'ai « offert à Dieu cette situation ». « Voilà le problème, voilà ma limite, voilà mon incapacité, à Vous d'agir. » J'ai été silencieux, totalement non actif, sans aucune pensée, uniquement vigilant, comme un état de prière sans forme, de méditation, uniquement la soumission et l'amour. Et, au bout d'un moment, eh bien j'ai entendu la clef tourner dans la serrure. Donc la porte n'était plus fermée à clef. Je suis resté silencieux, je n'ai pas ouvert. Et quelques minutes après, le petit garçon a ouvert la porte. Je ne vous raconte pas la fin de la soirée. Il m'a fallu être passivement actif, très actif, pendant deux ans, trois ans, quatre ans pour guérir la blessure de ce fils, si mal dans sa peau, si malheureux qu'il en devenait exigeant, capricieux comme chaque fois qu'un enfant souffre.

Et un autre exemple me vient à l'esprit, celui d'un homme dont le karma était très lourd, qui avait accumulé les souffrances depuis son enfance et qui avait de grandes difficultés à accepter notre ashram après y avoir mis son espérance. Il tentait de faire des *lyings* et, à cette époque, ayant abouti à une impasse, il vivait dans une ambivalence d'espoir et d'amertume à mon égard. J'ai essayé une méthode. J'ai essayé une autre méthode. Je lui ai parlé d'une manière. Je lui ai parlé d'une autre. Sans résultat. Alors un matin, il est venu dans la chambre, il s'est allongé pour son *lying* et je n'ai rien fait, rien. Il émanait de lui une tension presque insupportable. Je n'ai rien fait que d'être en état de prière, de silence, de non-agir, activement passif. Il était allongé, tendu, déchiré, douloureux, mais j'ai senti que ce qui émanait de lui était moins violent. Peu à peu s'est opéré un relâchement, il a commencé à pleurer. Les larmes ont coulé, il était réunifié. Il s'est mis à sangloter, il m'a pris la main, je l'ai serré dans mes bras et puis il est parti. Je n'ai pas dit un mot. Le non-agir a accompli ce que l'action, même l'action intérieurement passive, sans désir égocentrique de réussir, n'avait pas obtenu.

La vie spirituelle commence quand nous devenons l'instrument d'une Réalité, d'une Vie, d'une Énergie bien supérieures à tous égards à nos fonctionnements habituels, même notre efficacité, notre intelligence, notre savoir. Ce n'est plus moi qui agis, c'est la Sagesse qui agit à travers moi. C'est d'abord cela que l'Inde dénomme l'état-sans-ego. Ramdas disait : « Soyez un instrument, mais un instrument conscient, pas comme un stylo inconscient de ce qui s'écrit à travers lui. »

Ramdas, plus que d'autres encore, était éloquent en ce qui concerne le non-effort. C'est lui qui a raconté une fois devant moi cette petite histoire : Vishnou et Lakshmi, sa comparse, sont ensemble au Paradis et Vishnou s'absente brusquement : « Mon serviteur Haridas est attaqué par des brigands, je vais à son secours. » Une seconde après, Vishnou revient. Lakshmi s'étonne : « Déjà ? — Oui, Haridas venait de se baisser pour ramasser une pierre. » L'histoire s'arrêtait là. Si ce Haridas ramasse une pierre, c'est qu'il a l'intention de se défendre lui-même, donc il n'a pas besoin de Moi. C'est ce qui explique en effet qu'en lisant les *Carnets de pèlerinage* de Ramdas, on a l'impression que celui-ci ne cherchait même pas à se soigner s'il était malade. Il comptait sur Ram pour le guérir, et Ram en effet lui envoyait chaque fois des personnes qui avaient de la compassion pour ce *sâdhu* grelottant de fièvre et qui le soignaient.

Vous pouvez lire ce livre si original — et si convaincant.

Je ne me sentais pas mûr pour ne pas ramasser de pierres si des brigands m'avaient attaqué dans la forêt. Je ne me sentais pas mûr pour ce lâcher-prise. Mais je n'ai jamais pu effacer l'impact que ces paroles de Ramdas avaient eu sur moi. Et c'est auprès de Swâmiji que j'ai pu réconcilier l'activité et la passivité, l'attitude masculine et l'attitude féminine, l'action et la non-action. L'effort ordinaire, le seul dont vous ayez l'expérience pendant longtemps, ne vous conduira pas loin. Comment pouvez-vous devenir, intérieurement, activement passifs ? Être, vis-à-vis de la Grande Réalité — appelez-la Dieu, appelez-la Shakti, appelez-la Brahman —, dans une attitude féminine et vous laisser féconder, comme Marie, Vierge, se laisse féconder par le Saint-Esprit ? Soyez activement collaborateurs de cette force tellement plus grande, plus intelligente, plus juste que votre ego et votre mental. Agissez détendus, détendus physiquement, détendus émotionnellement, détendus mentalement, en instruments de ce que Swâmiji appelait « la justice de la situation », que d'autres appelleront « la volonté de Dieu », jusqu'à ce que vous découvriez qu'une unique Energie Infinie, Atma-Shakti, est à l'œuvre partout. Retrouvez votre identité ou votre communion avec cette Unique Énergie.

8

LE MARIAGE

Qui, à un moment ou à un autre de sa vie ou même plusieurs fois dans son existence, de l'adolescence à l'âge mûr, n'a pas rêvé du grand amour, n'a pas cru le trouver ou pas tenté une vie commune en espérant la réussir et en y investissant peut-être une immense espérance ?

D'autre part, il est à constater que, dans toutes les traditions, le mariage est considéré comme sacré. Pour ceux qui ont la moindre idée de ce qu'est le christianisme, par exemple, le mot « sacrement » est un mot très fort ; il ne s'agit pas d'une simple bénédiction. Si nous nous plaçons du point de vue théologique, ceci montre l'importance que la pensée religieuse a donnée autrefois à cette union de l'homme et de la femme. En Inde, le rite du mariage est également essentiel et l'épouse joue un rôle bien particulier dans le couple ; elle est, à certains égards, la prêtresse du foyer.

La désinvolture avec laquelle aujourd'hui on se marie, on se sépare, on vit ensemble sans se marier, on change de partenaire, on divorce, montre que nous vivons dans un monde qui est ce qu'il est mais que nous ne pouvons pas considérer comme la norme du comportement humain, que nous devons en tout cas reconnaître comme allant à l'encontre de tout ce qui a été vécu jusqu'ici dans toutes les civilisations. Vous pouvez, si vous voulez, considérer que c'est un progrès, c'est une question d'interprétation ; mais nous devons au moins voir — parce que cela ne peut pas être discuté — qu'il s'agit d'une mentalité très particulière. Seulement, c'est celle dont nous sommes imprégnés. C'est aussi celle contre laquelle beaucoup de jeunes commencent à réagir.

Une part de ce que Swâmiji m'avait transmis à cet égard se trouve déjà dans le deuxième tome des *Chemins de la Sagesse,* au chapitre « Faire l'amour » qui concerne non pas seulement la sexualité mais le couple et le mariage.

Et d'abord, une question se pose quand on croit avoir trouvé le ou la partenaire idéal(e) et qu'on songe à se marier : « Comment être sûrs que nous ne nous trompons pas ? » C'est une question qui m'a été posée plusieurs fois depuis un certain nombre d'années. Tant qu'on est emporté par la passion, on ne pose pas de questions mais vient un moment où cette fascination ne peut plus cacher les doutes qui se lèvent. « Ne me suis-je pas trompé ? Ai-je vraiment trouvé celui ou celle dont je rêvais déjà dans ma jeunesse ? Sommes-nous faits l'un pour l'autre ? » Comment répondre à ces interrogations ?

Certainement pas à travers les émotions et la fascination amoureuse ni à travers les préjugés de notre société française actuelle. Selon Swâmiji, il y a cinq critères qui permettent de savoir si deux êtres sont « faits l'un pour l'autre » et si leur union les conduira au bonheur et non à la souffrance, aux brouilles, aux réconciliations, à ces amours agitées, meurtries, douloureuses qui durent parce qu'on n'a pas le courage de les rompre et qui n'apportent rien de ce à quoi aspire celui qui est engagé sur le Chemin de la Sagesse, la paix, la sérénité, la stabilité intérieures, la possibilité de s'épanouir et de communier véritablement.

Cette communion, qui est la culmination de l'amour ou du couple, elle s'établit au cours des années. Il ne faut pas confondre une grande passion brève, comme dans certains films ou certains romans, avec un mariage. Vous me permettrez d'employer le mot « mariage », même si aujourd'hui on se marie de moins en moins. On ne se marie déjà plus à l'église et il est envisagé de temps à autre dans les « hautes sphères » de supprimer le mariage à la mairie. Il ne resterait plus que certains contrats devant notaire. J'emploierai le mot « mariage », quitte à paraître rétrograde et réactionnaire.

« Ils ne seront plus qu'une seule âme et une seule chair. » Cette parole ne doit pas être prise à la légère. « Une seule âme et une seule chair », ce n'est pas un accomplissement banal. Et la fascination amoureuse ne conduit jamais à cette véritable communion ; elle engendre une illusion de non-dualité qui maintient la séparation. Dans la mesure où cette non-dualité, cette véritable communion — un avec — peut s'établir entre l'homme et la femme, le mariage a été considéré comme une voie spirituelle, autant que la voie monastique. Et c'est pour cela que le mariage est consacré par un sacrement. Il y avait autrefois l'ordination royale et l'ordination sacerdotale ; on peut admettre aussi une ordination conjugale. Nous parlons du point de vue du Chemin de la Sagesse, de la découverte du Soi, de la Conscience Ultime : une relation de couple est destinée à durer. Un amour intense dans des conditions exceptionnelles et brèves peut faire le thème d'un film admirable mais ce n'est pas en soi un chemin conduisant vers une purification des émotions et un effacement de l'ego. Le mariage est une voie vers ce que nous appelons *manonasha,* la destruction du mental, et *chitta shuddhi,* la purification du psychisme.

Donc Swâmiji m'avait un jour énoncé cinq critères grâce auxquels on peut reconnaître la valeur profonde d'un couple. J'y ai souvent réfléchi. Et il est étonnant que dans ces cinq critères ne se trouve pas le mot *love,* qui signifie « amour ». Cela m'a surpris tout d'abord. Ensuite, je me suis souvenu que Swâmiji n'utilisait le mot « love » qu'avec une grande solennité. En français, nous mettons le mot « amour » à toutes les sauces, si l'on peut dire, et Swâmiji employait plutôt les mots « sympathie » ou « compassion » ; il n'utilisait le mot « amour » que quand j'étais digne de l'entendre, comme un mot qu'on n'a pas le droit de prononcer si on ne lui donne pas son sens véritable. Que de fois nous employons le mot « amour » pour ce qui est simplement émotion, attraction — et l'attracn comporte toujours son aspect contraire, la possibilité de détester ce qu'un instant auparavant nous adorions.

***

Le premier de ces critères est, en anglais, *feeling of companionship*, le sentiment d'être deux compagnons. Effectivement, on dit parfois en français « ma compagne, mon compagnon ». Et on peut se poser la question : est-ce que ce sentiment est là : je ne suis plus seul(e) ? Avoir un compagnon, c'est ne plus se sentir seul ou seule.

Or, je pense que vous serez d'accord avec moi, beaucoup d'hommes ou de femmes mariés — ou vivant comme s'ils étaient mariés — se sentent toujours seuls. Je suis habitué, depuis maintenant dix ans, à entendre jaillir le cri du cœur des uns et des autres, et j'ai entendu jaillir du cœur d'hommes ou de femmes mariés ou ayant au contraire vécu plusieurs amours intenses dans leur vie : « je suis seul » ; « j'ai toujours été seule ». La souffrance de cette solitude, qui peut être née de l'enfance, n'est pas effacée par une relation amoureuse. L'attirance amoureuse, bien sûr, c'est l'espérance de ne plus se sentir seul, c'est l'illusion de ne plus se sentir seule. Est-ce que cela va être durable ? Toute la question est là.

Ce que je veux dire aujourd'hui est toujours en fonction d'une durée, d'un chemin à suivre ensemble. *To grow together*, croître, grandir, s'épanouir ensemble, progresser ensemble sur la voie de la maturité, de la plénitude, sans les émotions mesquines et infantiles de l'ego qui viennent corrompre, amenuiser, rapetisser l'existence.

Feeling of companionship, le sentiment de ne plus être seul(e), d'avoir un vrai compagnon, une vraie compagne. Le mari ou la femme doit être aussi notre meilleur ami. L'épouse doit pouvoir jouer pour l'homme tous les rôles qu'une femme peut jouer pour un homme ; et le mari doit pouvoir jouer pour sa femme tous les rôles qu'un homme peut jouer pour une femme. L'homme — ou la femme — se sent comblé et n'éprouve pas la nostalgie de trouver ailleurs ce qui ne lui manque plus. Est-ce que je peux considérer mon mari ou ma femme comme mon meilleur ami ? C'est une question simple. Le mot « amour » n'intervient pas, ce mot « amour » qui vous dupe et vous trompe tellement !

Or, vous remarquerez qu'une amitié ne s'use pas au cours des années. Il est arrivé que la vie nous sépare d'un ami ou que nos intérêts divergent. Mais le plus souvent celui qui était notre meilleur ami à l'âge de vingt ans l'est toujours lorsque nous en avons soixante-dix. On se souvient d'avoir vécu ensemble tel moment heureux ou difficile, on a un langage commun, une profonde complicité. Pourquoi dans le monde moderne y a-t-il des amitiés indestructibles sans qu'on ait à faire un effort spécial de fidélité, alors que tant d'amours s'usent et qu'au bout de deux ans, trois ans, on recommence à regarder autour de soi et à s'intéresser aux autres femmes et aux autres hommes ?

Si ce sentiment d'avoir trouvé un véritable compagnon existe, il s'enrichit avec les années, avec les expériences partagées, avec les souvenirs, il ne cesse de s'enrichir, contrairement à la passion amoureuse ordinaire condamnée à perdre son intensité comme un feu qui se consume et s'éteint.

Le deuxième critère est encore plus simple : *Ateaseness. At ease* veut dire, mot pour mot : « à l'aise », et *ness* en fait un substantif. Aisance : le fait que les choses soient faciles, aisées. Il est intéressant de voir que le mot *disease* en anglais signifie « maladie » et qu'*at ease* concerne aussi une santé parfaite. On ne souffre nulle part, on se sent bien. *Ateaseness,* c'est se sentir parfaitement bien ; tout est aisé, tout est facile. Or, trop souvent, dans la fascination amoureuse, il y a émerveillement, il y a des moments intenses, des instants « divins » — sinon la fascination amoureuse ne serait pas si puissante — mais il n'y a ni aisance ni facilité. Ces mots, quand Swâmiji les a prononcés dans son petit ashram du Bengale, ont eu en moi une puissante résonance parce que je ressentais combien j'avais peu connu cette détente, sauf dans ma jeunesse, à vingt-quatre ans, lors de fiançailles rompues ensuite par une tuberculose pulmonaire grave. A part ces fiançailles qui avaient été aussi paisibles que possible mais que la vie avait détruites, j'ai dû reconnaître que, dans les différentes amours auxquelles j'avais cru, il y avait eu des élans, des larmes, des incompréhensions, des supplications, des brouilles, des réconciliations, des péripéties diverses — mais pas cette toute simple *ateaseness*.

Et je rencontre souvent l'un ou l'autre des partenaires d'un couple dont l'entretien avec moi est essentiellement consacré à leur relation homme-femme et qui sont aux antipodes de cette facilité, cette aisance. « Je l'aime, mais il me fait souffrir ! Je l'aime mais elle me torture ; je l'aime mais je suis à bout ; je l'aime mais je n'en peux plus... » Comment voulez-vous considérer qu'une telle relation, aussi stimulante, aussi intense soit-elle, puisse conduire à la vérification de cette parole : « ils ne seront plus qu'une seule âme et une seule chair », communion réelle, dépassement de la limitation de l'ego, plénitude ?

Ou encore une certaine facilité de relation s'établit mais elle s'établit dans la routine, dans la monotonie et il reste au cœur un manque ; ce n'est pas ce qu'on avait rêvé quand on était adolescent et on demeure susceptible d'un nouveau coup de foudre contre lequel on luttera plus ou moins suivant qu'on est plus ou moins marqué par une éducation religieuse, plus ou moins animé par un sentiment paternel ou maternel et qu'on fait passer l'intérêt des enfants avant le sien.

Nous avons donc déjà deux premiers critères : *Feeling of companionship* : je ne suis pas seule(e), il y a quelqu'un à mes côtés qui me comprend, que je comprends, avec qui j'aime échanger, avec qui j'aime partager, avec qui j'aime agir, faire les choses ensemble. Et *atea-seness*, une relation facile, qui ne m'amène pas à gaspiller une grande quantité d'énergie en émotions, qui ne m'oblige pas à lutter contre les émotions.

Quand on s'aime, on est enclin à dire : « pour toujours, c'est pour toujours » — quand ce n'est pas : « nous nous sommes connus dans toutes nos vies passées et nous nous retrouverons dans toutes nos existences à venir » ; ou : « nous serons unis pour l'éternité ». Ce « pour toujours » est-il une parole correspondant à une réalité ?

Troisième critère : *Two natures which are not too different* : « deux natures qui ne soient pas trop différentes ». C'est tout simple mais ce qui fait pour moi la valeur de ces critères, c'est que je ne les aurais jamais imaginés dans leur simplicité et que je n'ai pas cessé depuis quinze ans au moins d'en vérifier la valeur.

Deux natures qui ne soient pas trop différentes. Il y a là un point qui est évidemment fondamental. Il est normal qu'il y ait une différence et une complémentarité entre un homme et une femme. Nous ne trouverons jamais notre alter ego : un autre nous-même qui, à chaque instant, soit uniquement l'incarnation de notre projection du moment. Nous ne trouverons jamais une femme qui sera toujours exactement ce que nous voulons, aura toujours exactement l'humeur ou l'état d'âme que nous souhaitons, l'expression de visage et le timbre de voix que nous espérons et prononcera les mots que nous attendons — jamais. Et cela, il faut le savoir. C'est une demande infantile, indigne d'un adulte, destructrice de toute tentative de couple, de vouloir que l'autre soit un autre moi-même, que ma femme soit uniquement le support de mes projections et réponde à chaque instant à ce que, mécaniquement, dans mon ego et dans mon émotion, je demande. C'est une illusion que vous devez réussir à extirper par la conscience et la vigilance. L'autre est un autre. Et, même si cette communion s'établit, « une seule âme et une seule chair », l'autre n'aura jamais notre inconscient, nos *samskaras,* nos *vasanas,* notre hérédité. Il y aura toujours une différence.

Ce qu'on peut constater, c'est que dans un couple véritable, à travers les années, une communion de plus en plus profonde s'établit, surtout si l'on partage tout ensemble et qu'on vit vraiment en commun, au point qu'on en arrive presque à lire les pensées de l'autre. Et il est arrivé, peut-être l'avez-vous remarqué, qu'au terme d'une longue vie conjugale, un homme et une femme finissent par se ressembler, arrivent à penser ensemble, ressentir ensemble, que cette différence diminue de plus en plus et que chacun se soit élargi à la dimension de l'autre, enrichi des possibilités de compréhension de l'autre. Mais cela, c'est un long chemin, tout autre chose qu'une passion amoureuse intense, éblouissante, inoubliable peut-être, mais brève.

« Deux natures qui ne soient pas trop différentes. » Or, la fascination amoureuse ne tient aucun compte de ce critère. L'inconscient de l'un réagit à et sur l'inconscient de l'autre, un trait du visage, un sourire, une coiffure, un regard, touche une empreinte dans la profondeur de notre psychisme et nous sommes attirés. Il arrive même qu'un homme puisse retrouver un père chez une femme ou qu'une femme puisse retrouver sa mère chez un homme. Pour l'inconscient, un détail peut devenir tout-puissant : juste le regard, par exemple. En faisant abstraction du reste du physique et du visage, les yeux n'ont rien en effet qui soit spécifiquement masculin ou féminin.

Donc l'inconscient est brusquement fasciné par une apparence ou une attitude et, si ce mécanisme est réciproque, deux êtres attirés l'un par l'autre considèrent qu'ils s'aiment. Mais, si leurs natures sont trop différentes, aucune vie commune n'est possible et cet amour sera battu en brèche par la réalité. Les cas extrêmes vous paraîtront évidents. Si un homme est plutôt solitaire, aime les longues marches dans la campagne, la vie dans la nature et qu'une femme ne rêve que de mondanités, de dîners brillants, de réceptions, il est certain que les natures sont trop différentes. Et, pourtant, cela n'empêche pas de tomber amoureux.

Deux natures qui ne sont pas différentes, cela n'existe pas. « Deux natures qui ne soient pas trop différentes. » Et je comprends maintenant combien j'ai pu être attiré par des femmes dont la nature était si différente de la mienne et que l'entente était au-dessus de nos capacités respectives. Il faudrait être bien plus avancé sur le Chemin de la liberté intérieure pour pouvoir former un couple paisible avec un partenaire dont la nature est radicalement différente de la nôtre.

Abandonnez la demande infantile que « l'âme sœur » sera vous-même en tout. Un jour vous rentrerez tout heureux du travail : « Je suis en retard parce que je suis passé à l'Opéra municipal et j'ai pris deux billets pour le concert de ce soir. » Et votre grand amour, au lieu de s'écrier : « Quel bonheur ! », répondra : « Ah non, pas ce soir, je n'ai vraiment pas envie de sortir. — Quoi ! » Eh oui. Il arrive, quand on se croit très amoureux, qu'un petit incident insignifiant comme celui-ci provoque une blessure. « Je me suis trompé : ça n'est pas "elle" ; nous ne sommes pas faits l'un pour l'autre ». Quel infantilisme mais c'est malheureusement vrai. D'abord, je l'ai vécu autrefois et je vois bien la réalité depuis que mon existence m'amène à partager les secrets — parfois les secrets les plus cachés — du cœur et de la vie intime des uns et des autres.

N'oubliez pas cette vérité : la fascination amoureuse ignore superbement l'incompatibilité de deux natures. On croit de bonne foi s'aimer mais il n'y a pas de possibilité d'une véritable entente. Vous ne pouvez ajuster ensemble deux pièces de mécanique qui ne se correspondent pas. La complémentarité de l'homme et de la femme repose sur la différence mais elle repose aussi sur la possibilité d'association, d'imbrication, de complicité.

Quatrième critère : *Complete trust and confidence. Trust* et *confidence* signifient tous les deux « confiance ». On pourrait traduire *trust* par « foi », la perfection de la confiance. Est-ce que cette confiance existe ? Ceux qui se demandent :

sommes-nous faits l'un pour l'autre, peuvent se poser cette question : « Est-ce que je sens en moi cette confiance complète ? Est-ce que cet homme, cette femme a su m'inspirer cette confiance ? » Je me demande si j'en ai eu un véritable exemple. Je vois vivre des couples dont l'homme n'a pas vraiment confiance en sa femme, ni la femme en son mari. Il n'y a pas confiance parce qu'il y a peur. Ayez le courage de le voir et comprenez que sur cette fondation aucun amour durable, susceptible de croître, de s'épanouir n'est possible.

Bien sûr, beaucoup d'hommes et de femmes aujourd'hui sont blessés jusqu'au fond de l'inconscient par des trahisons passées, des trahisons qui s'avèrent bien plus anciennes que cette vie-ci et qu'on a apportées en naissant, ou des trahisons vécues à l'âge de deux mois, six mois. Swâmiji me citait le cas d'un de ses vieux disciples qui avait vécu dans un malaise dont l'origine était apparemment insignifiante. Quand cet Indien, bébé, tétait, il avait mordu le sein de sa mère et celle-ci l'avait arraché d'elle brusquement et l'avait frappé. Et ce bébé, qui jusque-là n'avait connu que l'euphorie de l'amour maternel et la joie du sein, son suprême bonheur, avait été si traumatisé que l'adulte avait ensuite vécu dans la peur inconsciente de la trahison.

Ce genre de blessure existe très souvent dans votre inconscient et ne facilite pas la communion, l'approche ouverte, le don mutuel de soi dans l'amour. C'est pourquoi ce critère est si important.

Est-ce que cette femme a su m'inspirer une réelle confiance ? Du fond de moi monte ce sentiment : elle peut faire des erreurs, elle peut se tromper, elle peut même accomplir une action qui me créera une difficulté momentanée et que j'aurai à résoudre mais elle ne peut pas me faire du mal. Fondamentalement, ce qui domine c'est cette certitude.

Et la parole de Swâmiji est très forte : « *Complete trust and confidence.* » Vous connaissez en français l'expression : « Je t'ai juré ma foi. » C'est une vieille expression du langage amoureux. C'est pourquoi je traduis *trust* par « foi », en sachant tout ce que ce mot a de dense, de riche, de grave. Il y a un aspect religieux dans l'amour.

Le mariage ne peut pas être une voie spirituelle vers la sagesse si cette confiance et cette foi n'existent pas, si vous vivez dans la peur. Vous avez à être plus forts que votre infantilisme et à ne pas détruire vous-mêmes une relation précieuse par une méfiance qui n'est en rien justifiée. Il faut que les partenaires ne soient plus totalement infantiles, aient une certaine compréhension de leurs propres mécanismes et décident de les dépasser, d'être plus adultes. Même si vous êtes très amoureux de votre compagne, du grand amour de votre vie, vous pouvez, au cours d'une réception, la voir discuter avec un autre homme, porter un certain regard sur lui, peut-être même, pour pouvoir parler plus tranquillement si vous êtes chez des amis — une soirée où il y a un peu de monde — aller avec lui un peu à l'écart, sans que la peur se lève en vous : « Qu'est-ce qui se passe ? De quoi est-ce qu'ils parlent ? » Seule cette confiance complète élimine le poison de l'amour, la jalousie.

Il est bien rare qu'un amoureux soit exempt de jalousie. Je ne dis pas que c'est un vice ou un péché, c'est une émotion particulièrement infantile dans laquelle le mental invente ce dont il n'a aucune preuve. Rien n'est plus destructeur de l'amour que cette jalousie. La femme dont le mari est jaloux ne se sent plus respectée. Dans la dialectique amoureuse habituelle, il y a quelque chose de flatteur à voir cette jalousie : « Tant qu'elle est jalouse, ça veut dire que je suis le plus fort, que je la tiens ; le jour où cela lui sera égal que je fasse la cour à une femme, c'est que j'aurai perdu mon pouvoir sur elle. » Mais dans le couple en tant que voie spirituelle, la jalousie ne peut pas avoir sa place.

Dernier critère : *Strong impulse to make the other happy*, « forte impulsion spontanée à rendre l'autre heureux ». C'est moins simple que ça en a l'air. Et cela exige aussi une approche adulte du couple. La demande d'être heureux grâce à un autre est naturelle, normale, légitime chez un homme ou une femme qui n'a pas atteint le bout du Chemin et dont le bonheur n'est pas encore purement une expression de l'Être, chez celui ou celle qui se sent encore incomplet. Mais il y a une manière tout à fait égoïste de vouloir rendre l'autre heureux, dans laquelle l'autre n'est pas vraiment en question. C'est l'autre tel que je le vois à travers mes projections, mes demandes à moi, que je cherche à rendre heureux en lui offrant ce que j'ai envie de lui offrir, en faisant pour elle ce que j'ai envie de faire pour elle, et sans tenir compte de ses véritables demandes. C'est un critère sur lequel les confidences de mon prochain m'ont amené à revenir bien souvent.

Vouloir rendre l'autre heureux se situe encore dans la dualité de moi et l'autre — l'autre et moi. C'est considérer que l'autre attend quelque chose de moi, que nous n'avons pas encore établi la parfaite communion de l'Être, au-delà de toute question d'Avoir. Chacun attend de l'autre le bonheur. Or ce bonheur est aussi une réalité simple, quotidienne, faite d'une accumulation de petits détails, et pas seulement de s'entendre dire « je t'aime » par celui ou celle que nous aimons.

Swâmiji disait : « *There is no giving without receiving.* » « Il n'y a pas d'action de donner sans l'action de recevoir. » Si vous donnez mais que l'autre n'a pas reçu, c'est comme si vous n'aviez pas donné. Et si vous ne donnez pas ce que l'autre attend, consciemment ou inconsciemment, ce qui lui est nécessaire, vous ne lui avez pas donné. Imaginez un animal purement carnivore à qui vous ne donniez que de la salade comme à un lapin ; vous ne lui avez rien donné et il meurt de faim. Imaginez qu'à un lapin vous ameniez tous les jours les meilleurs morceaux de viande, vous ne lui avez rien donné et il meurt de faim. Cette image naïve vous fait sourire mais pour moi elle illustre d'une manière crue et claire ce dont j'ai été trop souvent le témoin.

Que de parents, du fond du cœur, affirment :

« mais je n'ai vécu que pour mes enfants, je me suis sacrifié à eux, je leur ai tout donné... » Et les enfants pleurent (parfois ça sort des profondeurs de leurs entrailles comme le cri du cœur) : « je n'ai rien reçu » — le cri de la frustration. Il n'y a pas d'action de donner sans l'action de recevoir. C'est vrai en ce qui concerne la relation des parents avec les enfants ; c'est vrai dans toutes les relations humaines ; et c'est vrai dans celle qui nous préoccupe aujourd'hui, le couple.

Donner, ce n'est pas donner ce que *nous* avons envie de donner au partenaire tel que nous voulons qu'il soit mais au partenaire tel qu'il est et tel que nous avons à apprendre à le voir, à le comprendre et à le ressentir. Ici intervient cette intelligence du cœur que voilent les émotions. S'il n'y a pas, dans un couple, ce sentiment d'être deux compagnons, deux vrais amis, cette confiance complète, cette facilité, cette aisance, si les natures sont trop différentes, avec des situations orageuses, en un mot s'il y a trop d'émotions, l'intelligence du cœur est aveuglée. On croit avoir fait beaucoup pour sa femme, pour son mari — et l'autre n'a pas reçu. Quel déchirement, quelle souffrance !

J'ai entendu des épouses m'expliquer — et de leur point de vue à elle c'était indiscutable — tous les sacrifices qu'elles avaient faits pour leur mari. Et le mari, lui, n'était que regret et déception. Inversement, j'ai entendu des hommes me décrire tout ce qu'ils avaient fait pour leur épouse et la femme, elle aussi, n'était que frustration et cherchait encore le grand amour dont elle rêvait depuis l'âge de seize ans.

Il n'y a pas d'action de donner sans l'action de recevoir ; on ne peut sentir ce dont l'autre a vraiment besoin que si l'intelligence du cœur est éveillée.

Que de mariages dans lesquels cette impulsion à vouloir rendre l'autre heureux a disparu. C'est une motivation, une animation qui est morte. Vous ne voulez pas « lui » faire de mal mais vous avez perdu — ou vous n'avez jamais eu — la disponibilité pour sentir ce qui peut lui faire plaisir à elle, quel geste vous pouvez faire, quelle parole vous devez dire, quelle décision vous allez prendre, quelle activité vous pouvez organiser, quel cadeau vous voulez offrir. Cette envie de rendre l'autre heureux ne se fabrique pas artificiellement, elle est là ou elle n'est pas là. L'autre en *lui-même,* j'insiste sur ce point. « Comment, je lui ai offert une bague splendide ! » Oui, vous aviez envie de lui faire un cadeau très luxueux et, dans votre passion amoureuse, vous lui avez offert une bague qui correspond à une pulsion de votre inconscient à vous. Et si votre inconscient avait été différent, au lieu de la bague, vous lui auriez offert un violon. Ce n'est pas cela qui évitera le cri de frustration que j'ai trop souvent entendu mais l'accumulation de petits dons, de petits gestes. Un être a besoin de respirer à chaque minute, et il a besoin de respirer l'amour tous les jours.

« Une forte impulsion à rendre l'autre heureux » est un sentiment permanent, comme celui qu'une mère ressent pour son enfant quand il est encore petit et dépendant : « J'existe pour lui, que puis-je faire pour lui ? » Cette intelligence du cœur s'éveillerait très naturellement en vous si vos émotions ne venaient pas corrompre la possibilité d'un véritable sentiment.

*
**

Ces critères sont simples. Mais s'ils sont réunis, croyez-moi, tous les autres en découlent, y compris l'entente sexuelle. Avant de donner quelques détails sur ce point, je veux redire, pour que ce soit bien présent à l'esprit de tous : ce dont je parle aujourd'hui, c'est d'un couple durable, non de la grande passion amoureuse qui illumine un instant l'existence mais qui ne résiste pas aux années. Je parle de cet « amour éternel » que les fiancés se jurent et que la vie dément presque toujours en conduisant soit à la séparation, soit à une relation usée, morne, pauvre, qui ne sera jamais un chemin vers le Royaume des Cieux au-dedans de nous et la Sagesse suprême.

On peut considérer que dans le critère : « deux natures qui ne soient pas trop différentes » est inclus le critère sexuel, au moins en partie. Le livre des *kama sutras* (qu'on vend avec une étiquette pleine d'humour parce qu'elle mentionne toujours : « édition non expurgée ») n'est pas seulement la description des différentes positions de l'acte sexuel. C'est un volumineux traité concernant le couple et le mariage, écrit par un très grand sage de l'Inde. Et on en extrait — on en extrayait, quand les sex-shops n'existaient pas encore parce qu'on a fait mieux depuis — un chapitre qui décrit les modalités de l'acte sexuel et que vendaient les bouquinistes des quais de la Seine à Paris, édition effectivement expurgée mais de tout ce qui est philosophique. Et ces *kama sutras* avaient ceci de particulier qu'ils donnaient des instructions sur la manière, dans les mariages arrangés par les gourous des familles et les astrologues, de prévoir si les deux adolescents que l'on veut marier s'entendront bien sexuellement ou non.

Il y a là aussi un point auquel je dois faire une rapide référence quand je parle du couple. C'est une donnée qui m'a fait beaucoup réfléchir. Quelle que soit ma bonne volonté à l'égard de la tradition hindoue, mon intelligence ou ma stupidité, comme vous voudrez, d'Occidental éduqué m'en rendait incompréhensible cet aspect si choquant pour nous. « Mais comment un homme et une femme peuvent-ils être heureux ensemble alors qu'ils ne se sont pas choisis librement ? »

Je me souviens même de l'époque où, réfléchissant à ce point, je regardais des femmes hindoues dans la rue et je me disais : « Si on m'avait marié avec celle-là ? Et si on m'avait marié avec celle-là ? » qui ne m'attiraient en rien ! Je butais sur des réactions aussi simples et j'avais beau revenir à la charge dans mes entretiens avec Swâmiji, je ne comprenais pas mieux parce que Swâmiji persistait imperturbablement à m'affirmer que cela avait donné des résultats très satisfaisants pendant des siècles et des siècles. Et surtout, j'ai connu personnellement de nombreux couples indiens qui, à l'âge de cinquante ou soixante ans, faisaient envie, heureux, rayonnants, et qui ne s'étaient pas choisis eux-mêmes, qui avaient été mariés selon les critères traditionnels.

Au moins, que cela nous fasse mettre en doute certaines de nos certitudes et attire notre attention sur la fragilité de la fascination amoureuse, si intense, mais qui résiste rarement à la vie commune — hélas.

Il existe deux types d'attraction sexuelle. D'abord l'attraction sexuelle immédiate, de surface. Il y a dix femmes à la terrasse du café où je suis en train de boire un jus de fruit et, sur les dix, il y en a cinq qui m'attirent et une qui m'attire beaucoup. Je voudrais faire l'amour avec elle si les conditions le permettaient. Et il y a une autre attirance, qui peut conduire à des sommets de vie érotique. C'est une attirance qui ne cessera pas de grandir et qui est faite justement de ce que les cinq autres critères sont satisfaits, une attirance qui vient de la profondeur de l'être et non plus seulement de la fascination de surface. Le corps de la femme et le corps de l'homme sont les réceptacles de l'amour par lequel on se sent aimé et de toute une richesse de compréhension et de sentiment. C'est cet aspect non plus seulement physique mais affectif et même spirituel qui s'exprime à travers la sexualité.

Autant l'autre sexualité est vite lassée — ce qui fait la tragédie des Don Juan mâles ou femelles —, autant cette sexualité-là, elle, ne cesse de s'enrichir à travers tout ce qui a été vécu et partagé.

Chacun des cinq critères que j'ai cités tout à

l'heure, si vous les reprenez, si vous y réfléchissez, est le stimulant d'une sexualité qui conduira aisément à la fidélité. Il y a un élément d'attraction : cette femme a peut-être des cuisses, des seins plus attirants que ceux de ma compagne mais je sais que, quand bien même j'accomplirais l'acte sexuel avec elle, ce sera forcément moins riche, ce sera décevant, dérisoire même, parce qu'il manquera tout cet arrière-plan de camaraderie, de confiance, de respect, de partage, de gratitude, de souvenirs. Ce sont deux approches différentes de la sexualité. L'une peut être très puissante, jusqu'à ce que l'autre, celle qui peut être durable, ait pris la principale place dans notre être et donc dans notre existence.

Bien sûr, vous vivez dans un monde où les mariages ne sont pas arrangés : vous choisissez votre partenaire. Qu'une certaine attirance physique joue, c'est normal ; chacun a son sens subjectif de la beauté et du charme. Mais cela ne peut pas être l'essentiel dans la vie sexuelle d'un couple durable. Et l'attirance fondée sur les attributs érotiques purement physiques ne conduira jamais qu'à une sexualité limitée, alors que, si ces cinq critères sont remplis, c'est la certitude d'une sexualité de plus en plus riche, de plus en plus profonde, qui ne fera que grandir à travers les années.

Ce sont deux lignes de vie et d'épanouissement complètement différentes. Vous ne pouvez pas essayer de les réconcilier. Si vous êtes mal situés intérieurement, vous avez le choix entre le refoulement, l'usure, la lassitude, l'habitude, l'adultère — rien de ce dont on avait rêvé... Et si vous êtes situés au cœur de vous-même, l'intensité de la vie sexuelle est garantie par l'accomplissement même de ces cinq critères.

Je vais les reprendre une fois pour que vous puissiez les ré-entendre groupés parce qu'après tout, ils vous sont certainement peu familiers.

« Le sentiment de ne plus être seul(e) », d'être deux compagnons qui partagent leurs existences, leurs différences, leurs goûts communs, leur amitié, leur complicité.

« L'aisance, le bien-être » : pas de drames, pas de tragédie. Tout se déroule facilement. Il y a même une grâce sur certains couples : dès qu'on est ensemble, tout se dénoue, tout s'arrange, tout se passe bien. Et il y a comme une malédiction sur d'autres couples : tout est grinçant, ça ne marche jamais, dès qu'ils tentent quelque chose, ça rate ; ils ne se comprennent pas, c'est le malentendu tout le temps.

« Deux natures qui ne soient pas trop différentes » : complémentaires, oui, mais pas trop différentes.

« Une confiance, une foi complètes en l'autre. » Elle ne peut pas me faire de mal, il ne peut pas me faire de mal. Comme un petit enfant qui a une confiance absolue en sa mère. Je ne dis pas que vous devez avoir une attitude infantile vis-à-vis de votre époux ou de votre épouse ; mais vous pouvez retrouver un cœur d'enfant confiant. Et après tout, le Christ a bien dit : « Si vous ne redevenez pareils à de petits enfants, vous n'entrerez pas au Royaume des Cieux. » Puissiez-vous ressentir une complète confiance qui n'éprouve aucune nécessité de se méfier, d'avoir peur ou de se protéger.

Enfin, « une intense impulsion à vouloir rendre l'autre heureux » : trouver son bonheur dans le bonheur de l'autre. Si cette impulsion est réciproque, si chacun trouve son bonheur dans le bonheur de l'autre, les deux sont évidemment comblés.

*
**

Si vous êtes un peu habitués à cet enseignement, vous sentez que ces critères si simples, si vrais et si complets à eux cinq, ne sont pas une petite chose et que la présence même du mental, des projections de l'inconscient, de la vulnérabilité émotionnelle, de la peur, vont à l'encontre de ces critères. Et la vérité, c'est que, sauf rares exceptions, un couple durable ne peut unir que deux êtres humains suffisamment adultes. Il y a des couples qui ont été heureux, certainement heureux, et dont pourtant l'homme et la femme n'étaient pas pleinement adultes, donnaient des signes d'infantilisme dans d'autres domaines ou même dont les infantilismes se complétaient bien, des couples névrotiques dont les psychologues et les psychanalystes ont si peur que l'analyse les détruise — puisque ces couples sont faits de la correspondance de deux névroses. Seulement de tels couples ne peuvent pas constituer un Chemin de croissance, d'épanouissement.

Pour « faire », dans quelque domaine que ce soit, il faut « être ». On ne peut pas faire au-delà de ce qu'on est. Si vous êtes un nageur, vous pouvez nager; si vous n'êtes pas un nageur, vous ne pouvez pas nager. C'est vrai aussi sur des modes plus subtils. Une des grandes illusions de l'être humain est de tenter de changer sa manière de faire sans changer son être. Vous ne pouvez pas changer votre manière de faire sans changer votre être mais vous pouvez au moins changer, ne serait-ce qu'un peu, votre être, et votre manière de faire en sera inévitablement modifiée. Pour changer son être, il faut d'abord comprendre et se comprendre. Vous ne changerez pas ce que vous n'avez pas vu, ce que vous ne connaissez pas et que vous n'avez pas compris.

Autrement dit, un commencement de maturité sur la Voie, un commencement de sagesse, un peu moins d'infantilisme, un peu moins de vulnérabilité émotionnelle sont nécessaires pour réussir une vie à deux. Et l'illusion, que certains ont traînée toute leur vie, c'est de croire que les choses vont changer si eux ne changent pas, de croire qu'il sera possible de réussir une vie de couple comme on la rêve, tout en restant mené par son mental et ses émotions.

Celui ou celle qui attache encore de la valeur à l'amour et qui, jusqu'à présent, a été déçu par l'existence peut se demander sérieusement : est-ce que cela ne tient pas à ce que je suis, par conséquent à la manière dont je suis contraint de m'exprimer dans la relation amoureuse ? Il y a de véritables névroses d'échec conjugal qui conduisent à reproduire indéfiniment les mêmes comportements. J'ai vu certaines personnes, depuis dix ans maintenant, accomplir exactement les mêmes erreurs, presque d'année en année. Chaque année c'est un autre partenaire ; chaque année c'est un échec et les schémas de réaction sont identiques.

Pour que ces cinq critères soient réunis, il faut que vous ayez déjà dépassé les plus grossières de vos émotions. Celui ou celle qui est animé non pas par le désir de la réussite professionnelle, du succès ou de l'argent mais par le désir de rencontrer l'amour, le vrai, celui qui dure, doit comprendre que la première démarche c'est de changer suffisamment pour être digne de cette rencontre. Il faut se préparer. Autrefois l'éducation vous préparait, la société vous préparait. Les conditions étaient beaucoup plus favorables. Aujourd'hui, nous sommes dans une époque de destruction et de désintégration prévue il y a deux mille ans par le *Vishnou Purana* qui, dans un passage célèbre, dit entre autres : « le jour où les castes seront mêlées et où la famille elle-même sera détruite ».

Vous avez à reconnaître que vous avez été mal préparés pour être un homme en face d'une femme et une femme en face d'un homme. Et tant que vous vous contenterez d'espérer trouver l'amour sans vous changer vous-mêmes, vous irez d'échec en échec. Que vous est-il donc d'abord demandé ? Un surcroît de sérieux, de vigilance dans votre tentative de vous comprendre et devenir libres de vos comportements mécaniques. L'ensemble de ce que nous appelons l'Enseignement de Swâmiji, tel que je le partage avec vous au fil des jours, vous prépare à réussir la relation concrète d'un être humain particulier avec un autre être humain particulier.

La relation de couple, comprise à la lueur de ce que nous appelons ici « le Chemin », devient en elle-même un yoga. Un yoga qui peut être complété par la relation parents-enfant. Il y a certainement un yoga de père et un yoga de mère.

Et, à cet égard, l'expression qui, pour moi, a dominé toutes les paroles que j'ai entendues sur ce thème de la bouche de Swâmiji, c'était ce *to grow together* : « croître ensemble ». D'abord l'un par l'autre et l'un en face de l'autre. C'est-à-dire ne pas oublier que si, en essence, l'homme et la femme sont tous les deux « l'être humain », dans la manifestation l'homme est masculin, la femme est féminine et il y a une différence.

Récemment, un correspondant m'a envoyé un important article du journal *Le Monde* sur les derniers travaux de la physiologie du cerveau, précisant qu'une découverte faisait maintenant autorité dans les milieux scientifiques et contredisait ce qu'on avait considéré comme scientifique ces trente dernières années, à savoir qu'il y a une différence indiscutable entre le cerveau de l'homme et le cerveau de la femme, sans que le cerveau de l'homme prouve une supériorité sur celui de la femme ou inversement.

Si l'homme doit redécouvrir en lui la dimension féminine de la Réalité, si la femme doit découvrir et épanouir en elle la dimension masculine de la Réalité, l'homme n'en est pas moins essentiellement masculin et la femme essentiellement féminine. Découvrir et comprendre LA femme à travers sa femme est en soi, pour l'homme, une Voie de croissance intérieure. La beauté d'un couple est la complémentarité. Nous sommes loin d'une passion amoureuse sans suite. Un yoga à deux prend du temps.

Par la vigilance, il est possible de voir les réactions de non-adhésion à ce qui est, de refus, de jugement et, peu à peu, d'élargir son être à la dimension de son époux ou de son épouse et d'enrichir sa compréhension de tout ce qu'une femme peut apporter à un homme et de tout ce qu'un homme peut apporter à une femme. Il s'agit d'admettre que l'homme peut enseigner beaucoup à la femme et que l'homme peut beaucoup apprendre de la femme.

A cet égard, la tradition hindoue est magnifiquement éloquente. Il existe de nombreux textes plus ou moins techniques ou allégoriques montrant comment le mari est le gourou de son épouse et la femme le gourou de son mari. Mais soyez certains que, si les cinq critères de Swâmiji sont réunis, tout le reste vous sera donné par surcroît. Vous sentirez vous-même que votre être évolue, se transforme, devient plus compréhensif grâce à l'accueil de la nature féminine — ou masculine — d'un être humain bien défini à qui vous avez choisi de vous unir.

Un homme qui n'a pas pu épanouir en lui la dimension féminine de l'existence est un homme incomplet ; une femme qui n'a pas pu accomplir en elle la dimension masculine de l'existence est une femme incomplète.

Il ne suffit pas de considérer : « nous nous complétons parce que moi je suis masculin et elle est féminine et nous reconstituons l'androgyne originel ». Le Chemin du couple va plus loin. Ce n'est pas seulement : « je demeure un homme, elle demeure une femme et à nous deux nous nous complétons ». Non. C'est par elle que j'atteins la plénitude de l'état humain ; par elle je fais grandir en moi, je comprends, j'épanouis en moi toutes les vertus féminines. C'est par lui que je deviens l'être humain dans sa totalité ; par lui j'accomplis, je perfectionne, je mène à leur achèvement en moi les vertus masculines. Chez chaque être humain, tout est en germe, à l'état latent. Mais tout ne vient pas à maturité. C'est un point auquel nous avons été trop peu amenés à réfléchir dans un monde où l'on nous parle surtout de conflit entre les hommes et les femmes, de société phallocratique, d'émancipation de la femme, et beaucoup moins de cette pleine stature de l'homme ou de la femme.

Dans un couple comme j'en ai connu surtout en Inde, à la mort du mari ou à la mort de la femme, celui qui demeure paraît s'épanouir encore plus. Voilà un point qui m'a surpris.

Au début d'un de mes anciens films pour la télévision, on voit un homme d'affaires dans son bureau à Bombay, puis dans la petite pièce consacrée de son appartement, la *puja-room*, la chapelle privée, célébrant le culte conjointement avec son épouse. Ils n'étaient ni très jeunes ni très beaux et on ne les aurait sûrement pas choisis pour jouer Tristan et Iseult dans un film mais pour moi, qui avais vingt ans de moins qu'eux, ils incarnaient la réussite dans ce domaine.

Certains amis m'avaient même dit : « Si sa femme meurt avant lui, Vasudeva sera perdu tellement ils vivent en osmose l'un avec l'autre. » Or, quelque temps après mon retour en France, j'apprends que cette femme vient de mourir et, quelques mois plus tard, son mari m'écrit qu'il se rend en France pour ses affaires. C'était un Hindou très pieux, que je rencontrais aussi souvent à l'ashram de Ramdas qu'à celui de Mâ Anandamayî mais c'était également un businessman. Je m'attendais à l'accueillir blessé, amputé de celle qui paraissait son âme, sa vie, et je le vois sortir de la douane à Orly particulièrement souriant, épanoui et presque rajeuni. Dans la voiture nous avons parlé de Mâ Anandamayî, de Ramdas, des dernières nouvelles des ashrams, puis, arrivés à l'appartement, j'ai commencé : « Alors, vous revoilà à Paris... » et il a rétorqué : « Oui, enfin pour la première fois je peux emmener ma femme en France et faire le voyage avec elle. »

J'ai eu un moment de gêne et j'ai pensé qu'il déraisonnait tout doucement : il doit être toujours normal dans son usine mais, en ce qui concerne sa femme, ce si grand amour brisé, il n'a pas pu le supporter. Je me trompais complètement. Il a poursuivi : « Oui. Vous connaissez ces stupides règlements indiens qu'on ne peut tourner que par la corruption et je ne m'y abaisserai pas : on ne donne de visa pour l'étranger à une Indienne que pour raison d'affaires ou pour raison médicale. Or je n'ai pas besoin de ma femme dans les affaires et elle n'a pas nécessité de se faire opérer par un chirurgien londonien; je n'ai donc jamais pu l'emmener en voyage avec moi lorsque je suis venu en Europe. Chaque fois, je sentais : elle n'est pas avec moi, elle est restée à Bombay. Et maintenant, eh bien elle n'est plus à Bombay. Elle n'est plus "à Bombay il y a trois semaines", "à Bombay dans un mois quand je reviendrai", elle vit en moi. C'est la première fois que je sens que je l'emmène à Paris, que je ne suis plus séparé physiquement, et c'est la première fois que j'ai le sentiment de faire le voyage avec elle. » Paroles parfaitement sensées. Ce qui avait d'abord été extérieur à lui, sous la forme physique de cette épouse, il l'avait intériorisé.

J'ai vraiment compris Vasudeva le jour où j'ai entendu au téléphone, au Bost, en octobre 1974 : « Swâmiji est mort. » Autrefois, Swâmiji était soit au Bengale soit à Ranchi (où on l'emmenait pendant la mousson) et il était « en juin dernier », « en janvier prochain ». A l'instant même où j'ai appris sa mort, il n'était plus ni au Bengale, ni à Ranchi, ni en janvier dernier, ni en juin prochain. Depuis, Swâmiji est partout où je suis, Swâmiji ne me quitte plus. Tout ce qu'incarnait Swâmiji et que je ressentais extérieur à moi, je l'ai ressenti en moi. Je pourrais dire aujourd'hui : ce n'est plus moi qui vis, c'est Swâmiji qui vit en moi. Mais comme Swâmiji n'était pas un autre que moi, ce n'est pas une aliénation, au contraire. C'est enfin moi qui vis en moi et non plus un faisceau d'émotions et de projections.

La mort de Swâmiji m'a fait comprendre la parole de Vasudeva. Ce mari et cette femme tellement unis, qui incarnaient avec les rides de l'âge la perfection du couple, voilà qu'au moment où la mort brise ce couple, rien ne manque à Vasudeva et tout ce qui avait d'abord été extérieur à lui est maintenant intérieur à lui. Il est devenu à lui seul la totalité des deux.

« Croître ensemble », ce qui n'est possible, soyez-en certains, que si ces cinq critères sont réunis, c'est aussi croître ensemble dans la relation avec les autres. Nous seulement nous et les autres, les autres et nous, les autres seulement. Le couple véritable ne peut en aucun cas être ce qu'on appelle en français l'égoïsme à deux.

Or c'est un risque. S'il demeure tout-puissant, l'enfant frustré en nous, qui a tellement besoin d'être aimé, nous condamne à l'égoïsme à deux. Je veux que mon épouse s'intéresse à moi et je suis jaloux de tous ceux dont mon épouse s'occupe — et inversement : je veux que mon mari s'occupe de moi et je suis jalouse de tous ceux à qui mon mari se consacre. Un père qui n'a pas atteint la plénitude de l'état adulte peut être jaloux de son premier enfant, surtout si c'est un fils. Jusqu'à présent sa femme n'a vécu que pour lui et il semble qu'elle ne vive plus maintenant que pour le bébé. C'est insupportable à la plupart des hommes qui, consciemment ou non, haïssent, en même temps qu'ils l'aiment, leur premier enfant. Cette haine prend parfois le dessus et un père peut être d'une totale injustice et d'une incompréhensible dureté avec son fils aîné. Swâmiji me l'avait affirmé et le destin m'a donné l'occasion de le vérifier d'une manière éclatante depuis que je suis au Bost.

Tant qu'un homme demeure fondamentalement infantile, il a besoin de sentir qu'il est tout pour sa femme, comme le petit enfant est tout pour sa maman. Des couples qui auraient pu se développer et croître ont été détruits par cet infantilisme. Moi, moi, moi, moi. Non : nous et les autres, les autres et nous. C'est tout à fait différent. Aimer les autres à travers sa femme, aimer les autres à travers son mari, élargir cet amour à la dimension de l'amour universel.

Un des familiers de notre ashram a eu le courage de faire un jour une remarque profondément juste : « Tant que je cherche à attirer l'amour d'une femme, à la conquérir, je me conduis d'une manière parfaitement normale ; peu d'émotions, assez bien situé en moi-même, relativement adulte. Mais quand cette femme qui m'attire m'a dit "oui", a répondu à mon amour, prononcé les mots "moi aussi" ou "je t'aime", inévitablement et malgré moi je deviens infantile, accumulant les erreurs. Comment est-ce possible ? J'ai gâché peut-être trois amours dans ma vie et je suis en train d'en gâcher un quatrième. »

J'ai pu lui montrer le mécanisme très simple mais si puissant de l'enfant en nous. Tant que la femme ne lui a pas dit « oui », elle ne représente pas encore ce qu'il cherche, cette relation exclusive du petit enfant avec la maman qui ne vit que pour lui. Elle est une autre, elle est une femme, lui est un homme et il cherche à la séduire, à la convaincre. Mais, dans le fond de l'inconscient subsiste cette demande de l'enfant qui veut retrouver la relation exclusive avec sa mère ou peut-être de l'aîné qui avait été détrôné par le petit frère et qui recherche partout le royaume dont on l'a exilé. A l'instant même où pour la première fois la femme dit « oui », il atteint le but et c'est immédiatement cette attitude d'enfant qui prend le dessus. Elle m'aime signifie : elle ne vit plus que pour moi. Mais naturellement une femme qui aime un homme n'a pas l'intention d'être la mère d'un enfant d'un an et demi. Alors, *ça* marche mal, *ça* se gâche, *ça* se détruit. J'en ai eu bien des exemples sous les yeux. Et quand j'ai regardé ma vie passée à la lumière de l'Enseignement de Swâmiji, j'ai vu que je n'avais pas à chercher loin les exemples de ce mécanisme.

Quand un homme veut que la femme ne vive que pour lui et une femme veut que l'homme ne vive que pour elle et qu'on appelle ça le grand amour, c'est un grand amour condamné à périr à brève échéance. Quand l'homme et la femme ensemble s'ouvrent au monde, s'ouvrent aux autres, quand l'homme peut trouver sa joie à sentir que sa femme va vers les autres avec amour, quand la femme peut trouver sa joie à sentir que son mari va vers les autres avec amour, alors le couple est destiné à grandir, alors il ne peut plus être ravagé par les émotions.

Cela n'est pas facile — simple mais pas facile. Moi-même j'ai accumulé les erreurs ; j'ai souffert, j'ai été déçu, je me suis senti trahi, j'ai fait mal, j'ai appris, j'ai progressé. Et puis j'ai vu, depuis dix ans, des hommes, des femmes, plusieurs, espérer longtemps, croire avoir trouvé et souffrir. J'ai vu les mêmes lois à l'œuvre — et les mêmes erreurs, je vous dirai simplement ceci : si vous attachez de la valeur au couple et à l'amour, alors que ce soit un stimulant de plus pour mettre en pratique tout ce que vous avez entendu et compris de l'enseignement si complet et si concret que nous a légué Swâmi Prajnanpad.

9

LE COUPLE

Je vais continuer aujourd'hui à parler avec vous du couple et de l'amour conjugal. Si c'est pour dire ce que vous pouvez lire dans les innombrables livres de conseillers conjugaux ou de psychologues, vous n'avez aucun besoin de venir ici. Et si je vous tiens un langage différent, il sera difficile à entendre pour vous, Occidentaux, parce qu'il est l'émanation d'une autre mentalité que la vôtre, d'un autre monde, d'une autre société. Nous en sommes si loin que je me demande dans quelle mesure il vous est vraiment possible d'essayer, aux différents âges de votre vie, de faire passer ces vérités dans la pratique. Les jeunes, ceux qui ont encore leur avenir conjugal devant eux, peuvent se sentir plus concernés. Les plus âgés verront peut-être plus clair dans leur existence et la manière dont leur vie de couple s'est déroulée. Bien sûr, la perspective sera celle du Chemin, du dépassement de la dualité, de l'effacement de l'ego — ces vérités avec lesquelles vous devenez, je l'espère, un peu plus familiers.

En Inde, le mariage est considéré comme une

fonction essentielle. Le mariage et le couple tiennent, dans la société hindoue, une place beaucoup plus importante que dans la société occidentale contemporaine où beaucoup de gens vivent ensemble sans être mariés et où les divorces deviennent chaque année plus nombreux.

Le mariage, pendant des siècles, a été célébré religieusement. La laïcité est un phénomène récent dans le monde occidental. Mais le mariage n'a pas en Europe un caractère aussi sacré qu'il l'a en Inde. Certes, saint Paul a comparé l'amour de l'homme pour la femme à l'amour du Christ pour son Eglise. Mais on ne voit pas directement que le mariage soit une voie spirituelle alors qu'en Inde, cela ne fait aucun doute, c'est un Yoga. D'un autre côté, il n'est pas question pour nous d'imiter en tous points la société hindoue et je n'ai pas l'intention de faire aujourd'hui une conférence académique sur l'amour selon l'Hindouisme.

Dans la perspective de l'effacement de l'ego, l'effacement de la dualité, la réunion de l'élément masculin et de l'élément féminin — des deux polarités —, joue un rôle, vous le savez, fondamental. Un homme et une femme mariés ne peuvent plus dire « ma » maison mais « notre » maison. C'est donc, par ce passage de *moi* à *nous,* une première étape vers l'élargissement de l'ego et vers la diminution du sens de la séparation, puisque « l'ego », c'est le sens de l'individualité séparée, coupée du reste de la manifestation. La parole que vous m'avez si souvent entendu dire à propos de nos enfants :

non pas « c'est mon fils » mais « je suis son père », elle est d'abord vraie pour l'époux et l'épouse. Non pas « c'est ma femme » mais « je suis son mari ». Non pas « *j'ai* une femme » mais « *je suis* un mari ». Seulement, il ne faut pas qu'une telle parole soit seulement des mots ! Et dans quelle mesure pouvez-vous la vivre ?

Un point de vue est celui de l'amour : je suis sa femme, mais l'autre point de vue est celui de la possession : c'est mon mari, c'est ma femme, j'ai un mari, j'ai une femme. Or nous ne distinguons guère l'amour et la possession, les confondant généralement tous les deux comme amour, alors que ce sont deux perspectives inversées. Il est difficile que ce point-là soit clair pour ceux qui portent en eux trop de demandes, de peurs et d'infantilisme douloureux.

En français, le langage nous rend plus difficile de nous expliquer sur ce thème parce que le même mot « femme » désigne tantôt la femme, c'est-à-dire l'être humain de sexe féminin, tantôt l'épouse. Alors, si vous le voulez bien, j'emploierai le mot « femme » pour désigner l'être humain de sexe féminin et le mot « épouse » pour la compagne, la partenaire dans le couple. De même, l'homme et le mari, l'époux.

Avant le mariage, un jeune homme ou une jeune femme — non que l'on ne puisse pas se marier à quarante ans ou à cinquante ans, mais je parle du cas le plus classique — vivant encore seuls ont eu comme vie de relation surtout une relation d'enfant avec leurs parents et de frère et sœur dans la famille, puis d'ami, d'élève, d'étudiant. Mais c'est une relation bien plus profonde, tout à fait nouvelle qui va commencer maintenant.

En vérité, cette parole : « *J'ai* une épouse » ou bien « *Je suis* un mari », s'applique à toutes les relations. Toute relation peut être vue de mon point de vue à moi et l'autre doit répondre à mon attente, doit me satisfaire, ne doit pas me décevoir, ou au contraire, c'est moi qui suis pour l'autre, qui essaie de le comprendre, qui essaie de voir ce que je peux pour lui. Tenter de faire sentir à des enfants cette perspective non égocentrique est déjà le commencement de l'éducation. Dans quelle mesure l'éducation peut-elle permettre à un enfant d'avoir une attitude moins égocentrique vis-à-vis de ses frères et sœurs, vis-à-vis de ses père et mère et vis-à-vis du monde dont le cercle s'élargit peu à peu ? Le cercle d'intérêt d'un enfant commence avec uniquement Maman, comme bébé, puis Maman et Papa, puis Maman, Papa, le reste de la famille, et puis on sort de la famille. Et maintenant va commencer une étape nouvelle.

Mais pour l'instant, la jeune fille est encore une femme, elle n'est pas une épouse, et le garçon est encore un homme, et non pas un époux. Et le mariage devrait être la transformation d'une femme en une épouse et d'un homme en époux. Époux, c'est un *dharma,* c'est avant tout une question d'*être* dans la perspective hindoue — et je parle de la perspective hindoue dans ce qu'elle a de vrai, par conséquent d'universel. Un individu, un être égocentrique, devient une personne, insérée dans une relation, jusqu'à ce que cette relation elle-même soit dépassée par la découverte de la non-dualité. Mais la première étape, c'est le passage de l'individu égocentrique à la personne qui dépasse son égocentrisme, qui élargit le cercle de ses intérêts intellectuels et de ses intérêts émotionnels et qui comprend de plus en plus d'aspects de la réalité. Et la démarche normale, la grande *sadhana*, à cet égard, c'est cette rencontre de l'homme et de la femme qui, partant de l'attraction du mâle et de la femelle à tous les niveaux de la nature, en fait un phénomène proprement humain, une voie pour atteindre la pleine stature de l'Homme.

Donc deux individus qui ont commencé à devenir des personnes en étant frère et sœur comme enfants, fils et fille en grandissant, vont maintenant continuer à devenir des personnes et non plus des individus en unissant leur existence et leur être à un autre être complémentaire, le mari pour l'épouse et l'épouse pour le mari.

Il y a certainement une nécessité sociale dans cette institution, pour donner un cadre familial indispensable à la croissance et à l'éducation des enfants, de futurs adultes dont il faut tout de même tenir compte si on n'est pas complètement égoïste soi-même. Mais il y a aussi, comme je le disais, une institution sacrée, surtout en Inde où tout était sacré. Sauf, bien sûr, pour des êtres exceptionnels qui n'ont aucun besoin de se marier et qui entrent au monastère directement à l'âge de vingt ans, mais ce n'est pas le sujet de notre réunion.

Et là apparaît une notion difficile à comprendre aujourd'hui, une réalité de plus en plus éloignée de nos mœurs et de notre monde actuels. C'est la question de la fidélité conjugale. Même le mariage, tel qu'on l'a conçu en Occident, tel que la Chrétienté, pendant deux mille ans, nous l'a proposé à partir de certains versets des Évangiles et quelques paroles de saint Paul, était considéré comme reposant sur la fidélité. Pourtant, nous savons que cette fidélité a été souvent trahie. La littérature glorifie la femme mariée à un barbon ingrat, qui reçoit son jeune amant la nuit, ou inversement, a glorifié les conquêtes masculines du héros triomphant ou douloureux et on en est arrivé à considérer la fidélité conjugale comme une valeur de petit-bourgeois sans envergure. Je ne parle pas d'aberrations, de mariages d'intérêts dans une société pervertie, comme ceux que dénonce Molière. Mais la plupart des pièces de Musset reposent sur l'infidélité conjugale. Et cette notion de fidélité conjugale, hors le rêve d'un grand amour éternel qui peut faire battre votre cœur à vingt ans — ou plus tard — est rarement vécue et même rarement comprise. Nous avons soit l'exemple de l'infidélité conjugale soit celui de couples qui sont restés fidèles mais ne vous font pas envie parce qu'il ne s'agit que de deux destins parallèles, sans intensité ni profondeur.

Pourtant, cette exclusivité pourrait être ressentie non comme une limitation, une privation, une frustration au nom d'une morale qu'on nous impose du dehors, mais comme une richesse et comme une évidence. La fidélité n'est possible vraiment que si l'idée même qu'il puisse y avoir infidélité nous paraît impossible. Sinon, elle implique un certain aspect de discipline, de renoncement, de sacrifice, de répression qui ne nous laisserait ni unifié ni heureux.

Je ne dis pas : cette fidélité n'est possible que si jamais l'image ou l'idée qu'un autre homme peut vous plaire ou qu'une femme peut vous charmer ne doit traverser votre esprit. Je dis : si l'idée que cette attirance va être concrétisée vous paraît impensable, tellement en dehors de l'ordre des choses qu'il ne peut pas en être question.

Et je butais là-dessus, en essayant de saisir vraiment ce dont voulait parler Swâmiji, parce que cela devenait grave. Il ne s'agissait plus de se payer de mots. Je voulais comprendre quelle était la réalité de cet amour qui est supposé apporter tant de joies et qui sème tant de souffrances et de déceptions. Une comparaison m'est alors venue à l'esprit, qui ne peut venir qu'à l'esprit d'un Occidental et, qui plus est, d'un citadin, mais que Swâmiji avait approuvée. Elle va d'abord vous paraître, j'en suis sûr, étonnante, alors, avant de juger, écoutez-la l'esprit ouvert.

J'habitais alors Paris, j'avais comme tous les Parisiens des difficultés de parking et je cherchais dans toutes les rues avoisinant mon domicile où garer ma voiture. Il y a des centaines, des milliers de voitures dans Paris et pourtant j'ai dans ma poche les clefs d'une certaine voiture, et seulement celle-ci est la mienne. Certaines sont plus luxueuses ou plus rapides mais, si je ne suis pas un voleur, il ne me viendra pas à l'idée de m'emparer d'une autre voiture que la mienne.

En Inde, le jeune homme et la jeune fille sont souvent mariés par les astrologues, les gourous des deux familles et non selon leur choix mutuel. La jeune fille, depuis son enfance, s'est préparée beaucoup plus à être une épouse qu'à avoir un mari, le jeune homme à être un époux beaucoup plus qu'à avoir une femme et comprend : Voilà le conjoint que le destin, le karma, m'a réservé. Il n'est pas envisagé qu'il puisse y avoir autre chose. Le jeune homme peut bien voir qu'une femme joue mieux de la musique que son épouse ou qu'elle chante mieux, la jeune femme peut bien voir qu'un autre homme est plus beau physiquement que son époux mais la situation est comparable à celle de l'homme qui sait : « sur les milliers de voitures qui existent dans Paris, une seule est la mienne ».

La pensée d'une infidélité paraît incongrue. C'est seulement si cette exclusivité est aussi claire, aussi certaine, au départ d'une vie commune qu'une véritable relation conjugale profonde peut se développer. Avec l'arrière-pensée qu'éventuellement je pourrais un jour prendre une autre voiture que la mienne si j'en trouve une plus jolie rangée le long du trottoir, quelque chose est faussé dès l'origine.

J'ai beaucoup réfléchi à cette question. J'y ai réfléchi douloureusement parce que c'était ma vie d'homme incarné, avec mon mental, mes *samskaras,* mes *vasanas* et mon karma, qui était en cause, et je suis arrivé peu à peu, par une compréhension de plus en plus approfondie, à voir ce que Swâmiji essayait de me transmettre.

Ce sont donc un certain homme et une certaine femme qui se trouvent unis pour mener leur vie en commun et pour passer de Je à Nous. Vous n'êtes plus homme et femme, vous êtes époux et épouse. C'est un statut nouveau, un mode d'être nouveau. Si, dès le départ de cet amour, la perspective de la fidélité est évidente, non seulement il n'y a chez aucun des conjoints l'idée que lui-même puisse chercher ailleurs, mais aucune idée non plus que l'autre puisse le faire. Par le caractère « fatal » de la situation, une dimension nouvelle apparaît, que vous sentirez si vous dépassez la réaction qui se lève contre ce terme « fatal ». C'est fini. Vous êtes unis, vous ne pouvez plus vous disperser. Non par esclavage à des règles *mais au contraire pour vous permettre de gagner une liberté encore inconnue*. C'est ce que vous n'arrivez pas à comprendre. Ces apparentes contraintes sont toujours la promesse de la vraie liberté et notre prétendue liberté de mœurs actuelle conduit les hommes à être de plus en plus des esclaves de leurs émotions, de leur inconscient, de leurs tendances latentes, de leurs impulsions, de leurs glandes endocrines, de tout ce que vous pouvez recenser — et de leurs souffrances.

Cette fidélité absolue donne un grand sens à la gravité du *dharma* d'épouse ou d'époux. Si on a marié deux fieffés égoïstes qui se moquent éperdument du *dharma*, ce que je dis aujourd'hui n'a aucune valeur. Je ne parle pas des dégradations ni des caricatures de ce que j'essaie de partager avec vous mais d'une renaissance de la vie commune, dans la mesure où celle-ci est encore vivante et respectée.

Un sentiment très profond, me disait Swâmiji, naissait au moment même du mariage, né de toutes les convictions des deux conjoints : d'être une épouse pour cet homme qui est là et qui m'est donné, d'être un époux pour cette femme qui est là et qui m'est donnée. Si je suis un égoïste, elle m'appartient. Mais si j'ai le sens du *dharma*, si j'ai été éduqué selon la grande tradition, elle m'est attribuée et je lui suis attribué. « C'est à moi maintenant qu'est confié cet être et moi qui vais faire son bonheur ou son malheur, l'aider ou le détruire spirituellement. » Et, disait Swâmiji : « *At once love comes.* » « A l'instant même vient l'amour ». Je n'arrivais pas à comprendre cette phrase. Les mariés ne se connaissent même pas et, quand les cérémonies très complexes du rite du mariage hindou sont terminées et que ce jeune homme et cette jeune fille qui ne s'étaient peut-être jamais vus jusque-là sont face à face, « *at once love comes* », l'amour vient. Vous devinez que j'ai buté et réfléchi des heures entières à l'ashram sur cette affirmation. Faites comme moi, réfléchissez d'abord sur les mots jusqu'à ce que le feu de la compréhension s'allume en vous. Et Swâmiji disait encore : « Maintenant pour l'homme, il n'y a plus qu'une femme qui soit encore une femme », au sens de *female* (les mots mâle et femelle n'ont pas en anglais le sens péjoratif qu'a en français le mot femelle).

En tant qu'homme, il n'y a plus qu'un

homme qui soit « un homme » pour l'épouse, c'est son mari ; et en tant que femme, il n'y a plus qu'une femme qui soit « une femme » pour le mari, c'est son épouse. Toutes les autres femmes et tous les autres hommes se situent dans un *dharma* particulier. C'est « une sœur », c'est « une collaboratrice », « une infirmière », « une partenaire au tennis », « une journaliste qui m'interroge ». De même pour les mâles en face de la femme. Si les autres relations sont vécues de manière juste et consciente, ce sont des relations définies. Quand un pianiste joue du piano, il est pianiste mais, aussi célèbre soit-il, quand il nage il n'est plus un pianiste mais un nageur. A chaque instant nous sommes situés dans le temps, l'espace et la causalité. Toute femme que va rencontrer un mari et tout homme que va rencontrer une épouse seront toujours rencontrés selon un certain *dharma*, celui du moment.

A chaque instant, si la relation est vraie et non un n'importe quoi informe et mensonger, je ne peux plus voir les autres femmes comme « La Femme », l'éternel féminin, l'attirance, la séduction — et le vagin. C'est fini.

Voici un enseignement étonnant à entendre. C'est fini. Le regard de l'homme voyant la femme comme femelle s'arrête à une seule femme, une seule. Et tous les autres hommes ne sont plus des hommes, dans le sens de mâle, pour l'épouse. Je vous l'ai dit, nous avançons sur un terrain qui nous demande d'abord d'écouter ces étonnantes paroles sans réagir immédiatement.

Quelle liberté cela représente et quelle pureté des autres relations si l'arrière-plan mâle-femelle, séduction, attraction, désir, a disparu. Alors seulement la communion, la non-dualité devient possible dans chaque réunion, chaque rencontre. Je peux vraiment sentir ce qu'est une journaliste si je la ressens uniquement comme une journaliste qui m'interviewe : « un être humain » et non plus « une femme ». Par contre, l'épouse va représenter pour le mari toutes les femmes, toutes les possibilités féminines. Et cet homme va représenter pour son épouse toutes les possibilités masculines. Pour son mari, l'épouse est à la fois une mère, une fille, une sœur, une amie, une associée, une maîtresse, un témoin, un conseiller — et même un gourou dont je suis capable de recevoir certaines vérités qu'il m'est difficile d'entendre parce qu'elles remettent en question mon ego, mon monde et mon mental.

Toutes les richesses de la Femme se trouvent concentrées chez une seule femme et toutes les possibilités de l'Homme chez un seul homme. « Nous deviendrons tout l'un pour l'autre. » Dans la littérature épique de l'Inde, ou d'autres textes moins connus, on découvre d'admirables histoires de couples proposant à l'Hindou la perfection de l'Époux et de l'Épouse. Nous, nous sommes plus imprégnés des romans d'amour de Tristan et Iseult ou Roméo et Juliette que de récits glorifiant le *dharma* conjugal. C'est une grande différence culturelle.

Les demandes d'une femme, c'est à son mari d'y répondre. Et les attentes du mari, c'est à la femme de les combler. Si la femme est pour son mari une mère, une sœur, une fille, une amie, une associée, un gourou, elle est aussi une maîtresse. Dans une lettre en anglais traitant de ce thème, Swâmiji écrit : « une courtisane » et dans une autre lettre « *and a prostitute* ». Le terme est fort. Ce que l'homme peut imaginer de plus attirant en matière de sexualité, la femme la plus chaste doit être capable de jouer ce rôle pour son époux. Par contre, pour une épouse hindoue, l'idée qu'elle peut troubler sexuellement un autre homme serait inadmissible. Il y avait une grande chasteté dans l'Inde fidèle au *dharma*. Je l'ai vérifié en rencontrant de nombreuses épouses hindoues de tous les âges. Et bien entendu, ce que je viens de dire pour la femme est vrai aussi pour le mari.

Cette ramification des rôles se manifeste dans le concret. A chaque instant, dans un couple, c'est une relation ou une autre qui est en train d'être vécue. Si les « conditions et circonstances » permettent à l'homme et la femme d'avoir des relations sexuelles, à cet instant ils sont amant et maîtresse, avec tout ce qu'on peut mettre dans ces mots. Mais, si un mari dispute un match de tennis avec sa femme de l'autre côté du filet, ils sont joueurs de tennis, tennisman, tenniswoman, et non plus amant et maîtresse, ni frère et sœur, ni père et fille ou mère et fils. Toutes les relations possibles entre une femme et tous les hommes, entre un homme et toutes les femmes réunies dans le couple se vivent concrètement, à chaque instant de la journée, et chacune est alors pure, véridique et complète.

Le chirurgien qui opère est un chirurgien. Le chirurgien qui nage n'est plus un chirurgien mais un nageur. Le chirurgien qui marche est un promeneur. Il est très important de ne pas l'oublier pour comprendre la relation de couple. Ce sont des facettes différentes de l'existence, des modes d'être différents. Et c'est cette multiplicité, cette variété, qui fait la véritable richesse d'une vie de couple. Il n'y a pas une relation, la relation d'époux et d'épouse, une seule, mais dix relations se ramifiant en cent éventualités diverses. La fidélité ou monogamie est possible parce qu'il n'y a ni ennui ni frustration mais, au contraire, une richesse *infinie.*

Si vous visitez un musée avec votre épouse vous n'êtes, bien sûr, ni amant et maîtresse. Quelle relation vivez-vous ? Vous êtes deux amateurs d'art, deux partenaires dans cette activité particulière. Toutes ces relations, tous ces modes d'être doivent être vécus de manière parfaite, ici et maintenant. Nous retrouvons là un des grands obstacles sur le Chemin : n'être jamais parfaitement ici et maintenant et mélanger le passé, le futur, ce que j'aurais dû faire ce matin, ce que je ferai ce soir. Tout est confondu. Si, pendant votre voyage de noces, vous visitez un musée avec votre épouse, même si vous êtes jeune, fougueux et amoureux, vous êtes amateur d'art. Mélanger tout, c'est n'être plus rien, c'est ne plus *être.* A chaque instant, chaque relation dans le couple est particulière, originale, unique. Chaque situation de l'existence que vous vivez ensemble en compagnons, ici et maintenant, peut être vécue sans intervention du mental et sans confusion des *dharmas*. C'est ce mélange des situations qui ruine les relations de couple, en dehors même des forces névrotiques qui font que des êtres incapables de s'entendre ont été attirés par une fascination quelconque, en dehors du fait qu'il n'y a plus de structures intérieures chez les prétendus adultes d'aujourd'hui. Au bout de quelque temps, la lassitude vient, l'intensité qu'on a espérée est tombée et chacun commence à regarder en dehors du couple.

Un jeune homme et une jeune femme sont convaincus qu'ils s'aiment, c'est le grand amour, c'est pour toujours, ils viennent d'être mariés et ils partent en voyage de noces. Et c'est déjà pendant ce voyage que le couple sera détruit potentiellement, ruine qui s'accomplira en quelques années, qui conduira soit au divorce, soit à vieillir ensemble sans aucune ferveur mutuelle — ou, au contraire, que deux existences entières s'engageront dans la voie juste. A condition qu'il y ait ce minimum de forme, de structure, d'unification, de présence au Ici et Maintenant, qui permettra aux deux époux, au lieu d'être emportés par leur fascination amoureuse mutuelle, de demeurer justes dans la réalité de chaque moment, d'accomplir ensemble les *dharmas* de la journée d'instant en instant. Quand on prend le petit déjeuner, qu'est-ce qu'on est ? Amant et maîtresse ? Non, sûrement pas. On est un consommateur qui prend son petit déjeuner. « Ah ! je ne suis pas allé en voyage de noces pour prendre des petits déjeuners, j'en ai pris toute ma vie. » C'est là où vous vous trompez. Puissiez-vous prendre vraiment votre petit déjeuner avec, en face de vous, un compagnon ou une compagne qui prend lui aussi de façon parfaite son petit déjeuner. Vous êtes *ensemble,* homme-femme, mâle-femelle, et plus ce petit déjeuner aura été pris de façon parfaite par chacun, plus un miracle commencera à se préparer, oui un miracle par rapport à la vie ordinaire des amoureux. Une heure plus tard, vous faites des courses dans un magasin (je choisis à dessein des activités médiocres, simples, banales). Vous êtes un client, la femme à vos côtés est une cliente. Soyez véritablement clients ensemble. Si ces petites situations de l'existence pouvaient chaque fois être vécues de façon parfaite, ce serait pour ce couple une révélation, une découverte inattendue et, en quelques jours, l'émerveillement d'une richesse de relation insoupçonnable.

Malheureusement, l'habitude d'être toujours l'esclave des impulsions et des émotions fait que tous ces moments, tous ces rôles qui composent une journée, font la réalité de la vie à deux et sont chaque fois l'expression de la Réalité Suprême, tous ces rôles sont mélangés. Voilà où est l'erreur.

Sur sa palette, un peintre a pressé un peu de carmin, un peu de vermillon, de bleu de cobalt, de brun Van Dick, d'ocre, de terre de Sienne, de vert Véronèse. Si je m'amuse à tout mélanger ensemble et à tout barbouiller, comme le font la plupart des gosses, il n'y a plus qu'une unique couleur qui a perdu le brillant des autres, un gris terne, sale, mort. C'est ce que font trop souvent les couples qui croient s'être trouvés et se disent en tremblant : « Je ne suis né que pour te rencontrer, c'est toi que j'attendais depuis toujours. » Au bout de peu de temps, il ne demeure que des habitudes, tant ce mélange a vite appauvri l'immensité de richesse de toutes les relations possibles. Même si vous êtes malade, réellement malade, avec une très forte température et que votre compagne vous soigne, la voici infirmière — et inversement. Si vous pouviez bien jouer ensemble le rôle de l'infirmière et celui du malade, ce serait encore un enrichissement de votre palette.

Certes, un peintre peut bien mélanger certaines couleurs. Mais il le fait consciemment. Ou alors c'est un génie de la peinture abstraite, comme le fameux âne Boronali qui barbouillait les toiles avec sa queue et avait eu grand succès dans un des salons de l'époque. Un peintre peut bien mélanger certaines couleurs de manière voulue et un être capable d'une certaine tenue intérieure peut, dans cette relation du couple, faire délibérément certains rapprochements de rôles qui ont leur valeur.

⁂

Essayez de vous représenter simplement ce voyage à deux. Ou il est vécu par deux machines que mènent leurs impulsions, ou bien il est vécu par deux êtres plus conscients, plus vigilants. Vous voyez que, finalement, la totalité de ce que nous appelons « l'Enseignement » ou « le Chemin » est une préparation à cette rencontre entre un homme et une femme. Et si notre éducation a été insuffisante, mal accomplie par un père et une mère que leurs propres frustrations amenaient à négliger leurs enfants, si nous n'avons pas rencontré un gourou, que va-t-il se passer ? Faute de compréhension, vous ne le savez que trop, le jeu de l'action et de la ré-action.

Ce couple que j'imagine en voyage peut être très amoureux. Mais il se peut aussi que, dans cet amour, il y ait une grande part de fascination, de compensation et, simplement, que deux névroses s'ajustent bien. Il y a une manière d'être « follement amoureux » qui n'est qu'une réaction à des situations psychologiques, à des chaînes de causes et d'effets préalables. Et, si on se laisse emporter, la réaction inverse sera inévitable. Si vous entraînez trop loin sur la droite un balancier, dans son propre élan il ira aussi loin sur la gauche. C'est une loi, autant vaut le savoir et ne plus l'oublier. Et quand le balancier va dans l'autre sens, inévitablement, les deux amants sont désemparés. Leur rêve de perfection se brise. C'est la déception, la blessure douloureuse, le reproche à l'autre et le jeu implacable des émotions qui se heurtent, comme des boules de billard sont projetées là où le veut le joueur — non où elles ont voulu.

Toutes les lois concernant les émotions, heureuses ou malheureuses, s'appliquent à la vie de couple et à la rencontre de l'homme et de la femme. Et certaines vérités ne doivent pas être oubliées. Quelle que soit la correspondance entre deux êtres et même si un astrologue, en comparant leurs horoscopes, déclarait qu'ils sont faits l'un pour l'autre, il n'y a pas d'alter ego. Par nature, au départ de notre rencontre, de notre relation, l'autre est différent de moi. Il vit dans son monde et moi je vis dans mon monde à moi.

Si je ressens trop : « j'ai une femme, c'est ma femme, elle est pour moi », inévitablement j'attends d'elle un certain comportement que la meilleure des épouses ne peut pas assumer. Elle ne peut pas être en tous points identique à moi. Et inversement. Il faut donc être très vigilant à cet égard et se souvenir : « l'autre est un autre ». « S'il y a deux, deux sont différents. » Aucun « je t'aime, nous nous aimons » ne peut effacer cette loi. Inévitablement, mais cela n'a rien qui doive vous dérouter, sur certains points l'autre ne correspondra pas à ce que seraient les demandes et les attentes de votre ego.

Si vous vivez cette situation installé dans votre ego et attendant la satisfaction de cet ego, elle est condamnée dès le départ. Revenez à cette vérité : pas « c'est *ma* femme » mais « je suis *son* mari ». « Je suis Un avec elle. » Vous éviterez le poison des émotions, des déceptions, des frustrations. Bien entendu, il est impliqué que cette attitude joue dans les deux sens. C'est simplement l'application de l'Enseignement de Swâmiji à une situation particulière, celle du couple. Mais c'est aussi une vérité à laquelle le mental le plus malin ne pourra pas échapper. Et ce n'est pas le mental, même le plus malin, qui gagnera.

Je me souviens combien j'ai été surpris un jour en causant avec une petite fille hindoue typique dans une famille hindoue typique. Cette enfant parlait bien anglais et m'appelait « *Uncle* » comme cela se fait en Inde où tout homme qui entre dans la famille est appelé oncle par les enfants, afin que ceux-ci établissent tout de suite une relation personnelle avec le nouveau venu. Eh bien, cette petite fille de dix ans à qui *Uncle* avait demandé ce qu'elle voulait faire plus tard a commencé à m'expliquer : « Plus tard, quand je serai une épouse *(when I shall be a wife)...* » Je ne connaissais pas encore Swâmiji mais je venais déjà de sentir quelque chose d'étonnant. Ce n'était pas : « Plus tard, quand *j'aurai* un mari, il m'emmènera au restaurant, il m'emmènera dans son auto », mais « *When I shall be a wife* » (quand je *serai* une épouse). Et elle commence à me raconter ses rêves et que quand son mari sera fatigué elle lui massera les jambes... J'étais troublé, remué. Qu'est-ce que je suis, moi ? De quel monde suis-je le produit ? Qu'est-ce que je ressens, moi, à côté de cette petite fille qui m'explique : « quand je serai une épouse, quand je serai une mère ». C'est une autre préparation que de rêver : « Quand j'aurai un mari, tout ce que ce mari va faire pour moi. »

Il est juste que ce sentiment d'être et non d'avoir, qui n'est pas la possession mais l'amour, ait grandi peu à peu chez deux adolescents pour les préparer à vivre, homme et femme, une relation juste. Non pas vouloir toujours que l'autre soit un avec moi, mais essayer, moi, d'être un avec l'autre. De cette manière, *la* relation, faite *des* relations de chaque instant, peut devenir vraiment harmonieuse.

La plupart des époux indiens sont engagés dans la Voie religieuse et connaissent certaines vérités concernant la transformation intérieure, la recherche de l'*Atman* ou de Dieu. Leur relation est non seulement juste au point de vue humain, mais elle est aussi enrichie de la dimension spirituelle. Le mariage a été considéré comme un aspect important de la vie religieuse et la femme est appelée à jouer un rôle important dans la vie rituelle du couple hindou. Un des nombreux noms sanscrits désignant le mari et la femme est : « partenaires dans le *dharma* ». Qu'est ce *dharma* hindou ? L'ensemble d'une existence incluant la dimension du sacré, la célébration de rites domestiques, le séjour auprès de sages, le pèlerinage, le *satsang*, c'est-à-dire la compagnie de chercheurs de Vérité. La plus profonde relation d'époux à épouse ne peut être vécue que dans ce cadre religieux, non un cadre de bigoterie mais de croissance intérieure, d'éveil, d'approfondissement, de chemin vers l'expérience mystique et la Libération.

Si cette dimension religieuse et la distinction des *dharmas* à chaque instant sont vécues de façon juste, la relation de couple prend très vite une richesse, une qualité et une profondeur dont chacun des conjoints sent enfin que cette richesse ne va pas s'appauvrir, cette qualité ne va pas s'affadir et cette profondeur ne va pas montrer son fond. Cette relation, loin d'aller vers la répétition, l'usure, la familiarité qui lasse, ne peut que progresser. C'est ou l'un ou l'autre. Ou bien l'amour diminue, se dégrade, ou bien il s'enrichit. Rien n'est statique dans le monde phénoménal, le monde du devenir. L'époux et l'épouse éprouvent intensément la richesse de la vie qu'ils mènent ensemble avec ce sentiment d'être deux compagnons. Une existence est faite d'une série de situations, jour après jour, du matin au soir. Il n'y a rien d'autre. Comme le Chemin de la sagesse, l'amour ne se vit que dans le particulier et jamais dans le général, dans le petit déjeuner partagé ou les courses en commun à Prisunic.

Je ne m'étendrai pas sur l'aspect rituel propre à l'Inde, l'importance que l'Inde donne aux rites et les rites célébrés ensemble par les époux. Mais vous pouvez bien comprendre, même en France, si vous êtes engagés sur une voie d'évolution, l'aide que peut représenter pour vous l'épouse ou l'époux dans la mesure où il ou elle joue pour vous ce rôle de gourou. Si la confiance mutuelle est parfaite, l'ouverture complète à l'autre devient possible, sans protection inconsciente ni peur. Après la relation avec le gourou, c'est seulement la relation de l'homme et de la femme qui peut être aussi riche et aussi parfaite ou peut le devenir peu à peu. Et, à part le gourou, il n'y a que la compagne en face de qui l'homme peut avoir le courage de se montrer tel qu'il est, que le mari en face de qui l'épouse peut avoir le courage de se montrer telle qu'elle est, en sachant : « Je ne serai pas critiquée, je ne serai pas repoussée, je serai aimée, comprise, aidée. »

Swâmiji m'a fait remarquer que, même dans un pays prude et chaste comme l'Inde, le mari et sa femme se mettent entièrement nus physiquement l'un devant l'autre. Ils ne se dissimulent plus rien, y compris les parties du corps qui sont cachées en Inde où une femme ne montre jamais ses jambes, au plus ses pieds, à peine ses chevilles et, sauf quand elle fait sa toilette dans une rivière ou un bassin, ne défait pas ses cheveux pour un autre homme que pour son mari. S'il est important de se montrer entièrement nu à son mari ou à sa femme, la nudité du corps subtil devra être aussi totale. Un couple véritable se met nu, l'un en face de l'autre, non seulement physiquement mais psychologiquement. Et l'époux véritable doit pouvoir assumer avec amour le monde émotionnel de sa femme.

Si vous ressentez « c'est ma femme » ou « c'est la femme que j'aime », il est insupportable qu'elle ait des émotions. Si vous ressentez « je suis son mari », ou « je suis l'homme qui l'aime », vous pouvez, au contraire, l'accepter. Et inversement. Dans une union juste, vous n'avez pas besoin de cacher ce qui vous fait mal, ce qui vous fait de la peine et, même si vous ressentez en face de votre conjoint une émotion dont vous n'êtes pas spécialement fier, il — ou elle — peut le comprendre. Si vous ne lui imposez pas un infantilisme permanent, puissiez-vous être complètement accepté, tel que vous êtes, par votre époux ou épouse comme vous vous sentez accepté par votre gourou. Le couple, le Nous au lieu du Je, le foyer, devient le lieu qui va vous permettre d'affronter le reste de l'existence, le lieu où vous pouvez avoir une émotion sans que cela vous retombe dessus d'une manière ou d'une autre. L'épouse et l'époux peuvent être un gourou l'un pour l'autre. Et au lieu de me fermer et de me défendre, je laisse transpercer la carapace de l'ego et du mental et j'écoute le gourou.

*
**

L'égalité des sexes est très mal comprise aujourd'hui. La formule la plus heureuse pour une vie épanouie, c'est le mariage classique, non la manière dont on comprend l'existence aujourd'hui. Et sous le nom de Libération de la Femme, il y a une grande erreur. C'est un peu difficile pour moi de le dire, parce que je suis un homme et qu'on va m'accuser d'être un phallocrate, mais une observation juste, portant sur des siècles, des millénaires et non pas sur trois cents ans en Occident, vous amènera à mettre en doute une grande part des conceptions actuelles sur l'émancipation de la femme. Si vous pouvez accepter ce que j'ai dit aujourd'hui, vous pressentez peut-être, ou vous ré-éprouvez d'une manière nouvelle, que la vie de couple, le mariage, non en tant qu'institution légale mais que cinquante ans passés ensemble, est une donnée essentielle de l'existence — de plus en plus méconnue aujourd'hui. Même s'ils ont des succès professionnels, même s'ils accomplissent des exploits dans l'existence, un homme ou une femme qui ont manqué leur vie conjugale ont manqué le plus important. Spirituellement parlant, c'est un plus grand *dharma*, un bien plus grand yoga, d'être époux et épouse que d'être ingénieur, directeur, artiste, médecin. Et aujourd'hui un homme est beaucoup plus fier de pouvoir dire qu'il a réussi sa vie professionnelle que réussi sa vie de couple. Malheureusement pour nous tous, oui, on prend au sérieux un homme qui déclare : « Je suis commandeur de la Légion d'honneur, j'ai fondé quatre sociétés, j'ai été chef de cabinet d'un ministre puis sénateur. » Et on sourit de celui qui s'honore d'avoir réussi sa vie conjugale. Eh bien tant pis pour nous, nous tous Occidentaux, si intelligents, si brillants, avec notre belle technique, mais si malheureux. La souffrance est partout dans nos pays. Elle n'était pas partout en Afghanistan avant l'arrivée des troupes soviétiques ni en Inde en dehors de la misère des banlieues de quelques grandes villes.

La vie de couple n'est pas uniquement une effusion émotionnelle. C'est une *sadhana* qui doit être vécue consciemment, par laquelle un homme devient un époux, une femme devient une épouse. Et la femme peut aider l'homme à devenir un époux et le mari peut aider la femme à devenir une épouse. Cela demande la compréhension, la vigilance, la patience, la fidélité. Cela demande l'amour.

Le but, c'est la marche en commun vers la Libération. Un jour, la relation entre « deux » est dépassée dans la conscience transcendante de la Non-dualité. « Nous ne faisons qu'un » devient une vérité, une réalité. Le mari est imprégné intérieurement de son épouse et l'épouse est imprégnée de son mari. Si les *dharmas* séparés dont je parlais tout à l'heure à propos de la palette de peintre ont été bien vécus, l'Unité se révèle. Une parole de l'Inde m'a frappé, parce qu'elle est belle : « Et maintenant je ne sais plus si elle est une femme et si je suis un homme ou si je suis une femme et si elle est un homme. De cela seulement je me souviens : il y avait deux âmes, l'amour vint, il n'y en eut plus qu'une. ». Cette unité, l'individualité séparée ne peut pas l'imaginer avant d'en avoir l'expérience.

Si vous comprenez ce message des temps révolus, votre attitude intérieure subit une conversion. Même si jusqu'ici vous avez remarqué qu'il n'y avait pas une seule femme intéressante dans le monde mais beaucoup, des blondes, des brunes, des gaies, des profondes, des musiciennes, des séductrices — et réciproquement, si vous avez remarqué qu'il y a beaucoup d'hommes dans le monde, des intellectuels, des sportifs, des artistes — l'idée de la fidélité dans la monogamie ne vous paraît plus une contrainte sociale uniquement destinée à consolider le foyer pour les enfants (ce qui est d'ailleurs vrai) mais une bénédiction qui vous permet un accomplissement supérieur aux satisfactions ordinaires les plus intenses.

Comment chacun d'entre vous va-t-il se situer par rapport à ce que j'ai partagé avec vous aujourd'hui ? Ceux qui sont jeunes amants ou jeunes mariés peuvent le comprendre à leur manière. Ceux qui ont des années derrière eux peuvent voir ce qu'ils ont été, reconnaître leurs erreurs, et projeter la lumière sur leur propre destin. La compréhension est toujours libératrice. D'autres, qui espèrent encore, après un divorce ou une séparation, accomplir cette vie de couple qu'ils n'ont pas réussie dans leur jeunesse, peuvent découvrir qu'il ne faut pas recommencer de la même manière selon les mêmes lois implacables et les mêmes mécanismes émotionnels. Et, si vous êtes plus âgés, si vous n'êtes pas destinés à vous marier, si vous êtes décidés à demeurer seuls, vous rencontrerez sur votre route un garçon ou une fille plus jeunes qui s'engagent dans l'existence avec tant d'illusions, tant d'incompréhension et si peu de préparation. Quand on a entrevu ce que pourrait être une vie de couple réussie, la compassion naît en nous pour tous ceux qui souffrent et dont la vie amoureuse a été si frustrante quand ce n'est pas déchirante.

Par rapport à ce qu'il y a d'adulte dans cette vision traditionnelle du couple, le donjuanisme des hommes ou des femmes, les conquêtes innombrables, n'apparaissent plus comme une aussi précieuse richesse d'expériences. Avoir été la maîtresse d'un artiste, d'un homme d'affaires, d'un diplomate, n'a été un enrichissement que sur le plan horizontal mais non sur celui de l'approfondissement et de l'élévation. C'est une richesse sur le plan de l'avoir — avoir des expériences multiples — mais non sur le plan de l'Être. Ce n'est finalement qu'une marque d'infantilisme.

Ces vérités sont difficiles à entendre et cruelles à dire. Peut-être n'aurais-je pas fait la même causerie si je n'avais pas eu moi-même le courage de m'ouvrir à cet aspect de l'enseignement de Swâmiji et de voir jusqu'où avaient été mon ignorance, mon infantilisme, mes émotions. Ce qui n'a pas été accompli demeure comme une demande réprimée peut-être mais non dépassée.

Je n'ai connu en Europe que très peu de couples vraiment harmonieux, le plus souvent des couples profondément religieux, sincèrement et véridiquement religieux. Si la dimension sacrée ne règne pas sur un couple, quels que soient le romantisme des époux et leur rêve de grand amour, cet amour est condamné à se dessécher peu à peu. En Inde, le mariage est une voie spirituelle autant que devenir ermite dans une grotte ou moine sur les routes, un chemin vers la Libération, le dépassement de l'ego, la destruction du mental, la réunification. Quand Swâmiji me parlait du mariage, c'était en tant que gourou et toujours par rapport au grand But.

10

L'UNION DES SEXES

Le thème d'aujourd'hui m'a été suggéré bien des fois et je l'ai souvent remis au lendemain : celui de la sexualité. Tout en comprenant que ce thème me soit proposé, je sais aussi combien il est difficile de sortir des banalités sur le droit de la femme à l'orgasme et d'aborder la sexualité en fonction du Chemin de libération.

Le monde moderne, malgré la révolution sexuelle dont on parle à longueur de magazines, ne se porte certainement pas bien à cet égard. Mon expérience, même quantitativement limitée, m'a montré combien la vie sexuelle de la plupart des hommes et des femmes est peu épanouie. Et, quand elle est à peu près normale, elle est encore loin de ce qu'elle pourrait être si des mécanismes vicieux n'intervenaient pas.

Je viens de dire « vicieux » mais cela n'a rien à voir avec ce qu'on appelle communément les vices et qu'on associe facilement à la sexualité ; j'entends par là des mécanismes mentaux, émotionnels et physiques perturbés, des distorsions, des nœuds, des incompréhensions apportant bien des souffrances inutiles dans un domaine qui devrait être, au contraire, purement heureux. Comment se fait-il que cette fonction qui a pour but l'épanouissement, la joie, le plaisir, amène tant de frustrations, de heurts, d'insatisfactions ?

Souvenez-vous que toute la Manifestation est fondée sur une bipolarité : positif et négatif, actif et passif, masculin et féminin, inspirer et expirer, recevoir et donner. S'il y a « deux », deux ont une certaine relation : attirance et peur ou attraction et répulsion.

Le fait qu'il y ait deux détermine l'espace, parce que ces deux sont dans une certaine situation l'un par rapport à l'autre et, d'autre part, le fait qu'il y ait deux détermine le mouvement qui, lui, crée le temps. Chaque mouvement implique une tension vers un but à atteindre et aucun mouvement ne peut se dérouler autrement que dans le temps. Le simple fait de dire qu'il y a « deux », c'est déjà évoquer l'espace et le temps, les catégories dans lesquelles se déploie la Manifestation telle que nous la percevons avec nos cinq sens et la concevons avec notre cerveau. Les moyens que la nature met à notre disposition ne nous permettent pas de percevoir directement les atomes et les particules.

Un être humain, qu'il soit un homme ou une femme, est soumis à cette loi naturelle et porte en lui ces deux pôles, positif et négatif, statique et dynamique. Et ces valeurs masculines et féminines, vous devez les entendre comme universelles, cosmiques, dépassant l'espèce humaine et la division des sexes.

Le but du yogi est de retrouver en lui la Conscience originelle, qui est le point de départ et le point d'arrivée ou, pour reprendre l'expression célèbre de Teilhard de Chardin, l'alpha et l'oméga ou ce qu'on appelle généralement en Inde *aviakta,* non-manifesté : un état d'équilibre sans aucune tension, un état de paix que l'homme peut découvrir dans la méditation profonde et les différentes catégories de *samadhi.* Déconditionnement que nous sommes appelés à réaliser non comme une méditation dans laquelle on entre et dont on sort mais comme une découverte définitive qui va éclairer toute notre perception. Le monde qui nous entoure devient véritablement relatif et perd son pouvoir de fascination ou de terreur, d'attirance et de répulsion.

L'ascète, quel que soit le Chemin qu'il suit, retourne intérieurement à l'Origine, l'Au-Delà qui serait plus justement appelé l'En-Deçà de la Manifestation, en-deçà de la dualité, en-deçà de cette tension qui existe quand il y a deux pôles. Les maîtres hindous disent *balance, equilibrium,* état d'équanimité que nous pouvons envisager comme le repos, la plénitude qui se suffit à elle-même, le retour à la non-dualité.

Le mouvement originel de la Manifestation est l'apparition de la dualité, de la bipolarité. C'est un principe métaphysique et théologique mais il régit tous les phénomènes naturels. Or cette bipolarité, elle est manifestée d'une manière flagrante, pour nous êtres humains, par la distinction des sexes, à commencer par le niveau physique : la présence de la vulve et du vagin chez la femme et du pénis chez l'homme. Ceci est évident et simple ; pourquoi cette bisexualité de l'espèce humaine a-t-elle donné lieu à tant de peurs, de jugements, de condamnations, tant d'excès aussi bien dans la licence et la débauche que dans la répression et les tortures que certains se sont imposées pour vivre une continence mal comprise et mal assumée ? Le sexe est le phénomène naturel fondamental. Il a une valeur cosmique, métaphysique et c'est dans cet esprit que nous devons l'envisager. C'est la manifestation d'une loi universelle qui régit aussi bien le macrocosme et les galaxies que l'infiniment petit de l'atome.

Néanmoins le yogi cherche à échapper à cette loi naturelle de la Manifestation, à retourner à l'Origine, au Non-Manifesté. Et la sexualité humaine est un champ d'application, parmi tous les autres, de cette démarche pour retrouver en soi la plénitude, la complétude, l'équilibre.

Nous devons reconnaître pleinement l'importance de la sexualité, ne serait-ce que parce que nous sommes nés de deux cellules sexuelles, l'ovule et le spermatozoïde, et que ce sont ces deux cellules qui, après avoir fusionné, se sont divisées, spécialisées, ramifiées. En ce sens, puisque toutes les cellules de notre corps ont pour origine l'œuf, il n'y a pas une cellule de notre corps qui n'ait une origine sexuelle. Mais quand je parle de l'importance de la sexualité, essayez de l'entendre avec des oreilles vierges sinon, à l'arrière-plan de vous-même, vont revenir des images, des souvenirs, des résonances affectives concernant l'accouplement de l'homme et de la femme. Cette fonction a été si souvent incomprise, réprimée, dénaturée qu'elle est la source de la quasi-totalité des névroses.

Restons sur un terrain naturel, sain, et que nous acceptons d'associer sans hésitation et sans malaise aux idées ésotériques et aux plus hauts accomplissements spirituels.

Pour retrouver en soi la condition originelle, non duelle, tout en tenant compte de cette bipolarité sexuelle de l'espèce humaine, il y a deux voies, deux possibilités. L'une est la transmutation de l'activité sexuelle. C'est ce qu'ont tenté les yogis, les moines, les ascètes ; mais cette suppression de l'activité sexuelle ordinaire ne doit pas être considérée comme une vertu morale particulière. La vraie sainteté, c'est le non-égoïsme, l'amour du prochain. La continence doit être envisagée comme une science, une technique, une méthode. Elle ne peut pas se vivre au hasard. Et l'autre voie, c'est au contraire l'activité sexuelle parfaitement normale et épanouie — parfait signifiant achevé, accompli.

Il n'y a aucun doute que, dans le Christianisme tel que nous le connaissons, le sexe a toujours représenté un malaise. Certaines paroles de saint Paul ont été le point de départ d'un jugement sévère à l'égard de la sexualité, considérée comme une défaillance humaine, un attachement à la chair qui n'a été admis que sanctifié par le sacrement du mariage et bien souvent dans le seul but de la procréation. Mais je ne suis pas là pour porter un jugement de fond sur le Christianisme — juste pour constater un fait.

En Inde, au contraire, cette suspicion à l'égard de la sexualité n'existait pas. Non que l'idéal de chasteté ou de continence n'ait pas toujours eu un attrait pour les Hindous, mais il était considéré comme une voie particulière de transformation intérieure, d'éveil. Et il est maintenant bien connu que beaucoup de temples hindous, pas seulement ceux de Khajuraho, les plus célèbres, comportent sur leur façade extérieure, parmi de nombreuses autres, des sculptures érotiques qui ont paru scandaleuses à des yeux occidentaux et qu'on pourrait même qualifier de pornographiques. Pourtant, elles figurent sur les murs de temples respectables et qui ne sont pas l'apanage d'une petite secte comme il en existe tant en Inde, où toutes les voies possibles d'expérimentation sur soi-même ont été explorées.

Je voudrais vous traduire brièvement quatre passages des *Upanishads*. Je les prends dans les deux *Upanishads* les plus importantes par leur nombre de pages : la *Brihadaranyaka Upanishad* et la *Chandogya Upanishad*, qui ne sont pas des textes tantriques reconnus seulement par certaines écoles mais le fondement même de tout le Védanta hindou. Vous verrez avec quelle liberté les *Upanishads*, textes spirituels, mystiques, métaphysiques, font allusion au sexe et à la sexualité.

D'abord, un passage qu'on peut considérer comme fondamental et qui montre comment le Un est devenu « deux » : « Lui, en vérité, n'éprouvait pas de bonheur. C'est pourquoi celui qui est seul n'éprouve pas le bonheur. Il désira un second. Il devint aussi immense qu'un homme et une femme en union étroite. Il fit que le Soi fut divisé en deux parties et de celles-ci sont nés le mari et la femme. Ainsi, comme le disait Yajnavalkya (c'est un des grands sages des *Upanishads*), ce corps est seulement la moitié d'un fruit que l'on a coupé en deux. Et c'est pourquoi cet espace vide est rempli par une épouse. Il devint uni avec elle et, par cette union, furent produits les êtres humains. »

Vous voyez que ce texte, qui pourrait être commenté mot après mot, s'applique aussi bien au thème suprême de la Création du monde, de l'apparition de la bipolarité dans le Non-Manifesté, qu'à l'homme et à la femme. Mais je ne cherche pas à en donner un commentaire exhaustif, je vous le signale seulement pour évoquer un certain climat spirituel qui est celui des *Upanishads*.

Un autre passage, bien célèbre aussi, concerne l'état suprême, libre de la souffrance, du désir, de la peur : « Comme un homme qui est en union étroite avec son épouse bien-aimée ne connaît plus rien du dedans ou du dehors, ainsi l'être humain, quand il est en union étroite avec le Soi suprême, ne sait plus rien du dedans ou du dehors. Ceci est véritablement sa forme dans laquelle tout désir est accompli, dans laquelle il n'y a pas d'autre désir que le Soi, dans laquelle il n'y a plus d'autre désir, libre de toute peine, libre de toute souffrance. »

Toujours dans la *Brihadaranyaka Upanishad*,

un passage qui se retrouve presque mot pour mot dans la *Chandogya* : « La femme, en vérité, Gautama, est le feu, l'organe sexuel est le combustible, la toison pubienne est la fumée, la vulve est la flamme, l'insertion du pénis les charbons, les sensations agréables sont les étincelles. Dans ce feu, les dieux offrent la semence ; de cette semence naît la personne. »

Ce texte aussi peut être pris au pied de la lettre, comme décrivant l'acte sexuel, ou considéré comme une image des réalités principielles. La doctrine hindoue unit le plus souvent possible les différents niveaux de la réalité et affirme que les mêmes principes s'appliquent à tous les états, depuis les plus subtils jusqu'aux plus concrètement matériels.

Enfin, encore une citation d'un passage bien connu de la *Chandogya Upanishad*, concernant le vocable célèbre *Om* : « Deux sont joints ensemble dans la syllabe *Om*. En vérité, chaque fois que deux s'unissent ensemble, ils remplissent le désir de l'un et de l'autre. » Si nous regardons le texte sanscrit, nous voyons que le mot *maithuna*, qui signifie précisément accouplement sexuel, se trouve deux fois dans cette petite citation, ce que la traduction anglaise que j'ai sous les yeux ne fait pas ressortir tout de suite. Il est clair que la syllabe *Om* est comparée elle aussi à l'état d'union sexuelle. Mais mon but n'est pas de faire une causerie sur les *Upanishads*, seulement de me référer à quelques citations célèbres puisqu'il s'agit de deux

Upanishads majeures et non, je le répète, de textes de moindre importance ou ne concernant que quelques écoles de pensée en Inde.

Comment ces textes peuvent-ils être compris ? Dans la Manifestation, pour qu'il y ait mouvement, il faut qu'il y ait un état de déséquilibre, sinon nous retournerions à l'immobilité. Et si l'immobilité devenait totale, si la danse des particules s'arrêtait dans les atomes, si les planètes ne tournaient plus autour du soleil, si le mouvement disparaissait, le temps disparaîtrait aussi, l'espace disparaîtrait aussi. Tout dynamisme implique ce jeu d'attraction et de répulsion. Si deux plateaux d'une balance sont immobiles, il n'y a aucune énergie latente dans cette balance. Si j'élève un des plateaux, l'autre est abaissé et il y a une énergie latente dans ces plateaux qui, par un mouvement de va-et-vient, d'action et de réaction, vont retourner à l'immobilité.

La nature tend sans cesse au repos et à l'immobilité et sans cesse, par les lois de cause et d'effet, d'action et de réaction, de nouvelles impulsions sont données qui brisent à nouveau ce repos et cette immobilité. C'est ainsi que le processus de la Manifestation, quel que soit le niveau où vous l'envisagiez, se poursuit. Et l'être spirituel, à quelque tradition qu'il appartienne, cherche à trouver en lui ce qui échappe à ce mouvement, à cette impermanence, à cette incomplétude, à découvrir en lui, au-delà du temps, l'éternité ou l'éternel présent, et, soustendant la multiplicité, ce qui est plein en soi-même, complet par soi-même.

C'est la Conscience Ultime, qu'on dénomme communément dans le *Védanta* l'*Atman* — le Soi.

⁂

La sexualité peut être considérée en elle-même comme une voie spirituelle, pas seulement comme un accomplissement heureux (ce avec quoi tous les psychologues ou psychothérapeutes seront d'accord) mais comme une voie de dépassement de la conscience humaine conditionnée, limitée, faite de désirs, de peurs, d'insatisfactions.

Essayons d'y regarder d'un peu plus près. L'activité de tout être humain est une activité double et généralement une activité d'alternance. Par exemple, nous inspirons et nous expirons et nous ne pouvons pas inspirer et expirer en même temps. C'est pourquoi, vous le savez, les exercices respiratoires du yoga comprennent des périodes de rétention du souffle, soit après l'inspiration, soit après l'expiration, qui sont parfois prolongées, durant lesquelles il n'y a plus ni inspiration ni expiration.

Voilà au moins un point, physiologique mais de grande importance, où cette activité rythmique de la respiration, qui est la vie elle-même, s'arrête. C'est une manière de retourner au Non-Manifesté. D'autre part, il a été observé que lorsque la respiration s'arrête, la pensée s'arrête aussi. C'est une constatation que vous pouvez tous faire. Le temps où il vous est possible de maintenir la respiration bloquée est un temps où il vous est aisé de ne plus avoir de pensées, alors que la multiplicité des pensées assaille tous ceux qui tentent d'une manière ou d'une autre de méditer.

L'existence humaine est faite de ce double mouvement de donner et de recevoir. Dans l'acte sexuel, ces deux aspects de la Manifestation, un aspect qu'on peut considérer comme actif et un aspect qu'on peut considérer comme passif, se trouvent impliqués en vérité et pour l'homme et pour la femme. Si vous voulez comprendre ce que je tente de partager avec vous, il faut que vous reveniez à une vérité évidente mais qu'on oublie trop souvent, c'est qu'avant d'être un homme ou une femme, nous sommes tous l'être humain. Il se trouve que l'être humain est désigné par le mot « homme » en français ou *man* en anglais, le même que celui qui désigne le mâle, ce qui crée quelque confusion. On insiste tant sur la différence entre les hommes et les femmes — qu'est-ce qu'un « vrai homme » et qu'est-ce qu'une « vraie femme » ? — qu'on oublie, ce qui est bien plus important, que nous sommes tous d'abord « l'être humain ». Ensuite vient la différence essentielle et qu'on ne pourra jamais nier entre une incarnation masculine et une incarnation féminine. Mais les Enseignements spirituels s'adressent à l'être humain, les *Upanishads* s'adressent à l'être humain.

Quand on parle des *koshas,* il s'agit des *koshas* de l'être humain ; ce n'est spécifiquement ni au mâle ni à la femelle. Quand on parle du Soi suprême ou de l'*Atman,* c'est le Soi suprême ou l'*Atman* de l'être humain.

Et ce qui nous est demandé à tous, c'est de devenir parfaitement, en plénitude, l'être humain. Dans les conditions ordinaires, nous ne sommes qu'une semence d'être humain, un être humain inaccompli, inachevé. C'est l'idée fondamentale de tous les Enseignements spirituels, y compris les Évangiles.

Nous sommes semés sur terre à un certain niveau et la nature fera de nous un adulte avec, entre autres, la possibilité de fécondation et de reproduction mais la nature ne fera pas de nous un être humain achevé, un sage. Cette *perfection dans le relatif*, elle sera le fruit de nos propres efforts, selon des lignes connues, bien éprouvées, qui sont les différentes voies spirituelles. Même avec l'aide d'un guide, d'un gourou, cet accomplissement sera la récompense de notre persévérance. C'est une idée qui ne doit jamais être perdue de vue, y compris quand nous tentons de parler de la sexualité.

Il faut bien le reconnaître, il y a deux grandes catégories d'êtres humains. D'abord ceux qui se contentent de vivre tels que la nature les fait vivre, avec des peurs, des désirs, parfois beaucoup de générosité ou de courage, mais qui ne sont pas animés par le désir stable et conscient de se transformer, de se libérer et d'atteindre cette pleine stature de l'être humain, Sagesse, Éveil ou Libération. Et il y a ceux, beaucoup moins nombreux, qui ont pris eux-mêmes en charge leur évolution, leur perfectionnement, ceux qui sont engagés sur une Voie, qu'ils soient musulmans, chrétiens, bouddhistes ou même situés en dehors des religions connues.

Cette distinction essentielle s'applique, bien sûr, à la vie sexuelle : une vie sexuelle naturelle plus ou moins épanouie, plus ou moins névrosée, dont s'occupent les psychologues et les psychothérapeutes, et la vie sexuelle du disciple avançant sur le chemin de la Sagesse.

Jusqu'à présent, ce que nous avons à dire est commun à l'homme et à la femme. Il n'y a pas des *Upanishads* réservées aux hommes et des *Upanishads* réservées aux femmes. L'être humain accompli a épanoui en lui ces deux modalités de la Manifestation, masculine et féminine, modalité de réception, d'accueil, d'ouverture, et modalité d'action, d'intervention. En lui ces deux mouvements sont parfaitement équilibrés. Il n'éprouve plus, à titre individuel, ni le besoin de recevoir ni le besoin de donner. Il a le droit de dire : « j'ai fait ce que je portais en moi de faire, j'ai reçu ce que je portais en moi de recevoir, j'ai donné ce que je portais en moi de donner ». Maintenant, l'action de cet être est une action spontanée, impersonnelle, qui répond à la nécessité de l'instant, qui n'est accomplie qu'en fonction de la demande de la situation ou par amour pour les autres.

Mais nous n'en sommes pas tout de suite là. Il faudra même longtemps pour atteindre cette condition où nous nous suffisons entièrement à nous-mêmes, état de non-tension parfait dans lequel il n'y a plus ni désir, ni peur, ou du moins aucun désir dont la non-réalisation puisse être souffrance et aucune peur dont la concrétisation puisse être souffrance. C'est la liberté, la découverte de l'indestructible en nous, de la Conscience non affectée, fondement de tout l'enseignement védantique.

Dans l'activité sexuelle, il y a un double mouvement : un mouvement d'accueil de l'autre et un mouvement qui va vers l'autre. Ces deux modalités de la Manifestation y sont impliquées d'une manière éminente, encore plus manifeste que dans les autres circonstances de la vie. Ce qui apparaît d'abord, étant donné la différence des sexes, c'est que physiologiquement la femme accueille la semence de l'homme. La femme a un organe génital récepteur, l'homme a un organe génital émetteur. Et cette constatation, personne, quelles que soient ses options philosophiques, sociales, politiques, ne peut la nier.

Il y a donc normalement, naturellement, dans l'activité sexuelle un aspect d'accueil qui domine chez la partenaire féminine et un aspect actif qui domine chez le partenaire masculin. Mais revenons à l'idée de l'être humain, plus essentielle que la distinction entre homme et femme. L'homme doit aussi être accueillant et réceptif et la femme doit aussi être active. Toute littérature concernant la sexualité qui insisterait trop, à partir de la donnée physiologique, sur l'aspect passif de la femme et l'aspect actif de l'homme, vous induirait en erreur. Bien que l'activité sexuelle, apparemment, soit issue de la distinction des deux sexes, la sexualité vraiment épanouie permet à la femme de développer en elle la dimension masculine de la réalité et permet à l'homme de développer en lui la dimension féminine de la réalité. C'est un point fondamental et que les idées courantes concernant la sexualité mettent bien peu en valeur, pour ne pas dire omettent complètement.

C'est donc en comprenant simultanément ces deux niveaux que vous pouvez avoir une vue juste : d'une part la distinction entre l'homme et la femme et, d'autre part, la possibilité pour l'homme et pour la femme d'atteindre la plénitude de l'état humain; pour l'homme de devenir de plus en plus femme et pour la femme de devenir de plus en plus homme, non certes par des modifications des caractères physiques mais par un épanouissement de toutes les possibilités latentes contenues en nous. L'homme ou la femme retrouve alors ce caractère originel de perfection, de complétude, cet état androgyne décrit par Platon et suggéré dans les *slokas* des *Upanishads* que j'ai traduits tout à l'heure où la Divinité est représentée comme semblable à un homme et une femme dans l'union la plus étroite.

Le Sage, que ce soit Mâ Anandamayi ou Ramana Maharshi, n'éprouve pas la nécessité d'une vie sexuelle parce qu'il est complet en lui-même. Mais l'être humain autre que ces personnes tout à fait exceptionnelles est appelé au contraire à une vie sexuelle considérée non comme une concession aux faiblesses de la chair mais comme une part du Chemin, une part d'un véritable Chemin. Je dis « véritable » en insistant sur ce mot parce que je ne veux pas qu'il s'établisse dans votre esprit de confusion avec une interprétation fantaisiste du Tantrisme, mot devenu très à la mode, dans lequel n'importe quelles extravagance et incohérence sexuelles, vécues sans aucune compréhension réelle, sont affublées des oripeaux de la spiritualité. J'ai donc voulu m'appuyer sur quatre versets des *Upanishads* majeures et non pas sur tel ou tel texte tantrique auquel on fait dire ce qu'on veut et ce qui peut servir nos impulsions non contrôlées, notre absence de maîtrise de nous et nos faiblesses diverses.

Ainsi, ce que j'ai à vous dire aujourd'hui tourne autour de ces deux vérités que vous devez essayer de concilier : d'une part la différence manifeste des sexes et, d'autre part, l'appel à retrouver en chacun la pleine stature de l'être humain total, sans pour cela devenir la caricature trop souvent proposée par les propagandistes de la « libération de la femme ».

Ces deux vérités sont à vivre simultanément et vous pouvez essayer de les ressentir simultanément. Une femme doit être vraiment femme et un homme doit être vraiment homme pour qu'il y ait sexualité épanouie. Ce premier point, lui, relève de la psychologie ou de la sexologie courantes. Or qu'est-ce qu'être vraiment femme ? C'est être pleinement le véhicule de ces valeurs d'ouverture, de réceptivité, d'accueil. La Nature nous l'enseigne : la femme accueille le spermatozoïde de l'homme et c'est l'essence de l'acte sexuel.

Trop souvent — c'est en grande partie la faute de notre civilisation moderne et ce ne serait pas le cas dans une civilisation traditionnelle — la femme n'a pas pu épanouir ces valeurs en elle, les a refusées, les a considérées comme inférieures et s'est laissé prendre au jeu d'une masculinisation déséquilibrée dans laquelle tout ce qui est silence, méditation, contemplation, est jugé péjorativement et tout ce qui est action, pour ne pas dire agitation, tout ce qui est production et productivité, est porté aux nues. Je pourrais résumer en une phrase : « quand vous écoutez, vous avez une attitude féminine ; quand vous parlez, vous avez une attitude masculine ». De même, pour qu'il y ait harmonie sexuelle, il est nécessaire que l'homme ait développé en lui la pleine stature de mâle, la capacité à intervenir sur le monde pour le changer ou le transformer. Et cette difficulté pour la femme d'être vraiment féminine et pour l'homme d'être vraiment masculin explique déjà beaucoup d'insatisfactions sexuelles, de frustrations, d'échecs et, bien sûr, de souffrances.

On a tendance aujourd'hui à tenter de résoudre les difficultés sexuelles sans tenir assez compte du reste de l'existence. On se demande seulement pourquoi une femme est frigide, un homme impuissant, ou comment un homme ou une femme pourraient modifier leur façon de faire l'amour, quelles sont les préparations psychologiques nécessaires, en quoi des paroles agréables à entendre, des caresses, des baisers, peuvent préparer la femme à la pénétration. Il y a une abondante littérature sur ces thèmes mais qui, souvent, ne produit pas les résultats escomptés. Les psychologues rencontrent bien des difficultés pour résoudre les névroses sexuelles et rendre l'harmonie aux couples qui ne la connaissent pas.

Laissez-moi vous donner une indication simple mais peut-être difficile à mettre en œuvre. L'homme attend de sa compagne, épouse, amante, qu'elle incarne pour lui la femme d'une manière générale et pas seulement au moment de l'acte sexuel. Et la femme attend de l'homme qu'il incarne les valeurs masculines d'une manière permanente et pas seulement au moment de l'acte sexuel. Tant que vous n'entendrez pas ces mots « d'une manière générale, permanente », vous ne sortirez pas de vos difficultés. L'homme pourra toujours s'efforcer de jouer le mâle au lit, la femme pourra toujours essayer d'être très féminine au lit, ni l'un ni l'autre ne comprendront leur partenaire, ni l'un ni l'autre ne se comprendront eux-mêmes.

La sexualité est fondée soit sur ce qu'on imagine, et si on l'imagine on le croit, soit sur ce qui est réel concernant l'autre. Si une femme se fait une idée fausse d'un homme et qu'elle conserve cette idée, c'est comme si ce qu'elle ressent était vrai ; et tant qu'un homme se fait une idée erronée d'une femme, c'est comme si ce qu'il croyait était vrai. Seulement, quand on se connaît un peu longuement, quand on vit ensemble, quand on forme un couple, les idées fausses et les illusions les plus grossières tombent et ce qui subsiste, c'est une vision plus ou moins déformée de la réalité relative.

Les mécanismes naturels peuvent certainement être dépassés mais ne peuvent en aucun cas être niés. Il subsiste dans l'homme, à l'état latent ou plus ou moins manifesté, toutes les données fondamentales de l'évolution, même chez l'homme civilisé, raffiné, que nous prétendons être aujourd'hui. Ne l'oubliez pas non plus. Et cette affirmation est particulièrement vraie en ce qui concerne la sexualité. La sexualité est une activité naturelle qui existe déjà chez les animaux et qui demeure fondamentalement aujourd'hui ce qu'elle était chez l'homme préhistorique, quoi que la civilisation et la culture aient pu surajouter. Dans le domaine de la sexualité, on ne peut pas tricher, on ne peut pas truquer, on ne peut pas frelater sans échec immédiatement visible.

Essayez de comprendre ce qui peut être essentiel à l'être humain, quelles que soient la société, la culture, l'époque historique, ce qui est aussi vrai pour l'homme préhistorique que pour le « sauvage » de l'Australie ou du centre de l'Afrique équatoriale, qui était vrai au Moyen Age et le demeure aujourd'hui. La demande que des influences diverses ont trop souvent étouffée mais ne peuvent ni détruire ni transformer mécaniquement est une demande brute. C'est la demande chez l'homme que la femme soit féminine et chez la femme que l'homme soit viril. Qu'est-ce que cela signifie si nous sortons des phrases creuses sur l'éternel féminin ou le mâle puissant ? Que la femme manifeste véritablement la capacité à écouter, recevoir, entendre, accueillir, et l'homme la capacité de faire, agir, créer, intervenir, promouvoir.

Pour l'instant, je mets de côté ce que j'ai dit

tout à l'heure, à savoir que nous sommes tous essentiellement l'être humain et je m'appuie sur la distinction évidente du mâle et de la femelle. Et bien souvent la difficulté sexuelle d'un couple serait au moins partiellement résolue par une transformation des partenaires non pas sur le seul plan érotique mais d'une manière générale, en dehors de l'activité sexuelle.

Je vais me permettre une remarque qui va probablement vous paraître incongrue dans une réunion commencée par la traduction de quelques passages des *Upanishads* mais qui pourtant a son importance. Il a été constaté que des artisans ou ouvriers, qui accomplissent des travaux matériels concrets dans les appartements ou les maisons, ont un certain succès auprès de femmes qui ne sont ni de leur niveau intellectuel ni de leur milieu social. C'est un fait dont j'ai pu avoir moi-même quelques preuves, ayant connu autrefois, par mon travail à la télévision, des hommes et des femmes de toutes les origines et qui avaient exercé toutes sortes de métiers. Il arrive qu'un maçon qui construit une cheminée ou qu'un plombier qui vient de réparer un appareil de chauffage hors d'état ait ses chances auprès d'une maîtresse de maison dont le mari est trop souvent absent.

Certaines femmes m'ont confié : « C'est curieux, je ne comprends pas ; je suis touchée, troublée, vraiment je ne me reconnais pas ; j'ai parfois éprouvé un désir pour des artisans qui sont venus travailler à la maison. » Et un artisan que j'ai bien connu m'a raconté : « C'est pas croyable ce que je me suis envoyé comme bonnes femmes de la haute ! Et je me suis pourtant pas engagé dans la plomberie et l'installation des chauffages centraux pour ça ! »

Qu'est-ce qui explique cette réaction, cette pulsion qui peut paraître d'abord étonnante ? A un niveau aussi profond que terre à terre, pour un instinct primitif chez la femme, cet artisan qui vient chez elle exprime d'une manière directement visible le pôle masculin de la réalité humaine, l'action sur la matière. Le chauffage ne chauffait plus, le robinet fuyait, la canalisation était bouchée. L'homme vient, agit victorieusement sur le concret et annonce : « Voyez, madame, l'eau coule chaud, ça ne fuit plus, c'est réparé. » Cette action simple a en fait un sens très profond parce qu'elle manifeste concrètement cette attitude masculine essentielle qui consiste à agir sur le monde extérieur et à s'en rendre maître.

Bien sûr il n'y a pas que l'artisanat : procréer, promouvoir, projeter, protéger sont des attitudes masculines et une femme peut admirer un homme qui exerce une activité avec succès. Mais beaucoup d'hommes ne comprennent pas pourquoi ils n'arrivent pas à convaincre leur compagne, à faire lever en elle un désir, pourquoi il y a en elle une lacune, une frigidité. Ils cherchent à la rendre sensible peut-être en l'embrassant d'une autre manière, peut-être en la caressant d'une façon nouvelle, en faisant l'amour l'après-midi plutôt que le soir, en l'amenant d'abord au restaurant mais, cherchant uniquement autour de la réalité sexuelle proprement dite, ils se trompent. Si l'ensemble de leur attitude par rapport à l'existence changeait et s'ils se montraient comme des incarnations de la force d'intervention sur le monde, cet accomplissement aurait une influence directe sur la sexualité de leur épouse. De ceci, je suis convaincu pour en avoir eu bien des preuves tout en comprenant ce que cette remarque peut avoir de surprenant.

Un homme peut être séduisant physiquement, brillant intellectuellement, s'exprimant bien et ce sont des atouts dans la vie sexuelle ; et pourtant la femme qui vit à ses côtés sent un manque et un manque assez grave pour qu'elle ne puisse pas s'ouvrir et s'unir à lui sexuellement d'une manière complète, parfaite, alors qu'une autre manière d'affronter l'existence, en dehors du domaine sexuel, transformerait la situation.

Même les femmes qui se considèrent comme des intellectuelles demeurent inévitablement sensibles à cet aspect concret de l'action humaine qui, à l'origine des temps, était l'essentiel de l'activité masculine : transporter des pierres pour élever un mur, aménager une grotte, ramener des animaux et des fruits à la maison. Cette donnée brute subsiste quels que soient les raffinements que les civilisations successives aient pu imposer à nos mœurs. La nature essentielle de l'homme n'a pas changé et elle ne peut pas changer. Ce que nous pouvons, c'est nous transformer par une voie méthodique, consciente, d'évolution.

Les attributs physiques sur lesquels on insiste aujourd'hui, tels que la beauté pour les femmes, ne sont pas déterminants, loin de là. C'est important pour une première attraction de surface mais ce n'est pas ce qui régit et régente une vie sexuelle épanouie ou non épanouie. De même pour les hommes. Cherchez, faites vos propres observations, regardez autour de vous, regardez avec une honnêteté complète dans votre propre cœur, essayez de retrouver certains souvenirs et vous verrez que ceci est vrai.

Ce qu'une femme attend d'un homme pour pouvoir vraiment se donner à lui, selon l'expression consacrée, c'est qu'il se manifeste comme homme, qu'elle le voie aux prises avec le monde, qu'elle le voie réellement aux prises avec le monde. Et l'idée que cet homme a manié des chiffres pendant la journée n'est pas suffisamment émouvante.

Inversement, ce qui permet non pas une attirance passagère, un coup de foudre, un désir éphémère mais une sexualité durable avec la même partenaire c'est, pour un homme, que sa compagne manifeste les valeurs féminines de l'existence. Et trop souvent ce n'est pas le cas. Alors, la femme peut toujours suivre un traitement contre la cellulite, maigrir, changer la couleur de ses cheveux ou sa manière de s'habiller, mettre des sous-vêtements noirs ou transparents, ça ne changera pas grand-chose fondamentalement. Une demande *autre* que les données sexuelles proprement dites demeure insatisfaite sans qu'on soit suffisamment conscient qu'elle n'est pas comblée — et c'est la cause essentielle des échecs sexuels dans les couples. Très souvent, on ne le sait pas, on ne comprend pas. Que de fois j'ai entendu des hommes dire :

« Mais ma femme, je la trouve jolie ; elle est intelligente, et pourtant c'est un échec ; on n'a pas une vie sexuelle réussie. Je regarde tout le temps les autres femmes dès qu'elles sont attirantes. » Et que de fois j'ai entendu des femmes me confier : « Je ne peux rien reprocher à mon mari ; mais je n'ai pas envie de faire l'amour avec lui, j'aime pas ça, je ne ressens rien, ou si peu. »

Ne cherchez pas à perfectionner une technique de caresses ou une autre. Ce n'est pas l'essentiel. Cherchez à comprendre dans quelle mesure vous incarnez vraiment pour votre compagnon la femme et dans quelle mesure vous incarnez vraiment l'homme pour votre compagne.

Maintenant revenons à un point de vue moins directement accessible au néophyte. Admettons que l'homme soit vraiment homme, la femme vraiment femme et que soit établie entre eux une harmonie sexuelle pleinement satisfaisante, que l'un et l'autre ressentent une plénitude dans l'union sexuelle, ce qui devrait être normal pour un couple. Avoir une vie sexuelle heureuse, épanouie, est un droit que la nature nous donne et que le mental nous enlève.

Vous seriez surpris si un érudit vous faisait la démonstration de l'importance que cette vie sexuelle épanouie a pu prendre dans la littérature indienne la plus sérieuse. Les hymnes à la sexualité parsèment la littérature hindoue : le

Mahabarata, les *Puranas*, les *Kama Shastras*, et autres textes qui font partie du corps des écritures sacrées en Inde. C'est inhabituel pour ceux qui ont été imprégnés de Christianisme et pour qui le chemin de la sainteté est l'abandon de toute l'activité sexuelle pour le seul amour de Dieu, la voie du moine. Je ne parle pas aujourd'hui du yogi qui vit dans la continence absolue et qui, ayant les moyens de vivre cette continence, le contrôle, la maîtrise, la liberté nécessaires, ne se torture pas inutilement. Car c'est vite fait de se détruire en croyant progresser. « Qui veut faire l'ange fait la bête » est un proverbe que Swâmiji avait beaucoup apprécié le jour où je le lui ai traduit en anglais.

Admettons donc une vie sexuelle intensément heureuse, jouant un rôle important dans la vie d'un homme et d'une femme. Si je vous dis : « La méditation doit tenir une place importante dans votre vie », vous êtes tout de suite d'accord. Mais si je vous dis : « L'union sexuelle doit tenir une place importante dans votre vie », oh ça, ce n'est pas un enseignement spirituel ! En tout cas, c'est un enseignement spirituel hindou, en dehors de toute question de Tantrisme. Et c'est aussi une part importante de l'enseignement spirituel de toute une part du Bouddhisme tibétain.

Je dis bien une activité sexuelle importante. L'inintérêt de la plupart des hommes et des femmes pour leur vie sexuelle, en dehors de passades, de bouffées de désir et de nécessités physiologiques, n'est pas à l'honneur de notre civilisation. Je ne nie pas qu'il y ait des couples sexuellement épanouis mais ils sont peu nombreux. Ou bien l'entente dure quelque temps puis dépérit. Depuis quinze ans, j'ai écouté des hommes et des femmes. Dès qu'on dépasse la superficialité : « Je voudrais la sagesse », et que je demande : « soyez complètement vrai, qu'est-ce qui ne va pas ? », on en vient toujours tôt ou tard à une sexualité plus ou moins décevante, plus ou moins imparfaite, plus ou moins refoulée.

Qu'est-ce qui donne à la sexualité sa place et sa valeur dans une existence marquée du signe de la spiritualité ? La possibilité de retrouver la Conscience d'origine. La sexualité peut être conçue comme une ascèse, une forme de méditation, un chemin de transcendance — parce que, dans l'union sexuelle, les deux mouvements de l'intérieur vers l'extérieur et de l'extérieur vers l'intérieur, les deux mouvements d'accueillir et d'intervenir, de recevoir et de donner, les deux pôles de la Manifestation, peuvent être conciliés, réunis, vécus ensemble. Et c'est cela qui est important à comprendre.

Est-ce que nous pourrions échapper au rythme de l'inspiration et de l'expiration, c'est-à-dire inspirer et expirer simultanément ? Bien sûr, c'est impossible. Et pourtant, c'est cette alternance de l'inspiration et de l'expiration qui nous soumet au Temps, par conséquent à la naissance, à la mort, au changement, et qui nous interdit la découverte de la Conscience informelle, ultime, non manifestée. Beaucoup de yogis ont poursuivi leur ascèse dans cette direction : échapper au temps en échappant à ce rythme, à cette alternance, bien que, même si des yogis ont réussi la prouesse de rester plusieurs heures sans respirer (fait sur lequel il y a des témoignages de médecins anglais), cela ne conduise pas toujours à la Libération, loin de là.

Pouvons-nous vivre simultanément et dans leur plus grande intensité les deux aspects masculin et féminin de la Manifestation ? Oui, dans l'union sexuelle. Si elle est parfaitement épanouie, s'il n'y a pas de peurs inconscientes, s'il y a vraiment une joie et une ferveur intense comme vous pourriez les ressentir pour méditer ou pour toute autre ascèse que vous jugeriez hautement mystique, si vous pouvez considérer la vie sexuelle comme une activité spirituelle — ce qui n'est pratiquement jamais le cas —, il y aura un engagement total et la réunification parfaite, chez les deux partenaires, des dominantes féminine et masculine de la Manifestation. Dans l'union sexuelle, les deux partenaires deviennent pleinement homme et femme : la femme devient pleinement homme, parce qu'elle intervient aussi ; et l'homme devient pleinement femme, parce qu'il reçoit aussi.

C'est pourquoi, dans une union sexuelle parfaite, l'homme ne sent plus qu'il est un homme, la femme ne sent plus qu'elle est une femme. La distinction des sexes est transcendée. On se ressent bien comme *étant,* mais au-delà de la forme qui, pourtant, est au point de départ de l'attirance. Un texte hindou, je cite de mémoire, dit à peu près ceci : « Et maintenant je ne sais plus s'il est un homme et si je suis une femme ou si je suis un homme et s'il est une femme. »

Parole qui peut paraître surprenante et qui transmet pourtant une idée importante.

L'acte sexuel physique, celui qui donne matière aux films pornographiques, aux sex-shops, aux viols, à la prostitution, contient une réelle possibilité métaphysique ou spirituelle, et c'est bien pour cela que le mariage a été considéré comme sacré dans toutes les Traditions, en tant que Voie incluant la sexualité. Une incompréhension tragique pour l'Occident a brimé la sexualité au nom du Christianisme, alors qu'à l'origine le Christianisme était un enseignement avant tout libérateur et non une oppression comme il l'est devenu trop souvent.

Il y a retour à la plénitude. L'homme par la femme et la femme par l'homme atteignent ensemble l'état transcendant, l'état de méditation, de dépassement du monde des formes et de la limitation. Au départ de la vie sexuelle ou de l'acte sexuel, il importe que l'homme soit vraiment homme et la femme vraiment femme mais, si la sexualité est bien vécue, cette distinction, fondamentale à l'origine, s'efface : l'homme devient parfaitement l'être humain, ni homme ni femme ; la femme devient parfaitement l'être humain, ni femme ni homme. C'est le sens des paroles des *Upanishads* que j'ai traduites tout à l'heure : *They fulfill each other's desire,* « ils accomplissent le désir l'un de l'autre ».

Le suprême Désir, c'est le désir du retour à la plénitude, à l'infini, à l'illimité, du dépassement du monde des formes, le désir de la Libération dont tous les autres désirs ne sont que des substituts décevants. Aucune activité ne peut vraiment répondre au désir essentiel de perfection. C'est bien pourquoi la littérature mystique dit, et c'est juste : « Dans le monde créé, vous ne trouverez jamais ce que vous cherchez ; en Dieu seulement, vous trouverez la paix du cœur, la perfection, la satisfaction complète, la disparition de toutes les peurs, la béatitude. »

Mais l'activité qui, normalement, devrait être la moins décevante, celle qui devrait le mieux tenir ses promesses, c'est l'activité sexuelle proprement dite, à condition qu'elle soit vécue de façon parfaite, en éliminant tout ce qui est peur, névrose, refus, rancune inconsciente, frustration dans les autres domaines de l'existence. Une femme qui ne peut pas considérer son mari comme un homme et un homme qui ne peut pas considérer son épouse comme une femme ne vivront jamais une sexualité parfaite.

On comprend qu'il ait existé dans la Tradition hindoue des traités d'érotisme tels que les *Kama Sutras* du sage Vatsayana et les *Kama Shastras* et qu'il y ait des représentations érotiques sur la façade extérieure des temples. La sexualité n'est pas considérée seulement comme un instinct animal mais comme une activité sacrée, image humaine des principes cosmiques. On comprend aussi que tout ce qui est technique érotique, raffinement, art d'aimer soit important et que, de même qu'un homme pourrait se vanter de consacrer quatre heures de sa journée à méditer, un homme puisse s'honorer d'avoir passé quatre heures à faire l'amour et non pas vingt minutes.

Je suis persuadé que ceci peut dérouter certains d'entre vous mais j'ai derrière moi l'autorité de trois mille ans de tradition indienne. Tout dépend comment vous concevez justement l'acte sexuel. Et, de même qu'un homme peut méditer tous les jours et que personne ne le lui reprochera, qu'un moine peut prier tous les jours et que personne ne le lui reprochera, un homme et une femme pourraient faire l'amour tous les jours — et pourquoi le leur reprocherait-on ?

*
**

Si la sexualité est épanouie, ce qui est hélas si rare, elle conduit bien au-delà de l'orgasme tel que les sexologues essaient de le décrire et même de le mesurer. Il est triste pour les êtres humains que la sexologie se soit engagée dans une direction où la physiologie joue un rôle si prépondérant. Vous savez peut-être que des études sur les manifestations physiologiques de l'orgasme ont été poussées très loin aux États-Unis. On a même réussi à introduire dans le vagin de femmes des pénis artificiels pourvus d'un objectif de caméra et qui permettaient de filmer en couleur les parois du vagin pendant l'orgasme, orgasme purement mécanique puisque la pénétration n'était pas accomplie par un partenaire humain mais par un appareil perfectionné. Je ne dis pas que sur un plan strictement médical cette recherche ne puisse donner quelques informations nécessaires à ce que nous appelons « la science » ; mais du point de vue de ce qui est écrit depuis deux mille ans dans les *Upanishads*, cela ne présente aucun intérêt. Il existe aussi un verset sanscrit que Swâmiji citait souvent et qui dit : « Le sage vit dans un éternel orgasme. » Comment ose-t-on proférer une affirmation pareille et qu'appelle-t-on « éternel orgasme » s'il s'agit simplement de manifestations purement physiologiques qui peuvent être mesurées par des prises de sang et l'étude de sécrétions endocrines ?

En ce qui concerne l'homme, par exemple, l'émission du sperme se révèle presque toujours un achèvement. Après une période de désir, de tension, d'excitation montante et de culmination, le désir tombe. Mais, si la sexualité est vécue à un autre niveau, ce qui apparaît normalement comme une fin n'est au contraire qu'un commencement, une ouverture sur un autre niveau d'être où la conscience de soi est élargie, enrichie, beaucoup plus intense et libérée momentanément des limites habituelles. De même, une femme pourrait ressentir un orgasme — l'orgasme féminin étant différent de l'orgasme masculin — qui durerait vingt minutes, une demi-heure, ce qui peut sembler étonnant à certaines d'entre vous, et avec le même accès à cet autre plan de conscience.

Si l'acte sexuel est vécu d'une manière spontanée, simple, heureuse, unifiée, il implique l'abandon du « mental ». Quand un homme fait l'amour, il n'est plus polytechnicien, ni maçon, ni chirurgien des hôpitaux ; et quand une femme fait l'amour, elle n'est plus ni agrégée de lettres, ni sténodactylo. Les pensées et les identifications habituelles sont oubliées. Si des peurs trop grandes subsistent, on reste conscient de ses imperfections physiques parce qu'on ne se sent pas pleinement aimé, reconnu, accepté tel que l'on est. Mais, s'il y a union véritable, pratiquement le mental disparaît, les identifications aux différents *koshas* disparaissent ; la conscience : « je suis moi, Paul Dupont, Martine Durand », disparaît. Je suis beau, je suis laid, je suis riche, pauvre, jeune, vieux — tout cela s'efface. Il n'y a plus que la pure Conscience et complétude de l'un par l'autre, comme il est dit dans le texte des *Upanishads*.

Ce qui fait la valeur de l'activité sexuelle sur le Chemin, c'est cette possibilité de dépasser le mental, dépasser les pensées, dépasser les identifications ordinaires, tout en demeurant intensément conscient parce qu'il ne s'agit pas d'une expérience ordinaire mais d'une expérience qui nous motive et nous anime entièrement. L'énergie sexuelle est l'énergie la plus puissante, l'énergie fondamentale.

En parlant aujourd'hui, comme je l'avais laissé entendre au début de la réunion, j'ai associé des niveaux de la réalité que d'habitude on ne songe pas à réunir. En un sens, c'est un signe que, dans la même réunion, j'aie lu des passages célèbres des *Upanishads* et j'aie raconté l'histoire du réparateur de chauffe-eau. Oui, c'est le propre de la sexualité d'unir, plus que toute autre activité humaine, les différents niveaux de la réalité.

Vous pouvez ressentir une grande joie, un dépassement, un abandon des pensées en disputant une partie de tennis. Il est difficile de jouer au tennis et de ruminer en même temps ses problèmes quotidiens. Mais aucune activité ne peut être aussi riche, aussi totale que l'activité sexuelle, à condition de ne pas la mutiler, de ne pas jeter sur elle un regard péjoratif, de ne pas considérer que, d'une part, on est mû par un instinct sexuel qui nous a conduit à bien des souffrances et bien des erreurs et que, d'autre part, on vénère le détachement suprême du Sage.

Avec ce genre de pensées à l'arrière-plan de votre compréhension de la sexualité, vous ne pourrez jamais vivre celle à laquelle font allusion les traités hindous. La valeur de l'acte sexuel physique, érotique, avec tout ce qu'il comprend, dépasse infiniment ce que vous avez peut-être entrevu jusqu'à aujourd'hui et n'a pratiquement rien à voir avec ce qui est décrit, par exemple, dans la littérature pornographique.

Je peux apporter encore un témoignage à cet égard, c'est qu'il y a des rapprochements à faire — et qui ont été faits dans la tradition hindoue — entre les postures du yoga et les différentes positions qui peuvent être adoptées pour l'accouplement d'un homme et d'une femme. Ces positions ont souvent été l'objet de plaisanteries diverses mais en Inde on prend cela au sérieux. Les postures de yoga déplacent dans l'espace, les uns par rapport aux autres, les différents *chakras* ou centres subtils. Si je suis assis verticalement, les *chakras* sont superposés les uns par rapport aux autres d'une certaine manière; si je suis en position inversée, la tête en bas et les jambes en l'air, les *chakras* se trouvent dans une verticalité opposée. Mais si les sculptures des temples hindous montrent des postures d'union sexuelle si étonnantes, parfois si acrobatiques, c'est pour témoigner de leur valeur yoguique.

De même, si l'on n'a pas d'inhibitions, de peurs inconscientes, si on ose être vrai, être soi-même, si on ne refoule pas un mépris latent pour la sexualité, si on peut se donner unifié, il y a des modifications respiratoires qui se produisent spontanément dans l'acte sexuel et qui ont été comparées aux différentes variétés de *pranayama*. C'est un thème qui fait partie aussi de cet immense ensemble de connaissances que l'Inde nous a transmis et qui était jusqu'à présent non pas secret mais réservé à ceux qui étaient qualifiés pour le recevoir.

Je voudrais au moins aujourd'hui, et c'est paradoxal de conclure ainsi dans notre monde où le sexe s'étale à toutes les pages des revues, réconcilier certains et certaines d'entre vous avec la sexualité et tenter de les convaincre qu'il n'y a pas là une activité indigne d'un chercheur spirituel.

Que la sexualité soit souvent compromise par la peur, la névrose, par le mental, c'est vrai. Aussi cruel soit-il de voir la vérité en face pour certains d'entre vous, nous ne pouvons pas trahir celle-ci, et la vérité c'est que l'activité érotique est précieuse sur le Chemin et qu'il n'est pas fructueux de chercher à se mentir.

Ou alors, parce que cette possibilité s'est toujours ouverte aussi, vous vous engagez sur l'autre Chemin, qui est celui de la véritable liberté : Ramana Maharshi n'a eu aucune vie sexuelle, et qui songerait à dire qu'il lui a manqué quelque chose ? Mâ Anandamayî n'a eu aucune vie sexuelle et qui oserait prétendre qu'il lui a manqué quelque chose ? Je ne nie pas la possibilité d'atteindre les cimes de la sagesse sans aucune vie sexuelle, à condition que cette continence soit vraiment un ferment de spiritualité, que l'énergie sexuelle soit réellement utilisée pour la méditation et la transmutation. C'est possible. Je ne vous dirai jamais que sainte Thérèse d'Avila était forcément névrosée, que saint Jean de la Croix était forcément névrosé, comme l'affirment beaucoup de psychanalystes. Je vous dirai simplement ceci : on ne peut pas jouer avec l'énergie sexuelle — et qui veut faire l'ange, trop souvent, fait la bête.

11

UN AMOUR ABSOLU

Je vous propose de regarder ensemble ce qu'il en est de la réalité la plus terrible qui soit, l'amour, dans tous les sens que vous pouvez donner à ce mot. C'est autour de lui que tourne toute l'existence humaine y compris les drames, les tragédies, les souffrances, car ce que nous appelons communément l'amour n'est que l'autre face de la haine comme la haine n'est que l'autre face de l'amour. Regardez les yeux grands ouverts tout ce que recouvre ce mot que nous utilisons si souvent, depuis que, tout petits, nous disions « je t'aime » ou « je ne t'aime plus » à notre maman.

Je dois signaler la pauvreté de la langue française à cet égard puisqu'elle n'offre qu'un seul mot là où la plupart des langues, dont celles de peuplades africaines, comprennent au moins deux termes si ce n'est plus : en grec *eros* et *agape*, en sanscrit *moha*, traduit par attachement, et *prem* traduit par amour. Il y a, vous le sentez bien, un abîme entre le « je t'aime » d'amoureux qui se haïssent six mois plus tard et l'amour du Bouddha ou du Christ. Le fait que le même mot serve à désigner des réalités si différentes crée déjà beaucoup de confusion dans notre esprit et ce depuis notre enfance. « Dieu a tant aimé le monde qu'Il a donné Son Fils unique afin que quiconque croit en Lui ne périsse point et qu'il ait la vie éternelle » (Évangile de saint Jean). Dieu a tant aimé le monde, et moi, petit garçon, j'aime tant les chocolats.

De quel amour parlons-nous ? D'un amour qui est l'expression du sens de la dualité ou d'un amour qui est l'expression du dépassement de ce sens de la dualité ? Vous savez, vous qui venez ici, bien que ce soit une idée qui ne fasse pas partie de notre culture occidentale moderne, que la conscience habituelle — celle de l'ego, de la limitation, de la différence entre moi et l'autre — peut être dépassée et que vous pouvez découvrir une conscience non duelle dans laquelle la séparation s'efface et l'autre nous apparaît comme étant une expression de nous-même. Souvenez-vous de la comparaison déjà utilisée dans le tome I des *Chemins de la Sagesse* : un unique océan et des vagues différentes, séparées ; si la vague avait conscience d'elle-même en tant que vague, elle se sentirait tout autre que la vague qui la précède et la vague qui la suit mais, si elle a conscience d'elle en tant qu'océan, l'autre vague n'est rien qu'une forme d'elle-même.

La condition ordinaire, c'est la condition de séparation, de la dualité, moi et l'autre. Et une des *Upanishads* affirme : « S'il y a deux, il y a peur. » C'est déjà un point sur lequel nous pouvons réfléchir. S'il y a deux ou si je ressens deux, l'autre et moi, il y a inévitablement le jeu de l'attraction et de la répulsion, autrement dit le jeu de « j'aime et je n'aime pas », « je veux, je refuse », « je désire, j'ai peur », jusqu'à ce que nous soyons établis dans la neutralité. Ou bien l'autre va m'être nuisible, va me faire du mal, que ce soit un papa qui me punit ou un ennemi du camp adverse quand je suis adulte, ou bien l'autre va me faire du bien. Mais s'il me fait du bien, s'il est pour moi une occasion de bonheur, j'apprends vite que ce bonheur n'est pas stable et que celui-là même qui me rend heureux ou m'a rendu heureux peut aussi me faire souffrir, ne serait-ce qu'en mourant. L'amour le plus parfait, sur lequel il n'y aurait jamais une ombre, peut être une cause de grande souffrance si l'un des deux partenaires — l'enfant ou la maman, le mari ou la femme — est brusquement tué dans un accident.

Nous conservons, dans une mémoire profonde, subconsciente, des souvenirs qui remontent bien avant cette existence et prouvent la fragilité du bonheur fondé sur la relation à deux. Et s'il y a deux, inévitablement, tôt ou tard, deux seront séparés, c'est une loi aussi. Nous ne trouverons pas notre libération en fermant les yeux pour ne plus voir à l'œuvre les lois universelles. Au plan métaphysique seul, plus aucune loi ne joue et seule règne la pure Conscience, la Réalité suprême, sans limite, indivisible, échappant à nos catégories du temps, de l'espace et de la causalité, Réalité suprême à laquelle nous pouvons avoir accès au cœur de nous-mêmes comme notre propre conscience. Mais cette réalisation n'est pas une expérience courante et vous êtes marqués par le jeu de la dualité ou de la séparation. Le sens de l'ego, moi et les autres, ceux que j'aime, ceux que je n'aime pas, fait la sympathie, l'antipathie, les amours, les brouilles, les haines, ce que les psychologues étudient et dont les Sages sont libérés. C'est la loi de l'existence, c'est ce qui vous meut. S'il y a amour, il y a inévitablement haine, s'il y a attraction, il y a aussi répulsion.

Donc le fait qu'il n'y ait qu'un seul mot en français vous a établis dans la confusion parce que vous mélangez l'amour du Christ ou l'amour du Sage avec ce que vous appelez, vous, amour. Vous devez être beaucoup plus rigoureux pour comprendre de quel amour il s'agit. Ce que vous appelez habituellement amour est l'expression du sens de l'ego, de la séparation, de la limitation individuelle, donc le besoin d'être aimé. Si celui ou celle que nous disons aimer ne nous aime plus comme nous voudrions l'être, notre amour pour lui ou pour elle est tout de suite affecté, mêlé d'émotion. On ne peut aimer vraiment, au sens que vous donnez aujourd'hui au mot amour, que si l'on n'a plus besoin d'être aimé.

Entendez bien ce que je viens de dire là. Je ne parle pas de l'amour transcendant de Ramana Maharshi ni du Bouddha, l'amour métaphysique que vous entrevoyez plus ou moins à travers des témoignages ou des lectures. Je parle de l'amour, le grand amour, que nous attribuons à tort ou à raison à Roméo et Juliette ou à Tristan et Iseult, ou l'amour de l'enfant pour la mère et de la mère pour l'enfant, l'amour que vous souhaitez, dont vous rêvez et j'affirme : on ne peut vraiment aimer que quand on n'a plus besoin d'être aimé. L'amour de l'autre nous est alors, si je peux dire, donné par surcroît mais il n'est plus une nécessité. Quand nous n'avons plus *besoin* d'être aimé, premièrement nous pouvons enfin aimer, deuxièmement nous pouvons vraiment ressentir l'amour de l'autre parce que l'arrière-plan de peur a disparu. Comprenez-le, sinon vous poursuivrez toujours une chimère, un rêve qui, en vérité, est réalisable mais pas à n'importe quelles conditions et qui, pour la plupart des êtres humains, ne se réalise jamais comme ils en ont rêvé dans leur adolescence.

Ce qui définit l'être humain, c'est le besoin d'être aimé. Swâmiji m'a dit un jour : « Vous êtes un mendiant. » Pour ceux qui ont vécu en Inde, le mendiant qui supplie, qui s'accroche à nos basques, qui nous poursuit pendant une demi-heure en réclamant et réclamant encore sa pièce de monnaie est une image qui a beaucoup plus de sens que pour celui qui n'a connu que l'Europe. Swâmiji m'a dit : « *You are a beggar, you are begging for love* », « Vous êtes un mendiant, vous mendiez l'amour ». Si vous êtes honnêtes, vous verrez que, quelles que soient vos réussites professionnelles ou mondaines, même vos réussites de séductrice et de conquérant, vous êtes des mendiants qui continuent à quémander l'amour.

⁂

Quand nous nous sentons ou nous croyons aimés, fût-ce momentanément, la peur fondamentale de l'avenir n'est plus ressentie. Nous vivons dans la peur parce que nous savons que nous ne pouvons compter sur rien, que tout éventuellement peut nous trahir : notre santé, notre corps physique, notre situation professionnelle, notre meilleur ami, notre mari ou notre femme, tout peut nous trahir, ne serait-ce qu'en disparaissant brusquement lors d'une guerre ou d'un accident. Nous ne pouvons compter sur rien. Mais quand on se sent vraiment aimé, cette peur n'est plus perçue. Vous n'y avez peut-être pas prêté attention, vous n'en avez peut-être pas nettement pris conscience mais c'est ainsi. Quand on se sent aimé, les dangers de conflits atomiques n'ont pas disparu, les dangers d'accident n'ont pas disparu, les dangers de chômage, de crise économique n'ont pas disparu, les menaces qui pèsent sur nous tous n'ont pas disparu pour autant et pourtant la peur, elle, a disparu. Quand un homme et une femme sont vraiment amoureux l'un de l'autre, que cet amour soit destiné à durer ou à périr, s'il est — au moins pour le moment — complet, sincère, la peur disparaît, même dans des conditions menaçantes, même dans des conditions tragiques. Même s'il pleut des bombes de tous les côtés, un enfant n'a plus peur simplement parce que sa mère le prend dans ses bras et qu'il se sent de nouveau aimé. Notre conscience foncière de la dualité, de la séparation, est momentanément effacée.

Mais vous savez aussi qu'un amour parfait

peut tourner court. La vie unit et sépare. L'un est emmené prisonnier dans un camp et ne revoit plus son épouse pendant cinq ans, un autre meurt, laissant sa jeune femme avec quatre enfants. L'amour est ce qu'il y a de plus tragique. C'est la source des joies les plus « divines » auxquelles l'humanité peut avoir accès et c'est la source des plus grandes souffrances, des plus grandes révoltes : « Si Dieu existait Il n'aurait pas permis que je perde mon fils si jeune et dans des conditions pareilles » ou « Il n'aurait pas permis que ma femme soit tuée dans cet accident ».

Le besoin d'être aimé meut tous les êtres et pas seulement ceux qui sont seuls dans l'existence et dont la vie n'est que frustration. Un président de la République, lui aussi, mendie l'amour et cette mendicité n'est qu'apparemment compensée par la réussite : un homme politique se sent aimé par ceux qui ont voté pour lui. Voyez, au moment des résultats d'une élection, avec quelle émotion les hommes politiques accueillent le succès ou la défaite, une émotion qui va beaucoup plus loin que leur carrière, une émotion qui signifie « on m'aime », « on ne m'aime pas » ou « on ne m'aime plus ». Si vous avez l'honnêteté, le courage de voir combien vous mendiez l'amour, vous aurez déjà franchi une étape. Ne jugez pas, ne prenez pas peur mais commencez par regarder ce qui est.

Cette demande d'amour est absolue, fondamentalement absolue. Vous ne demandez pas à être relativement aimés ou un peu aimés, vous demandez à être aimés d'une manière parfaite, totale, sans une ombre, sans une faille et pour toujours. C'est à ce critère absolu que vous référez toutes vos expériences d'amour et il explique beaucoup de souffrances. Vous avez cru trouver cet amour absolu dans la rencontre d'un homme ou d'une femme et, quand les premiers mois de rêves et de projections sont achevés, vous découvrez que cet amour n'est que relatif. Vous avez en face de vous un autre être qui, lui aussi, a besoin d'être aimé et, lui aussi, vous demande l'impossible, l'amour absolu. Ce rêve d'amour absolu tombe, vous vous retrouvez dans le monde relatif et vous ne pouvez pas l'accepter. C'est une caractéristique de l'être humain que de porter en lui cette demande, cette nécessité d'absolu. Pourquoi s'arrêter en chemin, pourquoi se contenter d'un peu ? Nous demandons, comme disent les enfants, le plus du plus du plus du plus, autrement dit l'infini.

Cette demande d'amour peut être intensifiée par des frustrations infantiles, l'insuffisance de l'amour maternel ou la mort de la mère quand nous avions quatre ans, elle peut venir de bien des conditions et circonstances, elle peut même avoir pour origine ces étonnants *samskaras* d'existences précédentes, la nostalgie d'un grand amour que nous avons connu et que la mort a interrompu, que sais-je ? Mais fondamentalement le besoin d'être aimé vient de cette conscience limitée à l'ego, moi séparé de l'autre, l'autre qui va se conduire selon ses propres impulsions, sur qui je ne peux pas compter, qui ne sera jamais un musicien obéissant à ma baguette de chef d'orchestre, selon l'expression de Swâmiji. Il va peut-être me donner d'immenses bonheurs mais aussi des coups de poignard ressentis d'autant plus douloureusement que j'aurai investi plus d'espérance dans cet amour. Vous le savez tous, vous l'avez su mais vous l'oubliez, c'est une leçon que vous entendez mal. On peut vivre cinq fois dans sa vie ce qu'on croit être le grand amour et cinq fois faire les mêmes erreurs et rencontrer le même échec.

Il y a un lien entre le désir d'amour que nous investissons généralement dans la relation entre l'homme et la femme (ou éventuellement entre deux hommes ou deux femmes s'il s'agit d'homosexuels) et le désir d'être aimé tout court, vraiment aimé, comme le petit enfant l'était, au moins relativement, par sa maman. Et je maintiens : vous ne pouvez aimer que quand vous n'avez plus viscéralement besoin d'être aimés et, tant que vous avez besoin d'être aimés, vous ne ressentez pas vraiment l'amour de l'autre parce que vous avez peur, doublement peur si c'est un échec qu'il vous fasse mal et, s'il y a harmonie, qu'un drame vienne briser cette relation. Les émotions, les névroses interviennent tout le temps malgré vous et vous poursuivez un rêve presque toujours déçu. Par rapport à la demande d'absolu, personne n'est satisfait. Pourtant, le bonheur dans le couple n'est pas impossible. Mais il faudrait n'avoir plus besoin d'être aimé, donc n'avoir plus peur, plus peur de la trahison, plus peur de la séparation, plus peur du futur et pouvoir vivre parfaitement, pleinement dans l'instant, dans le « ici et maintenant ».

⁂

Avoir été aimé veut dire avoir été aimé non pas de l'amour mécanique, émotionnel mais de l'autre amour pour lequel nous n'avons pas de mot particulier en français. J'ai compris petit à petit — et là je partage avec vous un peu de mon expérience personnelle d'être humain occidental, ni mieux ni pire que la moyenne — combien ce désir de grand amour que j'avais, moi aussi, projeté sur la femme idéale a été progressivement comblé par mes rencontres avec des sages. Voici qui peut paraître étonnant. Cet amour dont à vingt ans je portais la nostalgie au fond du cœur, ce sont des vieillards qui me l'ont donné. Je ne dis pas cela pour vous faire sourire, bien qu'on puisse en sourire. Peu à peu ce besoin d'être aimé a été comblé. Je ne m'en suis pas rendu compte tout de suite. Pendant des années, ce n'était jamais suffisant. Il aurait fallu que le gourou ne vive que pour moi. Mais, malgré tout, je me suis senti aimé. Aimé par Mâ Anandamayî, aimé par Kangyur Rimpoché, aimé par Soufi Saheb de Maïmana, des êtres dont je ne parlais pas la langue, qui n'étaient pas de ma race. Je me suis senti aimé, complètement, absolument.

Un jour, vers 1970, à l'époque où j'avais une certaine notoriété à la télévision, j'étais interviewé à l'antenne au sujet de ma série de films sur les sages et leurs disciples. Celui qui m'interrogeait, comprenant que j'étais définitivement spécialisé dans un certain type de films, m'a dit : « En somme, vous ne tournerez jamais de films d'amour », voulant dire par là : « Vous avez renoncé aux films avec scénario ». Ma réaction a surpris beaucoup de personnes qui regardaient l'émission et qui m'en ont parlé. Il paraît que j'ai eu l'air stupéfait. « Quoi ! mais je ne tourne que des films d'amour ! » C'est sorti comme le cri du cœur. Quand j'ai entendu cette question, j'ai compris combien, plus que dans un climat d'aventure, de mystère, de beauté, d'ésotérisme, de spiritualité, j'avais vécu dans un climat d'amour.

Malheureusement, ces saints et ces sages, capables d'aimer comme le soleil chauffe et éclaire, sont rares dans notre société et c'est une grande perte. Comme autrefois en Europe, la rencontre avec le Sage aujourd'hui en Orient est une des données les plus précieuses de l'existence. Les gens font des centaines de kilomètres pour approcher un sage, avoir ce qu'on appelle en Inde son *darshan,* demeurer simplement silencieux en sa présence, parce que c'est un être qui, même s'il nous rencontre pour la première fois de notre vie, s'il ne sait ni notre nom ni d'où nous venons, ni si nous sommes mariés ou célibataires, à l'instant même nous aime d'un amour qui ne connaît aucune vicissitude.

On ne peut aimer soi-même et on ne peut ressentir l'amour d'un autre être humain que quand on n'a plus besoin d'être aimé. Et on n'a plus besoin d'être aimé que quand on s'est vraiment senti aimé. Et je me suis vraiment senti aimé, y compris par un homme auquel je rends hommage aujourd'hui et dont vous connaissez tous le nom, Sensei Taisen Deshimaru qui vient de mourir au Japon. Si j'ai reconnu Sensei comme un maître, ce n'était pas à cause de son impressionnante démarche ni de la force qui se dégageait de lui, c'est à cause de sa capacité à aimer. Sensei Deshimaru aimait, je serai toujours prêt à en témoigner. Qu'on me dise qu'il buvait trop ou qu'il se mettait en colère me fait sourire, quand cet homme était capable d'une telle compassion. J'ai vécu trois mois de ma vie jour et nuit avec Deshimaru au Japon et je l'ai vu aimer : des gamins, des étudiants, des gens du peuple, de riches bourgeois de Tokyo, des hommes politiques. Ce qui domine mon souvenir de lui, c'est cette inébranlable tendresse et, sous un visage bien différent de celui du frêle Ramdas, le même amour.

Dans cette rencontre avec le Sage qui joue un si grand rôle pour l'Islam, l'Hindouisme, le Bouddhisme, il y a la réponse à notre soif inextinguible d'être aimé. Bien sûr, la fréquentation des sages ne suffit pas à elle toute seule pour transformer une existence et nos propres efforts sont nécessaires aussi. Le Chemin est un tout.

Et puis j'ai compris que l'amour d'un homme avait été particulièrement manifesté pour moi, celui de Swâmi Prajnanpad. Je sais que Ramdas m'a autant aimé que Swâmi Prajnanpad m'a aimé et que Ramdas a autant aimé des milliers et des milliers de gens, que Khalifa-Sahib-e-Sharikar a eu le même amour pour moi, Français, non musulman, que Swâmiji, mais l'amour de Swâmiji s'est concrètement manifesté par une patience et une attention inlassables. Ce vieil homme m'a donné beaucoup de son temps et de son énergie, même quand il était faible, malade, susceptible de mourir d'une crise cardiaque d'un instant à l'autre. Si je peux m'exprimer ainsi, il m'a eu à l'usure. Son amour était si inébranlable que mes doutes, mes peurs, mes projections, tout ce que j'imaginais sur son compte a peu à peu fondu comme la cire à la chaleur. Un beau jour une capitulation s'est accomplie et s'est levé en moi ce que je pourrais appeler le chant de victoire — comme le chant de victoire du Bouddha quand il a annoncé à l'univers entier qu'il avait atteint la Libération — « j'ai été aimé ».

L'amour de ces sages pour nous-mêmes est un amour qui ne juge pas. Il peut être ferme, apparemment sévère pour nous aider à progresser, certes, mais en vérité il ne juge jamais. C'est un amour absolu, expression de leur réalisation de la non-dualité, de leur neutralité intérieure. Et, ne vous y trompez pas, ce mot de neutralité est synonyme d'amour infini, aussi étonnant que cela puisse vous paraître au premier abord. Le Sage nous aime tels que nous sommes.

Or personne ne nous a aimés de manière absolue tels que nous sommes. Nous le savons bien, à part dans les premières semaines de la vie où Maman acceptait que nous la réveillions la nuit et salissions nos couches, personne ne nous a aimés tels que nous sommes. On nous aimait tels qu'on nous voulait, tels qu'on nous souhaitait, tels qu'on nous imaginait, tels qu'on nous demandait d'être. Et c'est cela qui nous faisait vivre dans la peur. Comment pouvions-nous être cet enfant parfait que nos parents nous demandaient d'être ? Tandis que le Sage nous aime de manière absolue *tels que nous sommes.*

Faites au moins l'honneur à Dieu de croire qu'il est capable du même amour qu'un gourou et de la même compréhension psychologique que le plus grand des psychothérapeutes. Le Sage nous aime comme Dieu nous aime, sans jugement. Et ici intervient, surtout pour nous Occidentaux imprégnés de Christianisme, encore une donnée fondamentale des cartes que nous avons en main pour jouer et gagner le jeu de notre Libération. Je disais tout à l'heure que l'amour était ce qu'il y avait de plus terrible. Maintenant je vais parler de ce qu'il y a de plus horrible : ne pas s'aimer soi-même.

Ne pas s'aimer soi-même, ne pas s'accepter tel que l'on est, se juger, se sentir coupable et se condamner, ce n'est certes pas ce que le Christ est venu apporter sur la terre, lui qui a voulu enseigner l'amour et le salut, mais c'est trop souvent ce qui s'est produit dans le Christianisme, comme si Dieu était capable de ne plus aimer. Il n'y a que nous qui, par nos erreurs, pouvons nous condamner à l'enfer. Dieu, s'il existe, est amour inépuisable et infini. Mais parce que nos parents, momentanément, ne nous aimaient plus, il faut oser le dire, quand nous leur déplaisions, parce que nous avons été imprégnés de l'idée de bien et de mal, parce que nous n'avons pas pu répondre à l'attente de ceux que nous admirions — un grand-père, une grand-mère, un père, une mère, un parrain, un ami, que sais-je ? —, nous vivons ou nous avons vécu dans cette tragédie de ne pas nous aimer nous-mêmes.

C'est peut-être une des plus belles définitions que l'on puisse donner de l'ego. Vous croyez qu'égoïsme ou égocentrisme veut dire s'aimer soi-même au lieu d'aimer les autres. Eh bien non, l'ego c'est ce qui fait qu'on ne s'aime pas soi-même et c'est parce qu'on ne s'aime pas soi-même que l'ego subsiste et se maintient. Et, si je disais tout à l'heure qu'il y a deux sens du mot amour, deux amours, deux réalités différentes, cela s'applique aussi à l'amour que vous portez à vous-mêmes. Vous avez un amour-propre, une vanité, une susceptibilité, en effet égocentriques, vous êtes prisonniers de cet égoïsme ou de cet égocentrisme, c'est certain mais c'est un amour bien médiocre puisque cet amour de soi-même vous juge et vous condamne sans cesse. Retenez cette formule : l'ego, ce n'est pas l'amour de soi, c'est le non-amour de soi. Vous vous décevez et ne vous pardonnez pas de n'être que ce que vous êtes. Si, comme enfants, vous aviez été plus silencieux — mais vous étiez bruyants —, si vous aviez été plus souriants, plus gracieux, meilleurs élèves, vous vous seriez sentis plus aimés et vous vous êtes haïs de ne pas avoir tous les dons, tous les charmes, toutes les qualités qui auraient fait de vous le centre d'intérêt de toute la famille et de toute personne que vous approchiez.

Même si mes cheveux ont un peu repoussé parce que je ne me suis plus fait passer la tondeuse depuis quelque temps, vous vous doutez bien que je n'avais pas, comme enfant, de belles boucles blondes ; et un jour, j'ai entendu devant moi chanter les louanges d'un autre petit enfant qui avait de beaux cheveux bouclés. Résultat — je ne sais plus quel âge je pouvais avoir —, j'ai essayé de me mettre des bigoudis la nuit parce que j'avais cru comprendre que cela permettait d'avoir des cheveux bouclés. On s'en est aperçu et les grandes personnes l'ont très mal accueilli. J'ai compris qu'en tentant de me faire aimer en ayant moi aussi des cheveux bouclés, j'aggravais encore la situation. Pour vous adultes, ça fait sourire, pour moi enfant ça a été vécu comme atroce.

N'oubliez pas combien les grandes notions métaphysiques sont en fait liées aux détails les plus ordinaires de l'existence. Et n'oubliez pas non plus que la sensibilité d'un enfant ne joue pas dans les mêmes domaines que celle d'un adulte. Que les prétendus adultes aient des émotions infantiles, c'est vrai et elles se manifestent à propos de l'achat d'une voiture de sport ou d'une discussion avec un voisin pour un mur mitoyen. L'enfant, lui, ne demande qu'une chose, c'est de sentir que tout le monde l'aime. Le mental grandit avec l'enfant et le mental est tissé de comparaisons. Ça fait mal, très mal à un enfant d'entendre vanter les cheveux bouclés de son cousin ou de s'entendre critiquer en public ou d'entendre des comparaisons qui ne lui sont pas favorables. Inversement, les comparaisons qui lui sont favorables prennent une importance immense et font grandir en lui la vanité : il en « rajoute » parce que ça le rassure.

Vous vivez dans cette étrange situation de porter en vous — c'est la condition humaine — le besoin fondamental d'être aimés d'une manière absolue qui seule pourrait vous permettre de transcender la peur et, d'autre part, la conviction que tels que vous êtes vous ne pouvez pas être aimés parce que vous n'êtes pas assez beaux, pas assez brillants, pas assez souples, pas assez intelligents, pas assez admirables. Comment pourriez-vous vous pardonner ?

Alors la vie consiste à compenser et ce ne sont que de bien tristes, bien pitoyables — au vrai sens du mot, dignes de pitié — compensations.

Je peux dire avec un sentiment de gratitude absolue, infinie, que je me suis senti aimé, aussi imparfait dans le relatif que je l'étais par tous les sages auxquels mes films et mes livres ont rendu hommage. Tel que je suis, maladroit, infantile, faillible, orgueilleux, je suis donc aimable puisque Ramdas m'a regardé avec tant d'amour. J'ai vu et reconnu aussi ce que ces sages ont fait pour moi, pour m'aider dans mes voyages, pour me rendre service, pour me permettre de tourner ces films. Leur amour ne consistait pas seulement en bonnes paroles et il m'a lentement imprégné d'une conviction nouvelle opposée à celle qui s'était gravée en moi dans l'enfance. Imparfait comme je l'étais, je pouvais être aimé. Et peu à peu j'ai appris à m'aimer moi-même.

Vous ne vous sentirez pas aimés tant que vous ne vous aimerez pas vous-mêmes. Souvenez-vous : on ne peut aimer que quand on n'a plus besoin d'être aimé, on ne peut vraiment ressentir l'amour qui nous est donné que quand on n'a plus besoin d'être aimé parce qu'il n'y a plus de peur à l'arrière-plan, on n'a plus besoin d'être aimé quand on a vraiment été aimé par soi-même. Voilà l'impasse dans laquelle se débattent la quasi-totalité des hommes et des femmes : je rêve d'être aimé, j'ai impérativement besoin d'être aimé, j'échoue parce que mes rencontres amoureuses sont toujours émotionnelles, pour ne pas dire hélas névrotiques. Je vis dans la peur, les demandes impossibles, les projections, les maladresses, parce que je ne me suis pas senti aimé suffisamment pour être libre du besoin de l'être et je ne serai jamais libre de ce besoin tant que je ne m'aimerai pas moi-même.

La première personne, après le gourou, dont l'amour vous est nécessaire, c'est vous tels que vous êtes, incomplets, imparfaits. Aucun d'entre vous ne peut avoir à la fois les dons de tennisman de Mac Enroe, plus les dons de guitariste de Segovia, plus les dons de philosophe de Sartre, plus la musculature de Cassius Clay, plus la notoriété politique de Chirac. Ce héros qui n'a jamais existé mais que dans l'enfance vous auriez voulu être pour que toute la famille vous aime et vous admire, vous ne le serez jamais et vous ne vous le pardonnez pas. Vous pensez que tels que vous êtes vous ne pouvez pas vous aimer. C'est cela qui fausse tout et fait de la vie cette quête pitoyable d'amour, ces échecs, et pour masquer ces échecs, les mensonges et les illusions du « mental » *(manas).*

Je suis certain maintenant que ceci joue un rôle fondamental dans la rencontre avec les sages. Au lieu de mendier l'amour auprès d'êtres qui ne sont pas capables d'aimer parce qu'eux-mêmes ont trop besoin de l'être, allons donc mendier l'amour auprès de ceux qui n'ont plus besoin d'être aimés, qui se suffisent totalement à eux-mêmes et qui, par conséquent, sont capables d'aimer vraiment. Si vous êtes sincères, si vous ne vous protégez pas, vous serez d'accord avec le mot que j'ai employé tout à l'heure : c'est terrible. Elle est terrible cette tragédie de l'espérance que nous mettons dans l'amour, des moments divins dont il ne reste rien que l'amertume, des passions qui se changent si vite en blessures et en haine, jusqu'à ce que, pour moins souffrir, nous ayons détruit au fond de nous la richesse de notre sensibilité.

Je pourrais aborder le thème de l'amour en termes purement religieux : l'amour de Dieu pour nous, l'amour de l'homme pour Dieu répondant à l'amour de Dieu qui nous a aimés le premier. Si nous comprenons ces expressions non pas d'une manière bornée mais véridique et vivante, nous pouvons retrouver aussi la vérité dans l'approche religieuse, la vérité qui dépasse le mental et l'ego des théologiens. Il suffit de donner leur sens profond, et je dirais même leur sens intelligent, aux formules que connaissent tous ceux qui ont reçu une éducation chrétienne.

Il est une Réalité suprême, comme l'eau en chaque vague de l'océan, qui nous meut, qui nous anime de l'intérieur, qui fait de nous un seul corps mystique. Il n'y a rien d'autre, à tous les niveaux, que l'amour : l'amour passion, l'amour déception, l'amour trahison, l'amour souffrance, l'amour fascination ou l'amour suprême, l'amour divin. Il n'y a rien d'autre que l'amour, l'amour dans la dualité — l'amour qui appelle au secours « j'ai peur d'être seul » — et l'amour expression de la Réalité non dépendante découverte en nous-mêmes.

Vous connaissez tous, je suppose, l'expression sanscrite qui tente de laisser entrevoir ce qu'est cette Réalité de Conscience ultime, *sat-chit-ananda,* qu'on traduit par Être-Conscience-Béatitude. Mais si on approfondit le sens de ces termes, ils impliquent l'amour, l'amour absolu qui « comprend tout, pardonne tout, ne périt jamais ». Un amour absolu peut tout, y compris pour nous-mêmes. *Ananda,* qu'on traduit par béatitude, c'est l'amour de nous-mêmes. Pourrait-il y avoir une béatitude quelconque si nous ne nous aimons pas nous-mêmes, si nous nous refusons tels que nous sommes et si notre culpabilité nous accable ?

Dieu vous aime tels que vous êtes. Le Christ l'a dit et redit : « Je ne suis pas venu pour les bien portants mais pour les malades », « Je ne veux pas la mort du pécheur mais qu'il soit sauvé », « Ne jugez pas pour ne pas vivre dans le monde du jugement ». Dieu nous aime tels que nous sommes, Swâmi Ramdas, Khalifa Sahib-e-Sharikar nous aiment tels que nous sommes, imparfaits comme nous le sommes, et il n'y a que nous qui ne pouvons pas nous aimer ? Je vous le redis, c'est ce non-amour de nous-mêmes qui fait l'ego. La Libération, c'est l'amour de soi-même — enfin.

Vous êtes convaincus aussi que, dans vos tentatives quelles qu'elles soient pour être aimés, c'est votre « imperfection » qui est venue compromettre votre tentative. Si vous aviez été — et avec les si nous pouvons donner libre cours au mental —, si vous aviez été ce que vous n'êtes pas, cet amour que vous avez tenté de vivre aurait réussi. Si j'avais été ce héros que je ne suis pas, cette femme m'aurait aimé, mais quand elle ne m'a plus vu à travers ses projections mais en moi-même, elle a été déçue, elle est tombée de haut et notre beau rêve s'est brisé. Et si j'étais autre que je ne suis, je serais respecté par mes employés, je serais apprécié par mes supérieurs, je serais aimé par mes égaux hiérarchiques. Une fois encore, c'est de ma faute si je ne peux pas être aimé. Comment pourrais-je m'aimer moi-même ? Et le salut passe par là : « Aimez-vous vous-mêmes. »

Dans les Évangiles, il est enseigné : « Tu aimeras le Seigneur ton Dieu de tout ton cœur, de toute ton âme, de toute ta pensée, voici le premier grand commandement et voici le second qui lui est semblable : Tu aimeras ton prochain comme toi-même, de ces deux commandements dépendent toute la loi et les Prophètes. » Il n'est pas dit : « Tu aimeras ton prochain et tu ne t'aimeras pas toi-même. » Il est dit : « Tu aimeras ton prochain comme tu t'aimes toi-même. » Le sens suprême de cette parole, c'est que réellement notre prochain est nous-mêmes. C'est ce que nous pouvons découvrir si nous échappons à la Conscience limitée, individualisée, séparée, techniquement dénommée *ahamkar* en sanscrit, comme une vague qui aurait découvert qu'elle est l'océan et que l'autre vague, c'est elle-même.

L'amour est plus important que tous les aspects techniques des différentes *sadhanas* : concentration, méditation, *asanas, pranayama, pratyahara, dharana, dhyana* dans le langage du yoga ou position de témoin, discrimination du spectateur et du spectacle, dans le *Védanta.* En Occident, nous en serons bientôt à une spiritualité dans laquelle l'amour aura disparu et où il ne s'agira plus que de techniques, ou à une spiritualité inondée d'un amour sentimental plein de mélanges, de mensonges et de confusion, et que les psychanalystes peuvent aisément critiquer comme nostalgie d'un père et d'une mère parfaite ou compensation aux souffrances de l'enfant. Il y a des formes de spiritualité qui se présentent comme imprégnées d'amour mais qui, en vérité, sont imprégnées d'infantilisme, ne sont qu'une tentative pour bercer cet infantilisme, nous maintiennent dépendants, ne comblent pas ce besoin d'être aimés et ne nous conduisent pas à la liberté.

Vous avez peut-être approché des êtres religieux, donc qui utilisent abondamment le mot amour mais dont vous voyez bien qu'ils ne vieillissent pas heureux, sereins, épanouis, libres et en communion avec l'univers entier. L'essentiel a été manqué, la réconciliation avec soi-même. Ils ont vécu des vies religieuses fondées sur l'amour mais en continuant à ne pas s'aimer soi-même, en tentant d'aimer Dieu mais en se jugeant et en traînant partout une culpabilité que les psychologues et les psychanalystes se font un plaisir d'attribuer à l'éducation chrétienne. Nous devons avoir le courage de regarder la vérité en face, y compris les dégénérescences de ce que nous sommes enclins à admirer ou à vénérer.

Mais ce que je tiens par contre à dire aujourd'hui, c'est qu'il n'y a pas de voie non dévotionnelle, de voie comme celle du Bouddhisme *hynayana*, du *Védanta*, du yoga de la connaissance ou un yoga technique, dans laquelle l'essentiel ne soit pas de reconnaître son infinie nostalgie d'amour, ses échecs dans ce domaine, son incapacité à aimer, à se sentir aimé ou à répondre à l'amour. Vous ne pourrez jamais renoncer à cette nostalgie de l'amour et, si vous essayez de l'étouffer par des exercices techniques de méditation et de concentration, vous n'atteindrez ni la paix ni la liberté. Les techniques sans l'amour sont comme des appareils électriques dans une maison où il n'y a pas l'électricité.

Swâmiji était un homme génial, physicien, mathématicien, sanscritiste, psychologue, mais maintenant, après l'avoir tant admiré, ce qui domine quand je me souviens de lui, c'était un homme qui aimait. Ramdas, qui était avant tout un poète, Swâmi Prajnanpad qui était avant tout un scientifique, se rejoignaient dans l'amour, un océan d'amour, une immensité d'amour. Amour est synonyme de Brahman, amour est synonyme d'*Atman,* amour est synonyme de Conscience, amour est synonyme d'Éveil, amour est synonyme de Sagesse, amour est synonyme de Libération. Et l'amour est la source de toutes les haines, de toutes les guerres, de toutes les souffrances, parce qu'on ne se sent pas aimé, qu'on souffre, qu'on se débat et qu'on essaie d'échapper à cette peur et à cette souffrance.

Un être qui se sent vraiment aimé ne peut pas être méchant, un être qui se sent aimé ne peut pas être ambitieux, écraser les autres pour réussir, jamais, et un être qui a fait quelque chose de grand dans sa vie est un être qui s'est senti aimé — très probablement par sa mère. Il n'y a pas d'hommes ou de femmes méchants. Ni Staline, qui a fait périr vingt millions de ses concitoyens — y compris ses camarades dans le combat de la révolution — ni le Chancelier Hitler, personne. Il n'y a que des gens mal aimés. Si Staline avait été vraiment aimé, il n'aurait pas tué vingt millions de Russes, si Hitler avait été vraiment aimé, il n'aurait pas fait périr plusieurs millions d'Allemands et d'Européens. Et nous n'avons qu'un seul mot en français pour désigner toutes les formes d'amour, depuis les plus pathologiques qui nous conduisent au tribunal — je l'aimais trop donc je vitriole sa nouvelle maîtresse — jusqu'à la compassion du Bouddha ou à l'amour du Christ.

En fait, il y a un fond commun à toutes ces formes d'amour. Le drame qui se joue dans l'humanité est celui de la Libération ou de la non-Libération, de l'ego limité, séparé, effrayé et du sage qui a découvert Dieu en lui, la sécurité absolue, les richesses « que les voleurs ne peuvent pas dérober et que la rouille ne peut pas détruire ». Cette même unique tragédie est à l'œuvre partout, en Hitler, en Staline et en saint Jean de la Croix, mais à des niveaux de maturité et de compréhension différents. La petite vague limitée et mortelle aspire à découvrir qu'en vérité elle a son fondement dans l'Océan. « En Lui nous avons l'être, le mouvement et la vie », disent les Chrétiens.

Tu aimeras ton prochain comme toi-même. Vous ne pouvez pas aimer qui que ce soit si vous ne vous aimez pas vous-mêmes. Comment se fait-il que des parents, qui ont rêvé d'aimer leurs enfants, puissent se conduire si durement, si maladroitement, si inconsciemment avec ceux-ci ? Comment se fait-il qu'un fiancé qui s'est juré d'aimer sa fiancée se conduise si mal avec elle une fois marié et inversement ? Comment se fait-il que nous tous qui ne demanderions qu'à aimer nous en soyons si peu capables ? Car si vous ne vivez pas dans un rêve, si vous êtes conscients, vous devez constater que vous n'êtes même pas capables d'aimer vos propres enfants.

Vous ne pouvez pas aimer parce que vous ne vous aimez pas vous-mêmes, vous n'êtes pas réconciliés avec vous-mêmes. Incluez-vous dans l'unique Amour. Le don de soi passe par l'amour de soi-même, le même, ni plus ni moins que pour les autres. Et c'est si difficile de s'aimer dans sa limitation, dans son imperfection, dans sa médiocrité. Vous vous faites des reproches, vous cultivez une culpabilité destructrice, vous vous en voulez, vous n'êtes pas fiers de vous, vous avez honte, vous trouvez que ce que vous êtes ou ce que vous faites ou ce que vous avez fait n'est pas beau. Vous demeurez dans le monde du jugement porté sur vous et du jugement projeté sur les autres que vous commencez de nouveau à critiquer, à admirer, renforçant ainsi cette dualité à laquelle vous êtes supposés vouloir échapper.

Ne jugez plus. Ne jugez plus les autres et ne vous jugez plus vous-mêmes. Essayez d'aimer les autres tels qu'ils sont et de vous aimer tels que vous êtes, essayez de comprendre les autres tels qu'ils sont et de vous comprendre tels que vous êtes. La compréhension conduit à la sympathie, la sympathie conduit à l'amour. C'est vrai dans votre relation avec les autres, c'est vrai dans votre relation avec vous-mêmes.

Si vous mettez aussi en pratique les autres aspects de la *sadhana* qui vous est proposée, vous dépasserez cette identification à l'ego, à « moi un tel », qui est le voile vous empêchant de découvrir en vous la Conscience non affectée, celle que Ramana Maharshi comparait à l'écran de cinéma sur lequel on peut projeter n'importe quel film. Tant que vous serez identifiés à l'ego, vous ne découvrirez pas cette Conscience suprême et tant que vous ne vous aimerez pas, vous resterez identifiés à l'ego. Cette conscience en vous est une plénitude à laquelle rien ne manque, qui n'a plus besoin d'être aimée. Même si on vous critique, même si on vous déteste, même si on vous calomnie, cela n'a plus d'importance.

La plénitude absolue se révèle au fond de notre cœur, c'est la promesse de tous les enseignements spirituels. Pourquoi cette promesse ne se réaliserait-elle pas pour vous ? Alors a disparu l'esclavage à la nécessité d'être aimé et la peur que l'autre nous fasse du mal ou que, si l'autre nous fait du bien, il soit d'une manière ou d'une autre séparé de nous. Alors nous pouvons aimer, totalement, sans crainte et, ici, maintenant, dans l'instant, donner la totalité de notre amour. Et du fait qu'il n'y a plus peur à l'arrière-plan, nous sommes capables d'apprécier, de reconnaître l'amour qui nous est donné — oh, peut-être relatif, peut-être imparfait encore, mais précieux tel qu'il est.

Quand le besoin d'être aimé est trop grand, vous êtes comparables à une passoire qu'on ne remplira jamais même en y mettant de l'eau tous les jours. Les seuls êtres qui peuvent remplir les passoires et les transformer en casseroles à cet égard, ce sont ceux qui aiment d'un amour non relatif, comme les Sages. Ce qui souille la presque totalité des amours humaines, c'est toujours la peur venant du besoin maladif d'être aimé. Et tout est faussé.

Amour et peur ne peuvent pas exister ensemble. On peut être amoureux, on peut être fasciné, on peut se suicider ou assassiner mais on ne peut pas aimer sur un fond de peur. Et ce fond de peur, c'est justement la peur profonde, inconsciente d'être une fois de plus trahi ou déçu. Au moindre signe que l'autre est un autre, que l'autre est différent de nous, toutes les vieilles blessures sont réveillées : « il ne m'aime pas vraiment », et les mécanismes inconscients que les psychologues étudient, sur lesquels je n'ai pas à m'étendre aujourd'hui, commencent à jouer. Pourquoi traîner une existence et peut-être même des séries d'existences successives dans une poursuite condamnée d'avance ?

Changez-vous, transformez-vous et si votre être change, votre destin change, « *Your being attracts your life* », « votre être attire votre vie ». Un jour vous attirerez le partenaire qui correspond à votre nature, avec qui, dans le relatif, vous pourrez vous entendre et que vous pourrez rencontrer sans peur. Accueillir le défavorable autant que le favorable, avoir l'expérience réelle, sans refus, de l'aspect cruel de l'existence, vous conduit à découvrir que la souffrance n'est pas douloureuse. Quand vous savez en votre for intérieur que vous avez le pouvoir de ne plus souffrir, même dans des situations douloureuses et qui autrefois eussent peut-être été atroces, votre certitude illumine toute rencontre avec un être du sexe opposé. « Il peut me faire du bien mais il ne peut pas me faire de mal. »

Tant que vous aurez peur de l'autre parce que l'autre peut être occasion de souffrance, profondément, inconsciemment vous ne le lui pardonnerez pas. Au moment même où vous jugerez l'aimer, vous le haïrez en même temps parce que vous savez qu'il a pouvoir sur vous pour vous faire souffrir. Mais, si la peur a disparu, vous ne risquez rien, vous pouvez vous donner, complètement, ici, maintenant. Et si l'autre aussi a compris qu'il pouvait jouer le jeu, ne serait-ce que parce que vous êtes suffisamment stables, solides, sans émotion pour éveiller en lui la conscience libre qui va grandir peu à peu, l'amour devient possible.

Si vous n'avez plus peur de ne pas être aimés, vous pouvez aimer et vous sentir aimés. Sinon, même quand un être est prêt à vous aimer d'un amour qui pourrait grandir, s'approfondir avec l'expérience de la vie, le partage, la communion, dès que « l'autre » ne correspond pas à ce que votre mental attend, vous vous sentez trahis, poignardés, vous souffrez, vous réagissez émotionnellement et vous commencez vous-mêmes à détruire ce en quoi vous aviez mis votre espérance de bonheur. Si vous avez été amoureux — bien peu sont ceux qui ne l'ont pas été à un moment ou à un autre —, vous savez combien le besoin d'être aimés vous rend vulnérables et fragiles. Libérés de la certitude névrotique de ne pas être aimés, nous ne sentirions pas un simple oubli comme une trahison, nous comprendrions que ça n'est pas si grave, ça ne veut pas dire qu'il ou elle ne nous aime plus, mais que c'est ainsi qu'il s'exprime.

Nous ne pouvons pas croire qu'un être humain peut nous aimer mais que son mental fonctionne d'une manière différente du nôtre. Si moi je considère qu'« elle » doit m'écrire et si « elle » ne m'écrit pas, cela veut dire qu'elle ne m'aime pas, elle me fait mal et je suis obligé de réagir à partir de cette souffrance. Mais si elle ne m'écrit pas, que cela ne fait lever en moi aucune peur, ne m'aveugle plus, ne m'emporte pas dans l'émotion et les pensées nées de l'émotion, je peux *voir* que cette femme m'aime, oui m'aime, mais qu'elle est différente de moi. Quand je la revois, je ne l'aborde pas sur un fond de blessure, de reproches, d'amertume, de haine — disons le mot — parce que nous ne pouvons pas ne pas haïr celui ou celle qui a été pour nous une cause de souffrance. Vous pouvez vous revoir sans peur, détendus, avec un œil nouveau, disponibles, et vous saurez que seul le mental aurait pu fabriquer toute une trahison, toute une déception qui en fait n'avait pas lieu d'être. Même le grand amour de ma vie ne sera jamais une réplique de moi-même.

Si nous n'avons plus besoin d'être aimés pour nous sentir être et pour échapper à la peur, l'amour, l'amour humain nous est donné par surcroît. Ne pensez pas que vous n'aurez plus accès qu'à l'amour transcendant du moine ou de l'ermite qui aime l'humanité entière du fond de sa grotte ou de son monastère. Vous aurez accès à la sérénité, à la paix qui dépasse toute compréhension, à *sat-chit-ananda,* ceci vous le savez, vous l'avez entendu, vous l'avez lu, mais vous aurez aussi accès à cet amour humain dont tant rêvent et que si peu découvrent vraiment. Le chemin de la Vérité n'est pas seulement austérité ! *Be happy*. Soyez heureux.

TABLE DES MATIÈRES

"Aimez-vous vous même !"

L'audace de vivre

Arnaud Desjardins

Pourquoi les êtres humains ont-ils peur de mourir ? Peut-être parce qu'ils n'ont pas vraiment vécu. Car quelle malédiction les a empêchés de vivre pleinement, sinon la peur de vivre ? Dans un livre positif, riche de son expérience et de l'enseignement qu'il a reçu en Inde, Arnaud Desjardins nous invite ici à une vie pleine, intense, à la mesure de chacun d'entre nous.

(Pocket n° 10752)

Il y a toujours un Pocket à découvrir

Faites de nouvelles découvertes sur
www.pocket.fr

- Des 1ers chapitres à télécharger
- Les dernières parutions
- Toute l'actualité des auteurs
- Des jeux-concours

POCKET

Il y a toujours
un **Pocket** à découvrir

Achevé d'imprimer sur les presses de

BUSSIÈRE

GROUPE CPI

à Saint-Amand-Montrond (Cher)
en mars 2007

POCKET - 12, avenue d'Italie - 75627 Paris Cedex 13

— N° d'imp. : 70298. —
Dépôt légal : mai 2002.
Suite du premier tirage : mars 2007.

Imprimé en France